D1212581

DANS LA FOULE

LAURENT MAUVIGNIER

DANS LA FOULE

LES ÉDITIONS DE MINUIT

L'ÉDITION ORIGINALE DE CET OUVRAGE A ÉTÉ TIRÉE
À QUARANTE EXEMPLAIRES SUR VERGÉ DES PAPETE-
RIES DE VIZILLE, NUMÉROTÉS DE 1 À 40 PLUS SEPT
EXEMPLAIRES HORS COMMERCE NUMÉROTÉS DE
H.-C. I À H.-C. VII

L'auteur tient à remercier le Centre National du Livre
pour son précieux concours

ISBN 10 : 2-7073-1964-3
ISBN 13 : 978-2-7073-1964-7

I

Nous deux, Tonino et moi, on n'aurait jamais imaginé ce qui allait arriver – Paris au-dessus de nos têtes et cette fois on ne s'y arrêterait pas. On a glissé sous Paris et les wagons du métro filaient vers la gare du Nord, sans que ni Tonino ni moi ne nous disions, tiens, et si on s'arrêtait quand même voir le temps et l'argent qu'on n'a pas nous filer entre les doigts ? Non, on ne s'est pas arrêté, on a filé comme ça jusqu'en Belgique, sans regarder la France et le temps qu'on laissait derrière nous, sans attendre que Tonino agite ses mains, larges comme on imagine celles d'un boxeur ou d'un désosseur de vieilles voitures, en spatules, carrées, robustes, pour nous promettre des moments formidables.

Tonino aimait se servir de ses mains pour faire semblant de menacer – touche le cul de ta sœur ! grognait-il quand il avait bu, avant de promettre à celui qui s'attardait trop longtemps devant lui de lui envoyer un coup de surin – il me semble que je ne l'ai pas entendu une seule fois utiliser un autre mot que celui-ci, *surin* – menace qu'il mimait d'un geste ample et savant mais sans jamais la présence d'une lame, seulement le geste, censé édifier le premier qui passait à sa portée. Mais on rigolait trop dans les bars pour ne pas voir que tout ça finirait dans une mare de bière plutôt que de sang ; eh oui, mon Tonino, t'es encore rond comme une queue de pelle ! Et le plus souvent il s'endormait soûl et parfois en ronflant, sur le coup des quatre ou cinq heures du matin, contre les seins épais et blancs d'une rousse oubliée au comptoir par sa copine, ou bien, le plus souvent, entre les bras de ce vieux copain qui ressemblait à Lucky Luke comme deux gouttes d'eau.

Comment s'appelait-il ? Tiens, je ne sais plus comment il s'appelait celui-là... Je sais juste que souvent les soirées finissaient comme à tutoyer le diable. On finissait par s'engueuler haut et fort, on en faisait des tonnes pourvu qu'on ait un minimum de spectateurs et, souvent, plus d'une des grandes mèches bouclées de Tonino ont fini entortillées entre les boutons marron de ce manteau de couleur ocre que j'avais trouvé un soir, en rentrant chez moi, plié au-dessus d'une poubelle à côté de la gare. C'était un raccourci que je prenais les nuits où l'on ne finissait pas au poste, comme ça nous arrivait assez régulièrement parce que, hélas, on avait nos habitudes, pisser sur les bégonias de la mairie, labourer les terre-pleins à coup de talons – je nous entends encore, place de la Mairie, non, non, monsieur l'agent, je vous jure, promis, je voulais juste cueillir à coups de talons des vieilles fleurs pour ma jeune mère, et l'autre, hop, suffit, vous me raconterez ça au poste !

Et ces badges de U2 et de Prince qui servaient à rafistoler le pan du manteau que, sur le haut du côté gauche, Tonino avait déchiré un soir où l'on s'était encore vaguement agrippé – j'avais crié, saligaud ! et ça l'avait fait rire ; il avait haussé les épaules en gloussant, oh, merde, et moi, furieux, mon pardessus ocre marron trouvé bien plié, voilà, déchiré. Alors j'avais trouvé des badges pour faire couture. Pourquoi je parle de ça ? Pourquoi pas. Au moins, de parler de l'hiver et de cette époque-là, si ça me remue c'est de joie, de la nostalgie, de ce qu'on voudra,

je m'en fous.

10

Mais parler du soleil, parler encore de ce soleil-là et du bras d'honneur qu'on lui faisait, je me dis que ça ne me tente pas. Le soleil, celui de ce jour-là, je me dis, pas sûr que ce soit mieux d'en parler, pas sûr que j'aie envie.

Il aurait mieux valu que je ne monte pas dans le train. Mais voilà. Au lieu de rester là, de ne pas bouger, je suis monté dans le train et moi aussi, ce jour-là, je suis parti de Liverpool et je suis allé jusqu'en Belgique, à Bruxelles. J'ai menti à ma manière, me réjouissant faussement et me promettant en secret de trouver dans mes mensonges de quoi me consoler et me rassurer. Parce qu'en vrai, j'ai pensé que ce jour-là je n'avais pas envie de quitter Liverpool. Je me disais que je ne serais pas plus mal chez moi à regarder le match avec Elsie, plutôt que de prendre le train et venir jusqu'à Bruxelles. Moi, ce n'est pas que j'avais terriblement envie... non. Mais c'est parce qu'ils voulaient que je vienne avec eux... enfin, disons, papa voulait que nous allions voir ce match tous les trois.

Alors on est partis ensemble.

Les trois frères. On a retrouvé les autres à la gare. Les amis de Doug surtout, qui ont ri de voir les trois Andrewson arrivant ensemble, en même temps, avec chacun son sac à l'épaule. Sauf que, de Doug, ils n'ont pas vraiment ri. Bien sûr. On n'a jamais ri de Doug, ni eux, ni personne. Mais par contre, de Hughie et de moi, Geoff, le petit Geoff Andrewson avec sa voix trop douce et ses cheveux bien longs pour eux, ils s'en sont donnés à cœur joie, comme d'habitude, comme à chaque fois parce qu'ils me trouvent trop jeune, trop ceci et trop cela, et qu'ils n'apprécient pas tellement que je ne rie pas à leurs blagues. Alors, ils ne m'ont pas beaucoup parlé dans le wagon. Ils riaient avec Doug et Hughie. Ils riaient entre eux, parfois avec d'autres. Mais ils ont surtout commencé à rêver de la fête qu'ils feraient dans Bruxelles, le soir du match, un coup à faire péter les fondations de Marble Arch et de Buckingham ! Des fêtes comme on en fait plus, à convier l'enfer et les damnés des guerres de cent ans, voilà, c'est comme ça qu'ils ont parlé. Ça qu'ils ont promis.

Je me souviens, dans le train, de l'impatience et des filles qui posaient leurs mains sur le haut de leurs jambes ; leurs sourires crispés ; les jupes qu'elles tenaient serrées contre les cuisses en évitant les invites et les ricanements entendus de mes frères et de leurs amis. Comme si les maillots et les écharpes ne leur étaient pas connus. Comme si... quoi ? je ne sais pas. Je n'ai jamais été autant supporter qu'eux. Je n'ai jamais su y croire complètement. Et pourtant, les Reds, c'est une histoire de famille, un mythe bien plus important dans ma famille que les Beatles pour les voisins, avec les disques et les affiches qu'ils pouvaient pourtant aller chercher jusque de l'autre côté de Sefton ou de Wirral – mais chez nous, c'était les Reds qu'on se passait entre hommes depuis ma naissance à moi, en soixante-six, date à laquelle ils étaient allés en finale de la Coupe des coupes. Même si c'est Dortmund qui avait gagné, notre père a toujours dit que c'était cette année-là que la famille avait senti son cœur devenir gros et battre fort comme on ne saura jamais quoi, disait mon père, alors que moi, le petit dernier, je l'écoutais raconter les premières victoires, et pourquoi je m'appelais Geoff, comme Geoff dans l'équipe.

À chaque fois l'histoire revenait, aussi belle qu'elle était ambiguë pour moi et ne me laissait jamais en paix – après qu'il me la racontait, je restais dans ma chambre, et je cherchais longtemps un sommeil qui ne venait pas. Alors, j'accusais l'odeur d'oignons frits ou de sauce à la menthe qui venait de la cuisine, les pas de Pellet, notre vieux chien à moitié aveugle qui traînait ses poils noueux et sales en bâillant et en produisant des bruits profonds comme des rots (on l'avait appelé Pellet parce que, à sa naissance, il n'était pas plus gros qu'une boulette de papier et que sa peau paraissait déjà toute froissée).

J'avais besoin d'accuser quelqu'un. Quelque chose. Alors c'étaient les docks ou la statue d'Eleanor Rigby. Et puis c'était moi. Pourtant, quand il parlait des exploits de Geoff Strong, mon père n'y mettait aucune autre expression ni intonation qu'une profonde admiration. Il répétait, avec les mêmes yeux grands ouverts qu'il avait en regardant un match important, ou quand, parfois, il lui arrivait de savourer une bonne nouvelle, les exploits de Geoff Strong en demi-finale, donc, contre le Celtic, alors qu'il était blessé à la jambe. Et moi je ne saurai jamais si c'est à cause de cette blessure que quelque chose me gênait, ou bien si c'est parce qu'il fallait toujours qu'on finisse de raconter l'histoire en rajoutant que Strong avait été surnommé *le rampant*, l'infirme, ou bien qu'il n'était qu'un remplaçant, qu'il serait toujours un remplaçant, parce qu'il avait ça de n'être fixé nulle part, ni en contre, ni en défense, ni en attaque, mais au contraire flottant au gré de la nécessité de son équipe.

Mes frères parlaient souvent avec mon père. Mais moi, à cause de la différence d'âge qui m'éloignait de la proximité qui existait entre eux (un an les séparait, contre six entre moi et le plus jeune des deux), je ne comprenais rien, ou presque, de l'étonnement et de cette exaltation que je leur enviais. Je regardais mon père parler de Mc Dermott et de Case, et mes frères qui regardaient mon père assis dans le salon, avec des yeux ronds comme des billes de verre. Ils le regardaient, et

13

moi je les regardais, eux. Et puis, il y avait cette voix qui se réchauffait quand il parlait de cette manière unique qu'il trouvait à Clemence, manière qu'aujourd'hui plus personne n'avait, d'arrêter un but. Il faisait la moue et hochait la tête en disant, non, non, ils ont tout inventé, et voilà, maintenant les Reds sont les plus forts, peut-être pas du monde, mais il ne faudrait pas que le monde la ramène trop. Notre père disait ça.

Mes frères : l'un était charpentier, l'autre travaillait pour une grande surface où il était magasinier. Mon père ne travaillait plus, mais je me souviens que, quand j'étais enfant, sa main me caressait la tête lorsqu'il passait à côté de moi, graissant mes cheveux de ses doigts épais et se faisant houspiller par ma mère, parce qu'il revenait de l'usine où il tripotait des joints et des poulies (je ne m'en souviens pas bien), qui lui faisaient les doigts aussi noirs que du charbon, aussi gras que de l'huile de foie de morue.

C'est peut-être parce qu'il disait être trop vieux pour y aller, que ça aurait été cruel de refuser la place que Doug avait trouvée pour lui. Enfin, c'est moi qui imagine que des trois places qu'il avait prises, Doug, l'une était pour papa et non pour moi. Je pense qu'il aurait aimé que son père manifeste le désir d'aller en Belgique ce jour-là, avec eux deux. Mais non. Il s'est levé de table en triturant d'un coup de langue le fond de sa bouche, l'air d'être en train de mâcher une part énorme de crumble. Mais nous savions tous qu'il ne faisait que triturer sa dent creuse, simplement à cause de son air assombri. Le front plissé, soucieux, il s'est levé, et puis il a dit qu'il fallait que quand même, à dix-neuf ans, le cadet de ses fils ait au moins vu une grande chose dans sa vie.

C'est ça. Il disait qu'il serait fier de nous savoir tous les trois là-bas. Qu'il regarderait la télévision pour essayer de nous apercevoir dans les gradins, pour entendre comment les voix de ses fils allaient soutenir l'équipe. Moi, je me souviens de mon billet entre les doigts. Je me souviens de tenir cette chose magique – et ce regard qu'il avait sur moi aussi, pas seulement sur eux mais sur moi aussi, moi, le petit Geoff. Avec mes frères, on allait au moins vivre ça. Peut-être même, un jour, le raconter à des gosses bouche bée de nous entendre leur dire, tu entends, moi, j'y étais ! Et ce serait la première fois où l'on partagerait tous les trois quelque chose sans nos parents. Et pour moi, ce serait sans Elsie. Je me disais qu'elle ne m'en voudrait pas. Et c'est vrai, elle ne m'en a pas voulu, pas à ce moment-là. Elle ne pouvait pas. Pas parce que c'était avec mes frères, mais simplement parce qu'on avait entendu répéter plusieurs fois à la radio que ce serait le match du siècle, et qu'une occasion comme celle-là est trop rare dans la vie pour qu'on puisse la laisser passer.

Du siècle ! ont-ils dit. Et si Platini n'est pas Dieu c'est que la Vecchia Signora n'est qu'une belle putain de catholique, comme on dit chez nous, disait Tonino. Et moi (impressionné) ah bon, ah bon, et lui qui en rajoutait, la mine dégoûtée : pour une fois que les Français ont un joueur qui est Dieu ! Pas un gars qui se prend pour Dieu, non, pas un vulgaire mégalo, du tout, mais une incarnation, une vraie, de la magie, Dieu lui-même descendu apprendre à tous ces pousse-ballons comment mériter leurs salaires. Et ces salauds de Gaulois pas foutus de le voir, quelle pitié... Eh bien, tant pis pour eux s'ils sont trop cons ! Dieu joue pour nous à la Juve, la Juve... les maillots rayés. Platini. Boniek.

Et Tonino et moi, tremblant d'excitation et de crainte parce que jusqu'au bout on avait eu peur de ne pas avoir de places. C'était un tel exploit d'avoir réussi à trouver des billets, et si vite, vite fait bien fait, mal fait, vu la méthode... Oui, pas terrible la méthode. Limite. Un peu douteuse. Mauvais scénario, comme dans les films : tu débarques deux jours avant dans la ville où quelque part va se jouer le match du siècle, parce que Platini va jouer et que Platini est un pseudo de Dieu, oui, puisqu'il y joue, c'est l'un des matches du siècle. Le Père, le Fils, et le Saint-Esprit c'était Boniek, le meilleur ami de Platini, disait Tonino quand il voulait raconter que Boniek et Platini c'étaient comme lui et moi, des amis, des frères, comme nous, disait-il, en rajoutant, on n'est peut-être pas des dieux mais Dieu, du boucan, je te jure qu'on va en faire !

Alors, puisque c'était sérieux il m'appelait Jean-François et non plus Jeff, comme il m'appelait le reste de l'année, sous la pluie de notre vieille ville où l'on bricolait quelques vagues études d'histoire de l'art et – plus assidûment – de vagues caresses avec certaines petites amies de copains trop oublieux avec elles. Dans les chantiers du centre-ville, dans des caves boueuses ou dans les halls d'immeubles, on mangeait des chips en buvant une infâme piquette que pas un ivrogne de la place de la Foire n'aurait osé toucher. Mais nous, oui. On allait faire des promenades dans des deux-chevaux qu'on empruntait la nuit dans les parkings des zones commerciales ou dans la Z.U.P. derrière la gare et le tri postal, à des bonnes sœurs (mais comment aurions-nous pu savoir qu'elles en étaient, quand c'est toujours après le forfait commis qu'on prenait le temps de regarder les autocollants sur le pare-brise ?) sans doute malheureuses, au lendemain, de ne pas pouvoir dispenser leurs piqûres à des vieillards tremblotant depuis le petit matin en attendant leur dose. Et parfois c'était des voitures

16

d'instituteurs aux cheveux longs et aux mines molles ; des caricatures, des panoplies, à croire que tous avaient trouvé leur métier en cochant des cases, si vous êtes mous lymphatiques et que vous aimez les pantalons en velours côtelé que vos lunettes sont rondes à pourtour en plastique façon acajou, alors oui, signez-là. On allait faire un tour et visiter les parcs des châteaux de la région (très jolie, la région), un peu comme quand on a décidé d'aller en Belgique voir la finale – et moi, toujours à la traîne : les billets ? comment on va faire pour les billets ? T'occupe ! avait répondu Tonino, sûr de ce que la vérité serait avec nous, Dieu est avec nous, j'en suis sûr, il s'appelle Michel et le stade est son autel, Alléluia, mon pote !

Mes frères ont embrassé nos parents et puis leurs femmes, ne pardonnant (ou feignant de ne pardonner) qu'à peine à celles-ci d'être obligées de rester pour s'occuper des enfants. Doug en avait deux : une petite, Martha, en qui il rêvait de voir une future coiffeuse ou une manucure. Quelque chose dans ce genre. Parce qu'il trouvait que la coiffure, pour une fille, c'était bien. Des métiers qui avaient de l'allure et de l'élégance, pour une femme. Quant à son fils, peu importait le métier, pourvu que ce soit dans le sport. Doug voulait que son enfant soit sportif. Que très jeune on achète au petit Bill une moto électrique, pour que le goût lui vienne de la course et des rallyes. Ainsi, un jour, quand il serait grand, ils iraient tous les deux assister au grand prix de Silverstone et de Goodwood. En attendant, le petit laissait tomber sa tête ronde sur le pull-over angora de sa mère, endormi sur la grosse poitrine de Madge. Et ni les Reds ni la moto, ni le départ de son père ne semblait l'émouvoir. Alors qu'elle, Madge, elle s'agitait et continuait de lui dire de faire attention, et de ne pas trop boire quand même. Ses yeux, dont le fard ne cachait pas l'inquiétude de voir son mari partir sans elle, ce sourire pour cacher la peur qu'elle devait avoir, connaissant Doug et redoutant de lui tout ce qui pourrait arriver, pensait-elle sûrement, devaient justifier qu'elle insiste pour qu'il appelle à la maison – et de le répéter alors sur tous les tons, me regardant, moi, le cadet, quand Doug n'écoutait plus ce qu'elle disait depuis déjà quelques minutes. Oui, Geoff, c'est toi le plus sérieux, hein, dis-le-lui, toi, tu me promets, fais-lui penser à ça surtout. Qu'il appelle à la maison. Tu me promets ?

Elle souriait pour faire plaisir, et n'avait pas plus envie de sourire que de rester comme ça sur le trottoir, entourée par sa belle-sœur et ses beaux-parents, les bras chargés d'un enfant que l'abandon au sommeil alourdissait encore, une bulle de salive aux coins des lèvres. Elle détestait cette histoire de football et ne supportait pas le fatalisme de ma mère, quand celle-ci disait : les hommes, qu'est-ce que tu veux, ils sont comme ça ! Il n'y a que le foot. Elle rajoutait en haussant les épaules, comme si le foot n'était qu'un péché de plus parmi tous ceux dont les hommes sont affublés, une fatalité à rajouter aux malheurs des femmes de Liverpool : c'est comme ça, les hommes aiment le foot et il n'y a rien à faire contre ça, pour un homme, c'est être malade ou un peu bizarre de ne pas aimer le foot, de ne rien connaître des tactiques de jeu, de ne pas connaître le nom de l'entraîneur ni en quoi sa stratégie sera ou non bénéfique pour le Club. Puisque les hommes aiment le foot, ils aiment leur équipe et la nôtre, celle de Liverpool, par chance, c'était l'une des meilleures, l'une des plus fortes. Pour nous tous c'était important. Même pour moi. C'était important. Je me souviens des cris qu'on entendait dans la ville. De ces cris qui transperçaient les murs ; les vitres qui vibraient au moindre penalty. Impossible de ne pas trembler. Même les femmes aimaient trembler avec nous et entendre la ville retenir son souffle pendant la durée d'un match, puis se taire dans la défaite.

La ville, il fallait l'entendre se retourner sur elle-même, dans son silence, toute morgue et fierté rabattues, toute honte et rage bues. Alors on voyait l'idiotie et l'abandon, les mouvements des gens : faire couler à flots la Guinness dans le pub le plus proche ou retourner à son travail, un air de deuil sur le visage et dix ans de plus dans la démarche, d'un coup – mais seulement en bredouillant des mots incompréhensibles, aujourd'hui je suis barbouillé, je ne me sens pas très bien. On ne parlait que des victoires, sur lesquelles, par contre, tous se jetaient avec voracité – sans que pour autant elles soient rares ni que les occasions manquent de fêter l'une d'elles – en buvant et en chantant ; et tout à coup mon père aimait ma mère, mes frères ne trouvaient plus que leurs femmes étaient flasques comme des *jellies* ni qu'elles ne savaient pas s'amuser ni rire. Ils ne trouvaient pas non plus, alors, qu'Elsie était trop timide et lointaine, ni qu'elle était cette fille trop sérieuse et un peu hautaine, méprisante avec eux, disaient-ils, avec ses nuits d'infirmière et ses journées à lire des livres de poésie en deux langues. Ils trouvaient que la victoire donnait à mes os trop saillants une force qu'ils ne me connaissaient pas – enfin, ils ne trouvaient plus que je n'étais pas comme eux, moi, avec ce silence que j'avais, cette façon que j'avais de ne pas répondre ni de donner mon avis quand ils avaient l'espoir que moi aussi je dirais du mal des Ferwell et de leurs deux imbéciles de fils, quand, à la maison, autour d'un *shepherd's pie,* on parlait de ceux-là parce qu'ils travaillaient tous les deux – enfin ! –, l'aîné avec ses grosses lunettes et l'autre au sourire benêt, derrière les comptoirs des banques. Puisque jamais aucun des deux ne se salirait les mains autrement qu'en tripotant des bordereaux et des beaux billets de banque.

Moi, je ne disais rien, parce que je savais que ma mère aurait bien aimé que je travaille au guichet d'une banque. Parce qu'elle trouvait que ça aurait été bien *pour moi*. Alors, vu ce que ma famille pensait des gens qui avaient ce genre de métier, je me demandais bien ce qu'elle avait derrière la tête, ma mère, lorsqu'elle disait que ça aurait été bien, *pour moi*. Mais bon. Je ne disais rien. Parce qu'il aurait fallu dire, mais oui, ils sont comme vous dites et tout est comme vous dites. Et moi je suis comme vous ; j'aime que vous aimiez la victoire des matches ; j'aime voir quand papa se crispe devant la télévision, quand j'entends son souffle qui se précipite et quand, après le match, au moment où la tension retombe mais qu'elle reste encore dans l'air, et qu'on voit sur la table les canettes et le cendrier plein, la nappe de fumée au-dessus des têtes, et Pellet qui a vomi quelques os de poulet et ses croquettes de viande près de sa vieille couverture marron, ce moment toujours reconduit, infaillible et répété à l'envi – c'est le moment où mon père va se racler la gorge en ouvrant une canette de bière pour téléphoner à Doug et à Hughie, afin que l'un après l'autre ils commentent le dribble, la beauté d'un contre de Rush, l'évidence d'une passe de Dalglish. Et moi, j'aime entendre sa voix quand il parle tout seul, tendu, les jambes serrées l'une contre l'autre, prêtes à bondir. Et ces insultes dont il ravale le fiel en griffant le rebord du fauteuil, là où les lambeaux de skaï marron tiennent par miracle, juste sous son poing crispé. Puis, voilà, ces jours de victoire où nous sommes tous à la maison, j'aime l'illusion que ça donne, la sensation que ça ne s'arrêtera jamais. C'est pour ça, aussi, que moi j'étais tremblant au moment de dire au revoir aux parents, ému de laisser Elsie deux jours, (elle m'avait dit qu'elle avait accepté d'être de garde pendant la nuit du match, puis elle a dit : je pourrai regarder le match dans la petite pièce, ce ne sera pas la première fois que je regarde la télé là-bas, en espérant qu'aucun malade ne va sonner et en restant coincée debout près de la porte, une oreille dans le couloir et un œil sur la télé, je regarderai pour te voir).

Et puis, il y avait Hughie.

Ses trois enfants et sa femme. Faith n'aimait pas les matches. Elle trouvait que Hughie passait beaucoup de temps à regarder des matches et peu à réparer les fenêtres et les gonds des portes. Elle travaillait dans un magasin de chaussures. Pas une fabrique, non, une boutique du côté de Clayton Square. Elle se parfumait et promenait partout avec elle une odeur écœurante de patchouli, et racontait souvent qu'elle se souvenait de Hughie et de ce qu'il était venu changer une paire de chaussures au moins quatre ou cinq fois avant qu'elle comprenne qu'il venait peut-être pour autre chose. Et maintenant, ils avaient trois enfants qui criaient et se battaient entre eux, des amis avec qui ils buvaient de la bière. Enfin, les hommes, pendant que les femmes sirotaient des sodas en fumant des cigarettes au menthol et en commentant des séries télévisées.

Et maintenant, venus de tout Liverpool, des milliers de gens allaient s'agglutiner dans la gare. Et parmi eux, parmi les onze mille supporters de Liverpool, il y aurait les trois fils Andrewson, tremblants et libres tout à coup, portés par une joie énorme, une envie de rire et de courir comme des gosses. Ça a été ma première surprise. Voir mes deux frères rire comme des enfants et chercher à se bagarrer comme les enfants le font. J'entends leurs rires. Je revois les dents pourries de Hughie et le noir là où il n'y en a plus. Le bras tendu de Doug qui salue vers la famille pour dire au revoir. Et puis son tatouage sur l'avant-bras, une bouteille mal dessinée, et, remontant vers le poignet, le dessin d'un couteau dont la lame va se planter dans la paume, en plein milieu.

Sinon pour Tonino et moi ça a commencé dans l'alcool, très vite. Parce que, lorsqu'on est arrivés à Bruxelles-Midi, c'était la veille du match et nous nous sommes demandé, mais, comment allons-nous faire, comment, avec des sacs à dos à peine assez grands pour nous servir d'oreiller, mais trop vides pour en faire office – pas de brosses à dents ni dentifrice, ni même un savon mais pour quoi faire, puisqu'on ne venait que pour le match et la Belgique, pas pour se laver ni se frotter le dos –, et nous, si peu prévoyants que le soir, il avait été impossible de trouver un endroit pour dormir. Je revois la tête des hôteliers et des gens dans les gîtes et les auberges de jeunesse et leur même air consterné en nous disant, mais, voyons... évidemment non ! il n'y a plus de place ici, il n'y en aura nulle part ! Vous savez, le match, on attend soixante mille personnes de toute l'Europe, alors des places et des chambres, il n'y en aura pas pour tout le monde !

Et de rajouter : il y a ceux qui ont réservé et les petits malins qui tentent leur chance et pensent qu'au débotté ils trouveront des billets et des chambres... pourquoi pas non plus des petites amies pour passer le week-end ? hein, pendant qu'on y est ? Mais non, bernique. Faut être un peu prévoyant dans la vie, messieurs. Tonino dodelinait d'abord (ouais, ouais, compte là-dessus et bois de l'eau fraîche) et souriait gentiment à l'homme ou à la femme derrière son comptoir.

C'est juste après, en aparté, qu'il rajoutait, merde, c'est vrai ce qu'elle nous dit, la bourrique. C'est vrai, sauf que nous, on a vu bien pire, tu te rappelles, à Madrid ? le soir de Noël ? On avait débarqué et Madrid, à Noël, mieux vaut ne pas être la petite marchande d'allumettes, parce qu'il n'y a personne nulle part vu que tout est fermé. Et pourtant il y avait eu cet hôtel, avec le salon où deux hommes en smoking, le nœud papillon ouvert, nous avaient servi du champagne rosé. Les deux gigolos étaient aussi fin soûls que fin de siècle et les deux dames plus très jeunes mais tellement languissantes autour d'eux nous ont parlé longuement de l'amour de Dieu et des hommes – mais oui, madame, je comprends. Et ce soir-là on aurait pu dormir entre deux gigolos et deux belles dames plus très fraîches, dans des salons aux tentures pourpres en buvant du champagne rosé, mais, non merci, trop fatigués, on va dormir et joyeux Noël.

À Madrid, on se disait vive les décadents, ils nous ont bel et bien sauvés ! Et l'on comptait qu'il y ait aussi des décadents à Bruxelles, pas de raison, non, aucune. Alors on a marché dans la ville, on a flâné sans se soucier de rien d'autre que de notre plaisir à marcher dans une ville inconnue, et puis le soir est venu très vite. C'est chouette, Bruxelles, avec toutes ses belles maisons et tous ses policiers dans la ville. On est allé dîner dans un petit restaurant et après, voilà, les choses d'elles-mêmes arrivent, on était dans la rue et des gens entraient dans un bar, qui nous ont demandé : Italiens ? Français ? On a répondu : les deux mon capitaine ! et alors un type nous a dit : venez, je vous invite, on fête mon job, allez, avec nous ! Venez !

C'est comme ça qu'on a rencontré Gabriel. Comme ça qu'à deux ou trois heures du matin on s'est retrouvés dans les rues de Bruxelles tous les deux, Tonino et moi, soûls et heureux, remerciant les Belges pour leur générosité, remerciant les marches des boutiques et les espaces dans leurs renfoncements pour nous faire un lit improvisé – nous, pas encore honteux, au contraire tout fiers et heureux de ce qui pour l'heure ressemblait à un miracle : les billets pour la finale, bien calés au fond des poches de Tonino.

Marche à travers le vent, marche à travers la pluie, continue à marcher, continue à marcher. Et dans le wagon c'était comme un seul corps qui chantait : *après la tempête il y a un ciel doré*, une seule voix lourde montant dans le wagon, sous l'œil amusé du policier qui était là pour surveiller que personne d'entre nous n'irait déjà se soûler. Et moi, je me souviens d'avoir entendu ma voix qui chantait.

Je me souviens que ma voix sortait de ma bouche et que le son vibrait dans ma gorge et puis se répandait, au-dehors, avec les voix de mes frères et celles de leurs copains. Leurs copains : Soapy, ce grand type avec sa figure en ballon ovale et ses yeux ternes, son crâne rasé et les taches de rousseur, le menton si étroit, pointu, qui fuyait dans l'épaisseur et la graisse de son cou. Il avait une voix de basse qui servait de plancher à toutes. Comme si chacune s'appuyait sur la sienne pour pouvoir monter dans les aigus. Soapy, qu'ils appelaient comme ça parce qu'il puait des odeurs de sciure et de cambouis, mêlées à la poisse du linge humide et de la crasse. Un mélange à la fois aigre et rance dont les relents s'épanouissaient dès que Soapy riait ou bougeait trop. Soapy. Avec cette veste pouilleuse et maculée venue d'un surplus militaire, et le pantalon verdâtre, de treillis, qu'il portait tout le temps et dont l'aspect luisant semblait être pour lui comme une seconde peau. Rares, donc,

24

les jours où on avait pu le voir habillé et propre, rasé, sans odeur pour justifier l'ironie de son surnom.

Il y avait les frères Arrow et Bennett. Puis celui dont j'ignorais le nom, qui ne disait rien et jouait avec un élastique. Et les autres. Tous les autres, dans le wagon, qui ne tenaient pas en place et trépignaient et sortaient de leurs cachettes des flasques de whisky. On recommençait d'entendre les chansons que nos pères avaient chantées en soixante-cinq contre l'Inter-Milan, sur l'air de *Santa Lucia* on chantait en riant un *Go Back to Italy*. Et les voix montaient, qui nous faisaient encore plus fiers, encore plus heureux d'être là.

Pour cette fois, je voulais que ça se taise, en moi, je voulais ne plus entendre cette voix qui me disait toujours de ne pas me fier à eux, de ne pas marcher avec eux. Je voulais ne pas avoir ce regard ni sur eux ni sur moi. Ne pas encore juger et m'étonner de ma présence auprès d'eux, mes frères si lointains dans l'air même que je partageais avec eux ; le monde où ils bougeaient, chantaient, gueulaient, vivaient, si étranger à celui où moi je me perdais à essayer de rêver de les rejoindre et de leur ressembler. Peut-être encore trop lent à me remettre de cette évidence que toujours, pour moi, il fallait faire *comme si*. Je mentais. Je voulais mentir. Et me laisser flotter dans ce monde qu'ils portaient, même si je ne m'y reconnaissais pas et que je devais taire mon envie de gueuler. Oui, ma rage contre eux, parfois, pour un rien. Toujours ces petits riens qui me ruinaient et contre lesquels j'étais incapable de faire l'impasse. Mais cette fois, je voulais m'oublier totalement et être avec eux, être comme eux. J'avais envie de boire les mêmes bières et de rire des mêmes blagues. J'avais envie que ma voix grossisse et qu'elle éclate en rires méchants, elle aussi, et que mes coups d'œil aussi se régalent des provocations et du rouge sur les joues des filles.

25

Mais aussi, il y avait les enfants que d'autres avaient voulu avoir à côté d'eux pour le grand rendez-vous de la finale. Les femmes aussi, pour certaines, qui venaient avec leur mari et chantaient plus fort qu'eux, avec les enfants qu'elles tenaient sur les genoux en chantant et en enserrant leurs petites mains, frappant avec elles. Elles riaient, et les enfants dans le wagon ont commencé à courir comme ils font, se faufilant, glissant d'un côté à l'autre avec des rires bruyants accompagnés de cris aigus et de grands mouvements, des pistolets en plastique vert dans les mains tendues – le fils Shandy qui a pointé son canon sur Doug. Doug n'a pas bougé et, lorsqu'il a appuyé sur la gâchette, le fils Shandy a hurlé, pan ! pan ! le maillot de Rush sur les épaules. Le numéro neuf. L'enfant qui a continué de hurler dans tout le wagon, pan ! pan ! t'es mort, tifoso ! t'es mort !

Surtout, c'était les rires des vrais supporters, ceux qui avaient décidé de venir avec les tee-shirts et les peintures sur le visage, tout de suite, sans attendre, dès la gare. Il y a ceux qui n'avaient pas eu le temps de se préparer et qui voulaient se changer dans le train. Ceux qui se contenteraient de se barbouiller de peinture quand ils seraient dans le stade. Et puis ceux dont les cornes, rangées dans les sacs de sport, résonneraient pendant le match. Ceux qui voulaient boire, déjà, et qui marmonnaient qu'on n'interdisait de boire qu'à ceux de Liverpool. Comme si à Liverpool il y avait eu des dégâts. Je revois encore les deux jeunes, maigres, aux crânes rasés et dont les walkmans vibraient et crachaient des sons suraigus à travers le wagon, l'un avec sa boucle d'oreille, l'autre un tatouage de serpent autour du cou. Ils étaient de l'autre côté du couloir, juste dans le sens de la marche. On les entendait qui disaient qu'à Liverpool on savait boire, bien mieux, disaient-ils, que ces pauvres types de Manchester. Ils ne riaient pas en disant ça, et ils disaient : de toute façon, les gars sont en forme, et ce soir ils seront invincibles et nous chanterons *England ! England !* jusqu'à la fin de la nuit.

Fais voir ! Tonino ! Fais voir nom de Dieu !

Et Tonino m'a montré les billets dans la poche de son blouson – il portait un Teddy et derrière était écrit *Chicago*, en grandes lettres blanches dont la forme serpentine imitait celle des lettres de Coca-Cola. Son frère le lui avait rapporté des États-Unis, et c'était la seule fois où ils s'étaient revus depuis que l'aîné était parti faire fortune à Chicago, dans la micro-informatique et non pas – Tonino mettait un point d'honneur à le préciser – dans la pâte à pizza. Tonino, lui, ne rêvait que de cinéma américain. Enfin, d'un certain cinéma américain. Disons qu'il ne voulait plus entendre parler que de Coppola et de Scorsese. Il disait, pour le reste, les Américains sont nuls en foot et d'ailleurs tout le monde se fout bien de savoir ce qu'ils pourraient faire avec un ballon rond ; mais si seulement je pouvais raconter à mon frère cette finale qu'on va aller voir – parce que, tu te rends compte, Jeff, on va aller voir la finale ! – il en serait malade le frangin, non seulement de savoir qu'on a des billets, mais aussi de se demander comment le bon Dieu peut être à ce point aveugle avec des gars qui ne méritent pas un tel cadeau. Il faudrait juste faire attention de ne pas retomber sur Gabriel et Virginie, parce qu'on s'était très mal comportés avec eux. Quand on avait compris que pour nous ce serait sans doute la seule occasion pour avoir des billets, eh bien, tant pis, il n'y avait pas eu d'hésitation.

La main de Tonino a plongé dans le sac de Virginie. Il a retiré le portefeuille et, sous la table, peut-être pendant que je racontais l'histoire de Michel Miquelon, parce qu'elle est l'histoire la plus drôle que je connaisse mais aussi — et surtout — parce qu'elle est la seule blague dont le récit ne vaut que par la durée, comme si son inventeur l'avait pensée à la seule fin de laisser le temps qu'il fallait aux mains de Tonino et à leurs dix doigts pour accomplir leur méfait, il s'est arrangé pour dénouer le problème des billets en remettant le portefeuille dans le sac. Hop là. À moins qu'il l'ait fait à un autre moment ? Possible. Et voilà, j'ai fini de raconter mon histoire de Michel Miquelon, nous en sommes au moment où le directeur se retrouve place Saint-Pierre, il voit le Pape à son balcon et Michel Miquelon à côté de lui, et là c'est la chute, dans la foule quelqu'un demande, eh, c'est qui le type à côté de Michel Miquelon ? Au moment où tout le monde a ri, Tonino a ri plus fort que les autres, et pour moi ça voulait dire encore une bière et puis on détale, s'agit pas de prendre pension. Mais Gabriel est intervenu, pas question de repartir comme ça, les gars, vous n'allez pas dormir dehors, venez chez moi. Parce qu'il est vrai que nous avions raconté qu'il nous avait été impossible de trouver une chambre à cause du match, et que, précisément, il n'avait été question du match que lorsque nous avions expliqué qu'il était impossible de trouver une chambre dans Bruxelles.

Et Gabriel, ce grand gaillard plutôt maigre, avec ce visage fin et sec sous la peau rosâtre, des yeux d'un gris presque liquide, et l'expression inquiète sous un air trop sage pour ne pas laisser supposer que la violence n'y faisait que différer, qu'attendre, parce qu'on la sentait présente dans les sourires et dans cette mollesse d'un dos légèrement voûté et sous la coupe des cheveux châtains, avec leur raie sur le côté, cette voix qui tremblait et semblait tendue, tout près de rompre même quand elle voulait rire, la chemisette bleu ciel et les plis du pantalon à pinces, et puis cette gourmette et le prénom gravé en italique, *Gabriel* – oui, cette figure qu'on aurait pu dire aux aguets, planquée sous des airs dolents d'enfant qui veut trop bien faire, lui, il m'avait mis mal à l'aise tout de suite. Pour l'instant, nous étions invités à partager des verres avec Virginie et lui, et Adrienne et Benoît, dans un grand bar au décor qui ressemblait à un pub mais n'en était pas un. La musique y était de la pop anglaise, mais aucune marque celtique nulle part, pas l'ombre ni de chardon ni de trèfle à quatre feuilles. Pour autant, Gabriel nous avait dit, ne traînez pas trop dans les rues, les veilles de match c'est toujours dangereux, et le match de demain s'annonce particulièrement chaud, surtout pour Tonino qui n'a pas une tête de Celte !

Certes, Tonino jouait l'Italien mieux que l'Italien, ses cheveux étaient bouclés et bruns comme ceux de sa mère, il aimait le foot comme elle, il était très nerveux comme elle qui était née du côté de Roubaix. Rien d'italien de ce côté-là. Et Tonino se lamentait en disant, mon père est vraiment italien et le football l'emmerde, la castagne l'emmerde, quelle misère, même les clichés foutent le camp !

Gabriel parlait de ses amis qui étaient tous de sa *promotion,* et pendant que Tonino me disait, ah, oui, elle est jolie comme un cœur, cette Virginie, n'est-ce pas ? je répondais, c'est vrai qu'elle est jolie, mais je préférais regarder au-delà, vers les amis de Gabriel qui entraient dans le bar, ceux de sa *promotion.* Et ce drôle de mot a suffi à nettoyer nos bonnes consciences et à les disculper du sentiment désagréable de faire du tort à quelqu'un qui avait été généreux avec nous. Ça oui, c'est idiot, à cause du mot *promotion* et de ce que ce mot s'accommodait du ridicule des gourmettes et des raies sur le côté. J'imagine

Tonino pensant pour lui-même, quel sacrilège de laisser une jolie fille comme Virginie – jolie, malgré son jean en stretch et un polo vert pomme – avec un type *promu* comme Gabriel. J'aimais croire que Tonino se disait, ouais, ouais, il est gentil Gabriel mais tout de même, petit un : il ne devrait pas porter de chaînette autour du cou, et petit deux : on devrait interdire les chemisettes.

Alors on s'est nous-mêmes amnistiés de notre vol, tranquillement, sirotant le dernier demi offert par Gabriel, alors que des mots venaient avec la mousse et la Spaten, qui disaient que les billets pour le match pourraient n'être qu'un acompte, qu'on aurait pu – pourquoi pas ? – envisager une petite virée avec Virginie, un peu à l'écart de Gabriel ? Enfin, il a bien de la chance, ce nouveau *promu,* d'avoir une petite amie si jolie et tous ses amis qui débarquaient dans le bar, des blondes, des brunes, tous ces gens qui félicitaient Gabriel pour ce travail formidable et congratulaient Adrienne et Benoît pour cette idée qu'ils avaient eue, eux, les amis formidables : ces deux billets pour la finale d'un match qui ne serait pas moins formidable ni exceptionnel qu'eux.

2

Si je ne réussis pas à trouver Tonino et Jeff à l'entrée du stade, j'attendrai dehors. Je longerai l'avenue et je compterai un à un les rideaux de fer baissés, puis j'irai dans le bar qui restera ouvert à l'angle de l'avenue et de l'enceinte du stade – j'attendrai parmi les quelques pochards rabougris, ratatinés sur les hauts tabourets du comptoir, et, quand je n'en pourrai plus d'attendre et d'écouter leurs commentaires, après avoir regardé l'écran de la télévision, je repartirai. De nouveau je marcherai autour du stade, vers les guichets. Je guetterai dans l'avenue Houba-de-Strooper, tout l'après-midi s'il le faut. J'attendrai même après le match, que tous les gens partent. Et je les compterai un à un, les Anglais et les Italiens, tribune après tribune, bloc par bloc. J'attendrai avec patience, sans trembler, sans jurer ni montrer ma colère, mais avec le plus grand calme et une détermination absolue. J'attendrai que les télévisions de l'Europe entière aient rendu l'antenne, qu'il n'y ait plus qu'un désert et autour, dans les gradins, des chewing-gums écrasés contre les barres d'appuis, des papiers de bonbons et des glaces dégoulinant sur les dalles de béton, le tout mêlé aux centaines de milliers de mégots écrasés. Et puis aussi, j'imagine, quelques chemises en boules couvertes de sueur et de bière, oubliées là avec des écharpes abandonnées comme des langues de belle-mère et des cotillons aux lendemains des fêtes, quand il ne reste que des confettis dans les cheveux et une extinction de voix pour raconter.

Il y aura soixante mille visages crispés et tendus dans le stade, et des millions de gens pour regarder devant leur poste de télévision les mêmes soixante mille visages agrippés, courant derrière le ballon, des visages chahutés par le moindre revers et la plus petite surprise, cahotant, trébuchant avec le ballon. Des millions de prières à travers toute l'Europe. Et de partout, ce silence où couvent les cris les plus furieux : tout attendre des joueurs, un arbitre à redouter et sur qui se défouler en toute mauvaise foi. Des millions de gens dans leur voiture ; des routiers dans leur camion alors que dans les hôpitaux, les oreilles collées aux transistors, les malades en pyjama et en robe de chambre se réveilleront vifs, haletants, surexcités comme des diables, les vieux et les agonisants presque ressuscités au moment de cracher un caillot de sang en hurlant Vive la reine ! – et les aveugles, dans le noir où ils vivent, s'imaginant la course plus belle encore, les seuls peut-être à s'émouvoir et à s'impatienter en écoutant la radio, sans avoir à chercher désespérément un poste de télévision. Et moi. Moi, je n'écouterai pas. Je ne regarderai pas. Je serai là, dans la foule, avec Virginie, à chercher patiemment sur les bancs et dans les parcs, à longer toutes les avenues et à compter visage après visage, dans tous les bars de la ville, avec minutie. Je resterai aussi calme que possible. Les mains contre le corps ; elles ne trembleront pas, je ne rougirai pas, et ce sera comme ça tout le temps que durera la soirée.

Et quel que soit le vainqueur – peu m'importe désormais qui gagnera ou non le match, je devrai me concentrer et rester patient jusqu'au bout, sans me laisser distraire – j'irai au-devant de la foule et, les jambes arc-boutées, plantées en terre, le menton bien relevé et les yeux plissés pour ne pas me laisser aveugler par les lumières, j'attendrai et guetterai le moindre Teddy en cherchant les lettres blanches aux formes d'arabesque sur le dos mais aussi, au-dessus du mot *Chicago,* des cheveux longs et bouclés. Avec Virginie nous resterons l'après-midi entier à attendre devant le stade, à regarder les bus dégueuler les supporters avec leur barda et tout le folklore des drapeaux et des fanions, sur les épaules et dans les bras, les chants plein la voix pour envahir déjà la ville et donner le ton, à coup de cornes de brume et de rires, de leur envie d'en découdre. Mais il y aura avec eux le danger et la méfiance de la ville, quand elle va se gorger de ces présences et qu'elle se laissera déborder par les milliers de policiers et par cette impatience, ce bouillonnement qui montera entre les vieux murs de la ville et dans les maisons, jusque chez les plus calmes, dans les rues sombres, derrière les volets crasseux et dans les cuisines des vieilles dames, par les informations télévisées.

Et nous, pendant ce temps, nous surveillerons les mines inquiètes et les ongles rongés aux terrasses des cafés. Nous écouterons ce que dira la rumeur, dans la ville, et nous étudierons la migration des supporters : leur façon de bouger et d'infiltrer la ville, de s'y fondre. Et de cette foule qui crépite de la même façon des deux côtés, séparée par une ligne blanche et un coup de sifflet, une langue et des couleurs de tee-shirts différentes, de cette foule qui, pour l'instant, ne ressemble qu'à un seul corps, un seul être – espoirs, rires, fanions, danses, tout est pareil –, la déchirure se consommera par les cris de joie d'un côté plus violents et plus hauts que la rage et la déception de l'autre – la rupture entamée quand les visages exploseront d'un bonheur incontrôlable, des corps bondissants et les autres au contraire, soudain vieillis et mous, mines défaites, mornes, bras ballants pour porter les fanions comme la corde pour se pendre. Des drapeaux aussi blancs que les visages sous les maquillages, avec, pour en finir et les diluer dans l'amertume, des larmes tout juste bonnes à faire couler dans le même mouvement les peintures et les dernières illusions.

Mais, avec Virginie, nous retrouverons Jeff et Tonino. Nous leur demanderons pourquoi ils nous ont volé les billets. Pourquoi ils ont bu et ri avec nous, comme ils l'ont fait l'un et l'autre, avec le même abandon, la même joie apparente dans leurs sourires et le bien-être qu'ils dégageaient tous les deux, chacun à sa manière. Ils se sont amusés avec nous et joués de nous, voilà la vérité, là où la soirée a chaviré, et c'est là, en visitant à nouveau chacun des sourires et cet air qu'ils avaient l'un et l'autre d'être bien avec nous, c'est de là que monte la colère et ce besoin de leur dire que c'est impossible, ça ne se peut pas ; parce que je leur dirai que je les avais trouvés sympathiques tous les deux, assis sur le trottoir face au bar, quand je les avais vus. Alors il faudra qu'ils parlent et que ce soit comme un aveu, une forme de honte et d'humiliation pour eux, que leurs voix soient tremblantes et les visages piteux, juste ce qu'il faut pour qu'on n'en parle plus, que ce soit sincère. Qu'ils disent, nous nous repentons, et répètent l'un après l'autre, sur le même ton, avec la même résignation dans la voix, qu'on ne fait pas ce qu'ils ont fait. Et qu'ils demandent qu'on les pardonne, qu'ils disent comment ils ont fait et à quel moment ils se sont décidés.

Mais aussi, il faudra bien qu'ils parlent, que l'un ou l'autre dise si c'est seulement pour ça qu'ils sont restés à notre table. Ou parce qu'ils y étaient bien. Voilà ce qu'ils devront dire. Et raconter pourquoi ils ont écouté quand je les ai présentés à mes amis, à Benoît, à Adrienne. Est-ce que c'était seulement pour s'empiffrer de bière et des cacahuètes qu'on leur offrait ? Ou alors, dès qu'ils ont compris pour les billets, est-ce que tout n'a été que patience, tricherie, feinte ? Tous ces sourires pour voler les billets du match ? Mais, je le sais bien, on avait trop bu, trop parlé.

Moi, quand je les ai invités, j'ai dit, venez avec nous, allez, pas de chichis, buvez avec nous et dites-moi, vous êtes qui, les gars ? Vous aimez la Belgique ? Ah, oui, comme j'étais content. Je me revois cherchant à leur expliquer ma joie, toute cette joie parce que je n'y croyais pas : d'abord ce travail dans l'agence de voyages la plus prestigieuse ! Et ça voulait dire : fini les études et les problèmes de fric. J'avais tellement envie de fêter ça. On a tellement fêté ça, dans le bar. Ce soir-là, tout le monde était le bienvenu. Oh oui, j'aurais voulu que tout le monde vienne et qu'à tout le monde je puisse dire, Virginie, ouvre ton sac, ton portefeuille et regardez, les gars ! regardez ! les billets que mes amis m'ont offerts pour demain, avec Virginie, nous serons dans le stade ! Et j'aurais dû réagir et comprendre le regard qu'ils ont eu l'un pour l'autre, le Français et l'Italien, quand tout à coup ils se sont tus et qu'ils ont échangé ce coup d'œil que j'ai cru voir, que j'ai refusé de voir. Pourtant j'ai compris. Ils se sont décidés très vite. Et c'est pourquoi ils ont trinqué à nouveau entre eux deux, malgré le fait que nous avions trinqué deux minutes auparavant, tous ensemble. Pourquoi l'Italien a retiré son blouson et s'est confortablement installé au fond de la banquette, pendant que l'autre, loin de s'avachir ou de se vautrer comme lui, au contraire, a rapproché sa chaise vers la table en se penchant vers moi, ah bon, c'est formidable cette histoire de travail, ah bon et comme cadeau ils sont gentils, dis donc, tes potes.

Alors nous ferons le tour du stade. Nous. Ou peut-être moi. Moi tout seul. Mais, même si je dois chercher seul, je tiendrai, je serai là. J'irai. Même si Virginie ne veut pas m'accompagner. Mais je suis sûr qu'elle voudra. Sur la gauche, nous monterons la rue du Disque pour longer le stade. Il fera chaud et ce sera fatigant, à cause des relents de bière et de la fatigue accumulée dans la nuit, toutes ces bières et ce vin, le petit verre de saké à la fin du restaurant chinois, que nous avons offert pour remercier des billets... Et je maudirai ma vanité et mon idiotie de les avoir montrés dans le bar, ces foutus billets. Je me revois avec mon air morveux et triomphant, les tenant et les brandissant entre les mains comme un trophée que j'aurais gagné moi-même, comme si je n'avais qu'à claquer des doigts pour que les billets viennent, des dollars à pleines poignes, la pogne aussi grasse et velue que celle d'un armateur grec, émeraude et chevalière à chaque doigt, eh hop, pfft ! bingo ! quel con je peux faire ! quand je n'avais pour moi que mes mains ; leurs regards sur mes doigts qui agitaient les billets au-dessus de la tête, les bras bien haut pour qu'on les voie – moi qui croyais que les regards qu'ils avaient, c'était l'envie et pas la convoitise, simplement parce qu'on ne vole pas les gens qui vous invitent.

Et alors, il faudra remonter la rue sur la gauche du stade et longer le stade, voir tourner la grande roue derrière, et briller les reflets du soleil sur l'Atomium, en s'imaginant Jeff et Tonino comme deux bons touristes arrêtés pour voir les neuf boules de fer et les bras cylindriques. En touristes, les mains en visière pour voir l'engin en se demandant ce que c'est, alors que j'aurais pu leur expliquer et dire voilà c'est une molécule agrandie deux cents milliards de fois, et si vous voulez monter dans les boules de fer – allez ! Vous voulez ? – si vous prenez l'escalator et puis l'ascenseur, alors, vous aurez un spectacle du tonnerre, je vous le dis, oui, sous vos pieds, il n'y a qu'à se pencher, vous avez la ville en entier comme un petit bouquet de fleurs des champs ; et la grande roue, tout près ; mais aussi ce serait comme si vous étiez dans le stade, surplombant tout, on a une vue incroyable dans ce machin en fer, je vous jure ; je leur ferai l'historique du machin construit à la gloire de l'atome, en leur racontant surtout comment il surplombe le stade et l'entrée, le parking immense, l'avenue Houba-de-Strooper et les voitures minuscules comme les Majorettes avec lesquelles eux aussi devaient jouer lorsqu'ils étaient gamins, venant se garer par centaines, juste au-devant, les bus en file indienne et aussi, longeant tout le stade, les barrières métalliques pour canaliser les milliers de gens qui vont voir le match, la police montée, le canal de Wilbroek et puis la ville qui se resserre vers le centre comme un vieux poing fermé sur ses trésors, avec tout autour ses parcs et puis, surtout, les grands projecteurs tournés vers la pelouse du stade. Ils auraient vu tout ça, et la tour japonaise, le pavillon chinois, si seulement ils ne nous avaient pas obligés à partir à leur recherche, dès le matin dans la ville.

Mais il faudra marcher et retrouver son souffle après l'Atomium. Remonter l'avenue des Athlètes et puis redescendre de l'autre côté, par l'avenue du Championnat. Après, il faudra se reposer à cause de la chaleur. C'est le moment où Virginie voudra dire, écoute, tant pis, on ne va pas continuer comme ça. Et je sais qu'elle se retiendra de dire que ce n'est qu'un match, parce qu'elle saura que j'en profiterai pour bondir et dire, le regard furieux contre elle, qu'elle refuse de comprendre, et puis que non, ce n'est pas qu'un match, c'est une – et ce sera pour moi le moment de revoir ce regard de Tonino sur Virginie. Mais je ne dirai rien. Surtout pas. Parce qu'elle dirait que c'est faux. Qu'il ne s'est rien passé du tout. Alors que je sais son regard à elle pour répondre au sourire qu'il avait ; les sous-entendus quand il la regardait pendant que son copain Jeff racontait des histoires drôles, et qu'on le voyait allumer une cigarette avec le mégot de la précédente.

Et puis ce geste pour écraser le mégot, l'index et le pouce pour essuyer la salive sur les bords de la bouche ; les mots qu'il avait pour parler des Français, qu'il ne ménageait pas quand il en faisait des tonnes et disait, vous savez comment fait un Français pour se suicider ? Non, vous ne le savez pas ? Il prend le pistolet et tire très au-dessus de sa tête pour abattre son complexe de supériorité. Et, pendant qu'il débitait ces histoires en surveillant du coin de l'œil l'attention qu'on lui prêtait, Virginie sirotait encore dans mon verre, presque lapant la mousse parce qu'elle ne voulait plus boire, disait-elle, mais qu'elle n'arrivait pas à rester comme ça sans rien faire.

Le bois de la table était visqueux, recouvert par endroits d'un liquide poisseux qui collait sur les paumes et les poignets. C'était la bière mélangée à la cendre, qui ne séchait pas après avoir débordé et coulé le long des verres. Malgré la musique, les rires de Benoît remontaient jusqu'à nous comme ceux d'Adrienne, parce qu'ils contrastaient avec le silence de Tonino. Lui, il était assis sur la banquette et paraissait plus lointain – ou non, peut-être seulement plus éloigné, physiquement en retrait – parce que la banquette verte était trop basse par rapport à la table, et que Tonino y était enfoncé tout au fond. Il regardait Jeff, sur sa chaise, qui se tenait penché vers nous pour raconter les histoires des livres qu'il écrirait, disant qu'il avait toujours aimé raconter des histoires mais jamais celles qu'il écrivait chez lui ; il avait compris que l'écriture permettait de rendre les coups qu'on prenait, en classe de sixième on avait publié son premier – et dernier – poème du genre la rose ô belle rose, et le journal avait circulé dans la ville alors qu'il n'avait rien dit chez lui. Et il s'était souvenu longtemps après, avec stupéfaction, quel régal, des larmes qui avaient inondé le visage de sa mère lorsqu'elle avait compris être la seule à ne pas connaître les talents de son fils.

Nous écoutions ça, cette histoire qui nous faisait rire parce qu'on ne la croyait pas. Jeff se tenait droit et nous regardait avec ses yeux vitreux, étonnés, en devoir de nous convaincre ; ses bras étaient deux grands moulins qui brassaient l'air pour expliquer et soutenir chacune de ses phrases, comme s'il pouvait mourir sur place de n'être pas pris au sérieux. Mais, souvent, il rabattait les bras devant lui comme en signe de désolation. Il avait de grandes mains osseuses et jetait son attention sur le sous-verre. Je revois les ongles noirs, les doigts longs et blancs qui tremblent et déchirent le sous-verre en fines lamelles très précises, puis en des lamelles plus fines encore, toujours aussi précises, et à la fin une véritable julienne de carton, puis les lamelles achevées en petits carrés, un monticule en forme de cône juste en face de lui ; l'étonnement que j'avais devant la lenteur maniaque, la précision dont il faisait preuve pour déchirer et ramener, d'un seul geste, de la tranche de la main, chaque bout de carton sur la table.

Et puis son œil brillant et l'expression inquiète, cette drôle de tête osseuse – blanche, à la peau presque granuleuse et lacérée de grandes rides sur le front. Il parlait vite. Il parlait fort et disait qu'il avait déjà trop bu et que dès le lendemain il regretterait tout, surtout d'avoir parlé du désir d'écrire. Et je crois que c'était vrai, qu'il a dû regretter de parler de ça, parce qu'il baissait les yeux quand on le regardait. Il s'acharnait sur les cigarettes et les sous-verres, il buvait tant et plus qu'à la fin il riait en ne parlant qu'à lui-même. On aurait dit que son corps se briserait s'il parlait trop fort, s'il continuait à s'agiter sur sa chaise quand il lâchait pour rien ces grands rires nerveux, aussi faux que des rires enregistrés pour la télévision.

Et lui, ce Jeff dégingandé et ses blagues de potache, titubant vers la sortie du bar, se retenant à l'épaule de Tonino en me disant, non, non, on va marcher et on va dormir dehors, hein,

hein, Tonino, pendant que l'autre déclinait l'invitation que je faisais avec ce même sourire que je lui avais vu toute la soirée, au moment de recommander les bières que j'offrais, se redressant sur la banquette quand il vidait son verre pendant que vous finissiez à peine de souffler sur la mousse du vôtre. Il regardait autour de lui et je me souviens des doigts épais qu'il avait, de son visage très fin au contraire, presque féminin, sauf les sourcils qui étaient larges. Il avait dans le regard cet air soupçonneux de celui qui n'entend pas et veut tendre l'oreille pour comprendre. Mais il restait ainsi au fond de la banquette, les cuisses écartées, les mains dessus et son blouson derrière, dans le bas du dos. Je me souviens qu'à côté il y avait ma veste en bouchon et puis le sac à main de Virginie ; nous avons laissé le sac à côté de lui. Et c'est comme ça qu'il a dû lui être facile de profiter de notre inattention, ou inadvertance, ou stupidité, au moment où Benoît et Adrienne sont revenus vers la table – ils sont restés un moment au comptoir avec des amis à eux –, oui, c'est ça, à ce moment nous nous sommes levés et je suis allé avec Benoît chercher d'autres bières au comptoir. Je ne sais pas, je ne revois pas très bien. Alors, j'imagine que les choses se sont passées comme ça. Les billets dansent entre mes doigts, dessus il y a les yeux de Benoît et ceux d'un copain à lui, qui est venu boire un verre avec nous. Et aussi – peut-être surtout – le sourire d'Adrienne. Elle est tellement fière d'elle à ce moment-là, puisque c'est elle qui a eu l'idée d'offrir deux billets pour la finale de la Coupe d'Europe – ça oui ! La Coupe d'Europe, chez nous ! ici, à Bruxelles ! Elle était tellement contente de sa bonne idée. Elle avait trouvé l'occasion si belle et puis, en se fixant sur cette idée, elle nous avait raconté la difficulté pour obtenir les billets. Il n'y avait plus de billets, tu comprends, a-t-elle dit, à la radio ils ont dit qu'il y avait eu quatre cent mille demandes ! C'est une finale exceptionnelle, en tout point, depuis le début il se passe plein de choses, écoutez, c'est incroyable, en demi-finale, écoutez, les Italiens ont ratiboisé Bordeaux à l'aller, après ça ils ont subi une alerte à la bombe ! Ils ont évacué leur hôtel au retour, et même, ils ont frisé l'élimination mais les Italiens sont plus forts que les Bordelais – parce que les Bordelais croient qu'un grand cru coule dans leurs veines alors ils ne veulent pas trop courir, c'est le problème, et Liverpool, même sans Rush en buteur ils ont nettoyé récuré les Grecs. Ah oui ! ça va être grandiose, les Reds et la Juve ! Quant aux billets, il y a ceux qui sont réservés pour les supporters des équipes et puis, après, tous les autres sont pour les gens qui ne sont ni anglais ni italiens, qui servent de tampons entre les deux clans, histoire que les deux camps soient bien séparés.

Sauf que les billets étaient déjà tous vendus depuis long-temps – et Virginie et moi, on n'avait même pas espéré voir le match ailleurs qu'à la télé. Un match pareil. Quand on savait que tous les billets s'étaient envolés tout de suite, qu'à la radio on mettait en garde contre des faux vendus au marché noir, et des vrais aussi, mais des vrais billets revendus des centaines de fois leur prix. Alors Virginie et moi, on en était restés bouche bée, sidérés, dans le restaurant chinois où l'on était allés dîner tous les quatre avant d'échouer dans ce bar, quand on s'était retrouvés et qu'Adrienne m'avait tendu le petit paquet jaune orangé, avec le bolduc doré ficelé en croix, sa mèche frisottante, en disant, c'est de la part de Benoît et moi. Je revois la lame de couteau qui coupe le bolduc. Le papier se déchire ; j'ouvre, je regarde Virginie et alors que je comprends, que je commence seulement à comprendre, Virginie me dit, mais parle, dis-moi, alors, alors ? Alors on était à deux doigts d'abandonner l'idée, a dit Adrienne, mais, au bureau, mon chef de service avait des

41

billets, et encore il s'est vanté en racontant qu'il en avait vendu trois à des amis qui venaient d'un village près de Milan ; il lui en restait deux, je n'y croyais pas, un miracle, et on lui a acheté les billets sans même lui laisser le temps de se demander s'il voulait aller au match.

Ah, oui, repenser à la mauvaise lumière du restaurant chinois et aux trois poissons gris dans l'aquarium, sous les dragons en bois sculpté sur les murs ; repenser au goût sirupeux des cocktails chinois et à leur couleur rosée dans laquelle baigne un lychee nu comme un ver, planté d'une ombrelle rose et bleue ; et enfin me souvenir de l'émotion que j'ai eue, cette joie, le regard que nous avons eu entre nous, Virginie et moi, moi lui disant, tiens, on ne va pas les laisser sur la table, range-les dans le portefeuille. Et ce sac à main que je revois sur la banquette verte du bar, trois ou quatre heures plus tard, avec nos yeux vitreux pour le regarder de temps en temps, des sourires ahuris et les joues rosâtres à la place de la plus élémentaire méfiance.

Et quand je les avais vus tous les deux, assis en face du bar où nous allions entrer, je n'avais rien dit aux autres parce que j'étais dans une telle euphorie – ces moments où l'on sent que tout nous fait regarder le monde avec bonheur – tu parles, ce vertige, ce sentiment d'avoir de l'amour pour tout et tout le monde, moi, ni une ni deux, dégoulinant de bons sentiments et en rajoutant dans la mélasse, jouant le grand seigneur, je m'étais tourné vers eux deux et quand j'avais vu qu'ils n'avaient pas l'air anglais mais plutôt italien, alors, oui, comme j'avais décidé de soutenir les Italiens à cause de Platini, donc, voilà, c'est pour ça qu'à ce moment précis d'entrer dans le bar, j'étais allé vers eux leur demander d'où ils venaient et ce qu'ils faisaient ici, à attendre assis sur un trottoir. Et comme ils disaient qu'ils ne faisaient rien, qu'ils

42

n'avaient rien à faire et qu'ils acceptaient volontiers de se joindre à nous, alors moi j'avais dit, chiche, c'est ça, venez avec nous. Eh, oui, on a bu. Beaucoup.

Et puis on a dansé. J'ai dansé avec Viviane, une fille avec qui j'avais eu une histoire il y a longtemps, et qui était là avec des amis à elle. Je sentais ses os sous mes doigts et l'odeur de poudre sur son visage ; le parfum trop lourd qu'elle portait et dont l'odeur me tournait l'estomac, bien plus que les relents de porc à l'ananas. Par-dessus son épaule, je parlais avec les autres, et eux se parlaient entre eux sans que j'entende de quoi ils pouvaient ricaner comme ça – ou alors, c'est que je ne sais plus. Les lumières passaient devant mes yeux et j'ai vu Virginie au bar, avec Tonino. Je crois qu'ils ont été seuls un moment au comptoir. Quand j'ai voulu les rejoindre, une main s'est posée sur mon épaule, d'un bleu électrique à cause des spots, une main osseuse aux ongles crasseux et longs, avec cette voix qui disait en murmurant à mon oreille des mots que je ne comprenais pas. La voix de Jeff susurrait plus qu'elle ne parlait. Cette voix qui murmurait quelque chose que moi, finissant par hurler, mais parle plus fort ! je n'entends pas ! je n'entends rien ! je devais me résoudre à ne pas comprendre, et me fier alors, pour me guider, uniquement à cette main sur mon épaule. Et je sais qu'il a serré les doigts assez fort pour détourner mon attention du comptoir, parce qu'il voulait que je n'entende pas et que je me penche entièrement de son côté pour me mettre dos au bar. Que je ne voie plus ni Tonino ni Virginie. Voilà. Qu'il me parle de rien et de tout avec désinvolture, en gloussant, ou bien me demande – pourquoi pas ? – l'œil concupiscent pour être encore plus explicite, des noms de boîtes, des endroits où trouver des boulettes de shit ou, peut-être, des filles aussi maigres et dociles que celles qui sont d'accord pour qu'on leur paie un verre quand elles n'ont plus rien à attendre de la nuit.

Il était soûl. Je l'étais aussi et, quand il m'a passé le bras autour du cou, nous avons ri comme les imbéciles que nous ne manquions pas d'être à ce moment-là. La musique écrasait les oreilles, des basses brutales et binaires, les gens ont continué à danser. Jeff fumait debout, contre un pilier. Il se tenait raide, bien droit, et sa tête reposait contre le bois. Il me regardait, son visage sans plus aucune expression. Une tête vide. Dans l'œil, rien. Peut-être seulement les reflets des spots et de la lumière rougeâtre du bar ? Derrière moi, j'entendais Adrienne qui recommençait avec Benoît le cirque qu'ils nous font à chaque fois, dès qu'ils ont bu – lui se la ramène en louvoyant, les mains baladeuses et la moue pleine de regret, oui, je sais, ce n'est pas bien, je ne recommencerai plus, et elle, aguicheuse et lucide qui répond, tu vas me dire que tu m'aimes et nous coucherons ensemble, et demain tu me diras O.K., à un de ces jours et basta ! –, j'ai vu tout ça, comme à chaque fois, ce manège qu'ils font pour eux et aussi un peu pour nous. J'ai vu Viviane danser et chavirer de bras en bras, saupoudrant ses partenaires des effluves de son parfum, Benoît trempant ses moustaches blondes dans des bières, au bar.

Et puis je suis resté un moment seul. Je me suis assis à notre table, où j'ai vu nos affaires, les vêtements sur le canapé et le sac de Virginie, les paquets de cigarettes écrasés sur la table, le cendrier en fer-blanc et la montagne de mégots avec des traces de rouge à lèvres sur certains. J'ai pris une cigarette et j'ai regardé vers le bar, mais des silhouettes m'empêchaient de voir, qui passaient devant mes yeux. Et pourtant je les ai vus, tous les deux, Tonino et Virginie, assis sur des tabourets. Une bière devant chacun. Elle, une cigarette à la main et cet air attentif qu'elle n'avait pas souvent, ce léger sourire que j'imaginais autant que je le voyais, et lui, accoudé au bar, la main dans les cheveux, qui parlait. Maintenant donc, il parlait.

Eh oui ! a dit Jeff quand il est venu s'asseoir face à moi, me cachant la vue, c'est pas toujours facile et même c'est toujours pas facile ! Et il a écrasé sa cigarette en me racontant des choses idiotes, auxquelles j'ai répondu, du tac au tac, par des choses tout aussi idiotes. Des idées de nuit, des phrases alourdies par les bières et les rires que j'avais, parce que les réponses que Jeff donnait à mes questions me gênaient bien plus que lui. Il savait y faire et me répondait en souriant, l'air un peu hébété, tu veux qu'on parle... dis ? C'est ce que tu veux ? Non, tu vois, entre nous, les filles se jettent sur moi pour mon argent et mon talent, elles voient ça tout de suite, les filles, mon côté rock star.

Et puis il ricanait encore des sarcasmes et des blagues qu'il se faisait à lui-même, se tournait vers les gens puis très vite revenait vers moi. Il aspirait profondément une bouffée de cigarette et, se penchant près de mon oreille, il continuait. Les filles se jettent sur moi pour savoir ce que mes amis veulent leur faire. Les filles, elles me prennent la main pour que je leur donne des cigarettes. Elles trouvent mon visage intéressant. Plus elles sont jolies, plus elles pensent que j'ai dû beaucoup souffrir, ça les attendrit, mais ça ne les excite pas beaucoup... c'est dommage, non ? Et la nuit, dans les cuisines des fêtes, je me retrouve toujours avec celle qui a un chagrin à noyer, et qui serait prête à oublier avec moi la vie qu'on nous fait. Et hop, au moment où elle va tomber, où elle reconnaît qu'elle aimerait sauver un cas désespéré, je lui avoue des trucs affreux, que la montre à mon poignet c'est celle que mon père portait le jour où il est mort, tu es content, je suis soûl, putain, non, je ne veux pas parler de ça mais c'est ce que je fais avec les filles, toujours, ça les fige sur place, elles ont peur, elles

45

me trouvent effrayant et méchant, les petites, quand je vois bien qu'elles s'en foutent autant que moi je m'en fous, a-t-il dit, d'écouter l'histoire du beau type qui les a plaquées, sans qu'elles comprennent que c'est humiliant de raconter leurs conneries à un type soûl dans une cuisine.

Mais Jeff n'a pas eu le temps de finir. Un type du bar a tapé les trois coups sur un gong à côté du comptoir : on ferme.

Jeff s'est relevé. Plus pâle et sombre que tout à l'heure, mais, quand les autres nous ont rejoints, c'est lui qui a parlé le premier, ah, merci, vraiment, quelle soirée, on reviendra. La phrase de trop, quand j'y repense. Dehors, il faisait un peu froid. Curieusement, je ne me rappelle pas le moment où nous nous sommes tous séparés – en même temps, quand je dis curieusement, bien sûr que ce n'est pas curieux, vu tout ce que j'avais bu. Nous étions devant le bar, le barman est sorti nous demander de parler moins fort, et il a levé la tête en désignant la maison d'en face. Il s'est excusé et a parlé des voisins et de la police qui devait tourner sur toute la ville, surtout à cause du match. Adrienne et Benoît sont partis ensemble. Viviane a laissé sa grande silhouette osseuse s'agripper au bras d'un petit trapu rubicond et moi, mes pieds ont vacillé et cherché à tenir bien à plat sur le pavé ; je n'entendais pas beaucoup d'autres bruits que mon souffle et les pas de Virginie à côté des miens, dans la nuit, quand nous sommes rentrés rue Aux-Fleurs. Il faut dix minutes de là d'où nous venons, dix minutes seuls avec le souffle court, et, dans la bouche, le goût de la bière et le bourdonnement des mots qu'on n'a pas dits. On a fumé encore en marchant. Je ralentissais parce que je n'osais pas parler. Je me disais qu'en marchant lentement, soit j'aurais plus de temps pour me lancer et trouver les mots, soit, au cas où décidément ça ne voudrait pas, Virginie finirait par provoquer la discussion. Pourtant, au bout d'un moment, j'ai quand même demandé : vous avez parlé de quoi, tous les deux, au bar ?

Et Virginie, quand elle a ri – tout de suite après la question –, ça a été pour dire, tiens, donne-moi une cigarette, je me disais que tu avais été bien long à demander... Elle m'a pris la main et, voilà, elle a dû me dire que j'étais bête, que l'alcool me rendait idiot ou bien ce genre de choses. Et puis nous avons parlé de Viviane en répétant pour la trois millième fois qu'elle ne devrait pas se maquiller tant, qu'à force de se farder elle n'attirait que les hommes dont elle ne voulait rien. On s'est moqué d'elle. Virginie m'a encore demandé comment j'avais pu me retrouver, ne serait-ce que quelques semaines, avec cette fille. On s'est moqué des roucoulades de Benoît et de l'air faussement scandalisé d'Adrienne. On a repris nos petites habitudes, les petits mots sur le groupe. On a dit, demain, ils vont encore dire, cette fois c'est fini, et Adrienne va nous appeler, tu verras, sur le coup de deux ou trois heures, pour dire que c'était bien sauf qu'il ne l'aura pas touchée du tout, ou si peu ! Elle sera scandalisée parce qu'il aura voulu qu'elle lui explique comment faire pour draguer la fille de son patron. La voix tremblante elle nous dira, quel connard, quand on y pense ! Et puis, finalement on apprendra qu'ils auront quand même couché ensemble. Adrienne parlera du moment où Benoît aura dit, mon Dieu, faut que j'y aille, et comme à chaque fois il aura sauté dans son jean et déguerpi la chemise encore ouverte. Et comme à chaque fois aussi, Benoît va nous dire qu'il a passé une très bonne soirée, dommage que la fille de son patron n'était pas là.

En rentrant, nous avons parlé de ça pour que le pavé résonne moins au cerveau, pour trouver comme une ligne droite jusqu'à l'appartement. Et quand nous sommes arrivés rue Aux-Fleurs, voilà, c'était la pénombre et je ne sais plus l'heure qu'il était, ni non plus vers quelle direction Jeff et Tonino étaient partis. On leur avait montré la direction du centre-ville, mais, à ce moment-là, Virginie et moi, nous étions encore contents de les avoir rencontrés. Nous leur avions donné notre adresse et notre numéro de téléphone. C'est moi qui avais pris l'initiative. J'avais noté le numéro et l'adresse au dos d'un sous-verre trempé de bière, j'avais ressenti la pression de la pointe du stylo Bic dans le carton imbibé. J'ai dit à Jeff que c'était idiot de ne pas vouloir dormir chez nous, et lui qui n'insistait pas et me souriait en murmurant, oh, c'est pas grave, ce sera pour une autre fois. Et maintenant son autre fois, s'il me tombe sous la main, elle risque de ne pas lui plaire autant, à Jeff. Parce que plus tard, en fin d'après-midi, je serai devant l'entrée du stade, et je ne serai pas disposé du tout à la moindre gentillesse.

Parce qu'il faudra bien qu'ils me rendent les billets, qu'ils paient au moins les billets, s'ils sont à ce point incapables de demander qu'on les pardonne. Et si jamais je ne les retrouve qu'après le match, vers la gare – pourquoi pas ? –, quand ils voudront rentrer chez eux, alors, pour une fois, j'irai peut-être jusqu'à appeler les flics ou j'irai jusqu'à cogner, bon Dieu, malgré Virginie qui voudra me retenir et la fatigue pour me décourager et en même temps exciter davantage ma colère – ma rage aussi contre Virginie, parce que je me dirai qu'elle veut me calmer pour protéger Tonino. Au fond, elle ne lui en veut pas. Elle ne lui en a pas voulu. Pas une seconde. Pourtant elle aussi, quand elle a cherché les clés dans son sac pour ouvrir la porte de l'immeuble, quand moi j'ai dit, non, je ne les ai pas, elles sont dans ton sac, je les y ai mises, j'en suis certain, elle a eu cette impatience et cet agacement. Virginie cherchait les clés dans le noir. Alors voilà. J'ai pris le briquet et, quand je l'ai allumé, elle a eu ce mouvement devant cette petite flamme ridicule, toute maigrichonne et faible à force de trembloter devant les grands mouvements que Virginie faisait près de la serrure. Et sa voix pour continuer et penser tout haut, laisse tomber avec ta flamme, avec la lune on voit suffisamment, merde, où sont les clés, où peuvent-elles être, tiens, le portefeuille est ouvert, la monnaie est tombée au fond du sac. Elle a saisi les clés et me les a tendues, parce que j'aime ouvrir la porte de l'appartement, entrer le premier chez nous comme pour vérifier que tout danger est écarté. Nous avons repris notre souffle et je me suis approché d'elle, très près, juste face à elle. Je l'ai embrassée. J'ai passé ma main dans ses cheveux en lui disant qu'elle était belle. J'ai dû lui dire que je l'aimais – je me souviens de son sourire et de son regard amusé, presque surpris de me voir si câlin.

Et puis nous avons ri quand elle a dit, bon Dieu, ce que je suis soûle. Et moi donc. Nous avons parlé des billets. Oh oui, tu te rends compte, quand même, sacrée Adrienne, il n'y a qu'elle pour penser à des trucs comme ça. Tu te rends compte ? Voir la finale ! Quand je pense que l'an dernier on avait renoncé à Rome au dernier moment en se disant que les finales de Coupe d'Europe on en verrait bien une un jour ! je n'aurais jamais pensé que ce serait chez nous. Nous sommes allés nous servir des grands verres d'eau gazeuse dans la cuisine. Puis Virginie est partie se changer dans la salle d'eau. C'est là que moi, seul dans le salon, j'ai regardé le sac sur la table basse. La lanière écrue, le sac à main de Virginie. J'entendais le jet de la douche dans la salle d'eau, et pendant ce temps je me suis assis sur le canapé du salon. J'ai ouvert le sac à main, la monnaie traînait au fond du sac. Il y avait les clés de la voiture, divers papiers et puis le portefeuille, que j'ai pris et dont j'ai ouvert la poche latérale – et là mon cœur tout à coup s'est mis à palpiter quand sous les doigts je n'ai senti que les tickets de métro, des reçus de banque et des notes de restaurants, oui, un ticket de pressing et sous les doigts, rien ; alors j'ai ouvert en grand le sac pour finalement le retourner complètement ; je l'ai vidé complètement et je me suis relevé, du bout du pied j'ai poussé le modulateur de l'halogène ; j'ai ouvert la lumière le plus fort possible, j'ai tout éparpillé sur la table basse et le bruit du verre de la table a résonné quand les clés ont choqué dessus. J'ai vidé, secoué, écartelé le portefeuille mais putain Virginie qu'est-ce que t'as foutu des billets ? Et elle, en peignoir, les cheveux mouillés tombés sur les épaules, qui me dit qu'une douche ça fait vraiment du bien – c'est là que je me mets à hurler dans l'appartement, mais bon Dieu ! Virginie ! qu'est-ce que t'as foutu des billets ? Elle ne comprenait pas, pas encore. Elle ne disait rien. Si pâle tout à coup. Voilà. Nous avons compris tous les deux en même temps, et nous avons revu vers le Quai-aux-briques deux silhouettes qui déambulaient, un grand type dégingandé et un autre, plus petit, avec sur le dos de son blouson, écrit en grosses lettres blanches, *Chicago*. Leurs silhouettes ont disparu après les bassins. Ils ont tourné vers la droite, après Sainte-Catherine, vers la rue du Chien-Marin. Ils ont disparu comme ça, hop, envolés dans la nuit. Je me souviens de leur voix, de leurs rires. Oui, ils ont ri et les rires dans la nuit résonnent bizarrement, ils s'étendent dans la ville, très loin sur toute la ville, vers le nord aussi, vers le stade ; là où demain l'Europe entière a rendez-vous.

3

Je pensais à Elsie et à Liverpool. Aux docks et aux brouillards. À Water Street. Parce que c'était un très beau jour de printemps à Bruxelles. Je me disais que j'enverrais une carte postale à la maison et aux parents d'Elsie. À elle aussi, bien sûr, je voulais envoyer une carte pour lui dire que je regrettais qu'elle ne soit pas avec moi, imaginant ce que nous aurions fait, comment nous aurions faussé compagnie à tout le monde, aux deux frères et aux autres. Nous serions allés nous promener seuls comme nous ne l'avons jamais fait dans une ville du continent. Et nous nous serions laissés gagner par l'étrangeté d'une langue inconnue, et même de deux langues puisque, ici, tout est écrit en français et en flamand.

Oui, une carte pour lui dire que ce serait se tenir comme à l'avant-poste de notre avenir, puisque nous partirions bien un jour, tous les deux, plus loin que les docks et que l'estuaire. Je voulais lui écrire pour lui dire que j'aurais bien aimé qu'elle soit à mes côtés. Mais lorsqu'elle recevrait la carte, c'est moi qui serais déjà à côté d'elle. Elle serait allongée sur le canapé vert, le bras remontant vers le haut du dossier et la main tombée sur le rebord pendant que, de l'autre, elle tiendrait sa version bilingue d'un Arthur Rimbaud de poche – et lui, la lèvre pincée, le regard d'enfant sage et inquiet sur la couverture bleu roi. À la fenêtre, j'écouterais les bruits du port et de la pluie. Il y aurait l'odeur de caoutchouc brûlé et la fumée des usines, puis ce gris métallique dans le ciel. Très vite la carte postale de Belgique serait scotchée sur le frigo et, dès que l'on voudrait boire du lait ou de la bière, que l'on voudrait prendre un œuf ou une tomate, il faudrait faire un détour du côté de la Grand-place et revenir à chaque petite faim vers le cœur de Bruxelles.

Mais non. La vérité, c'est que je savais que je n'enverrais pas de cartes postales. Et je me disais, non, Elsie, même toi tu ne recevras pas cette carte que je t'avais promise. Parce qu'il faudrait se servir sur un présentoir et trouver ce temps d'aller vers un comptoir pour payer et demander un timbre. Je savais bien que je ne le ferais pas. Et peut-être qu'elle aussi savait que je n'oserais pas, que je ne pourrais pas ralentir mes frères pour ça, une simple promesse, une gaminerie de plus. Au début, les choses sont allées lentement. Les gens étaient partis par petits groupes pour passer l'après-midi en ville, et nous en croisions beaucoup, qu'on reconnaissait tout de suite, même ceux qui ne portaient pas l'écharpe rouge et les tee-shirts, ou qui ne chantaient pas. Mais cette allure de ceux qui vont ensemble et attendent l'heure fatidique, c'était quelque chose que chaque visage trahissait. Certains avaient préféré aller directement vers le stade, pour ressentir l'ambiance et avoir un avant-goût de la soirée. Pas très loin, nous savions qu'il y avait un parc des expositions. Peut-être que certains allaient monter dans la grande roue et que d'autres allaient se contenter de manger des sandwiches et des hot-dogs, pour attendre, en buvant de la bière entre les voitures ou bien devant l'entrée du stade, sur l'esplanade ou dans les bars ? Nous, on avait choisi de se promener dans la ville. Doug. Hughie. Soapy et un autre, que je ne connaissais pas et que mes frères n'avaient pas l'air de connaître très bien non plus. Un grand rouquin frisé, très copain de Soapy, avec une tête plus ronde et épaisse, le nez exagérément retroussé. Il riait tout le temps, ses yeux étaient très mobiles. C'est lui le premier qui s'est arrêté chez un épicier, dans une petite boutique comme il y en a chez nous. Quand il est ressorti, il avait une grande bouteille de bière à la main et deux autres dont les goulots ressortaient du sac de toile kaki qu'il portait sur le dos. La mousse a coulé sur la bouteille, et tout de suite la capsule a roulé par terre. Il a bu et sa glotte tressautait en faisant des glouglous aussi bruyants que le rot de satisfaction qu'il a lâché quand ça a été terminé et qu'il a passé la bouteille – déjà à moitié vide – à Doug.

Doug a bu à son tour, comme nous allions boire les uns après les autres. Il faisait déjà chaud et dans peu de temps la bière serait tiède, puis complètement éventée. Bientôt nous jetterions aux orties notre retenue et alors les rires et les cris que mes frères avaient poussés dans le train pourraient gonfler et s'étirer encore plus, comme ils ont fait lorsque tous ont parlé de la joie de foutre le camp de chez nous, en disant et en répétant, peut-être qu'il faudrait en profiter pour ne pas revenir ? Et puis... c'est quand même pas mal de se retrouver entre hommes... sans les femmes. C'est vrai, au moins on peut parler et dire des conneries. On peut vivre. Regarde celle-là, là, devant toi – non, pas la maigre –, l'autre. Regarde comme ça bouge ! a dit Hughie. Regarde, la belle garce, tu l'as vue ? je lui mettrais bien un truc, moi, pas toi ? Allez, Geoff, décoince-toi un peu, t'as pas envie d'aller tâter, hein, mon petit cochon, t'es pas pédé au moins ? On dira rien à la petite infirmière, allez, on va rire un peu, ça te dis pas de rigoler un peu ? Je revois la fille qui marchait devant nous. Elle n'osait pas se retourner en entendant les rires et en devinant les regards sur elle. Et mon trouble à moi, c'est que c'est vrai qu'elle était désirable. Des gens nous entendaient, la bière coulait entre mes doigts et sur la bouche, que j'essuyais du revers de mon poignet. Tiens, m'a dit Doug, file-moi la bouteille. Vous avez vu ce canal. C'est quand même chouette par ici. On dit ça, mais ils ont quand même de jolis trucs, ces Belges. L'air con, mais de jolis trucs. Doug a lâché la bouteille vide dans l'eau tiède et dormante du canal, sans même se soucier de regarder comment elle flottait, ne remuant que par l'onde qui ridait encore l'eau à sa surface.

Ah oui ! Les plaisirs du printemps et des réveils dans la rue, au petit matin ! Le dos cassé et les graviers plantés dans les paumes parce que les entrées des magasins où l'on trouvait un coin pour dormir (mal), pendant qu'en sourdine se préparaient les maux de tête et les relents de bière qui nous cueilleraient au matin, n'étaient jamais suffisamment dégagées ni assez propres. Mais bon, on ne va pas se plaindre. Ça, ce genre de réveil, avec Tonino, on en a connu quelques-uns. On s'est levé assez tôt, c'est-à-dire suffisamment vite avant de se faire virer par les commerçants des boutiques ou par la police. Ce matin à Bruxelles était beau comme peut l'être un matin de printemps, comme celui où, l'année d'avant, nous avions été réveillés par un échange de balles de tennis quasiment au-dessus de nos oreilles – tu te rappelles, Tonino ? Et on a reparlé de cette nuit où nous avions dormi quelque part au bord de la Vivonne, sur un terrain de tennis ouvert, en face d'une ligne de chemin de fer – qu'est-ce qui avait pu nous prendre, quelle mouche, tu te rappelles, non ?

De rien.

Moi non plus.

Et on a ri encore en racontant cette nuit où l'on avait décidé d'aller à la mer et de toucher le sable de la plage ; il fallait que nous touchions le sable et le lichen et les souches de bois pourri du bord de mer, il le fallait comme il fallait tremper les pieds jusqu'aux chevilles dans l'eau de mer, et, puisqu'il ne faut pas remettre au lendemain ce que, bla-bla-bla, nous étions partis faire du stop tout de suite, vers une heure du matin. On avait trouvé des voitures jusqu'à Vivonne, et puis c'est tout. On avait fini par choisir de dormir sur un terrain de tennis un peu à l'écart. Les gens avaient commencé leur partie tôt le matin, et nous avions pu en profiter un peu, du ciel encore un peu laiteux et des jambes ravissantes, de la jupe blanche, de cette fraîcheur du printemps. Parce que c'est vrai, c'est toujours aussi beau, le printemps. Et la nuit, les étoiles, le vent un peu frais, l'odeur des fleurs et les premières abeilles. Retrouver l'odeur des fleurs jusque dans les villes et s'étonner du temps qu'il faut à un café pour refroidir dans sa tasse, dehors, quand on goûte les premières terrasses, comme on a fait ce matin-là. On était assis et il y avait autour de la place des maisons magnifiques, des pétunias blancs et des géraniums rouges en cascades. On entendait l'eau d'arrosage qui dégoulinait le long d'une façade, des cloches, et au loin la rumeur des voitures. Je me souviens de notre fatigue à tous les deux. De cette gueule de bois et du grand café noir qu'on a bu en terrasse, regardant d'un œil lourd, les paupières gonflées, les gens qui passaient – rares au début, il était quelle heure, huit heures peut-être ? Je ne sais pas. On a vu des gens à vélo et tout ce manège d'une ville qui commence sa journée doucement, avec dans les gestes la lenteur et la délicatesse qu'il lui faudra abandonner au fur et à mesure, jusqu'au soir.

L'un après l'autre, on est allés aux toilettes. J'ai pris mon courage à deux mains pour retirer ma chemise et mon tee-shirt ; l'eau du robinet était glacée mais je me suis aspergé d'eau sur le buste, prenant soin, comme on le fait avant de se mettre à l'eau, de masser et d'humidifier bien la nuque pour mieux supporter le froid. Sauf que c'était très froid. Presque douloureux. J'ai bloqué la respiration et vite j'ai lavé le visage, en insistant près des yeux ; et puis je me suis rincé la bouche et je me suis dit, bon, ça va pour la toilette, alors j'ai retrouvé Tonino qui lisait le journal. Et c'est à ce moment où j'espérais que la chaleur du soleil me réchaufferait les joues – de même, rêvant que mes mains et mes lèvres se dégourdiraient au contact chaud de la tasse – là, donc, en m'asseyant sur la gauche de Tonino, que j'ai vu, écrit au stylo à bille noire, sur le revers de sa main, un numéro de téléphone. Tiens, tu ne m'as pas tout dit. Au fait, alors ? Il était inquiet le petit Gabriel, quand vous étiez au bar, avec Virginie. Tonino a baissé les yeux du journal et l'a refermé avant de se lever – sans rien dire, théâtral – pour le poser sur la table d'à côté. Attends, m'a-t-il dit. File-moi une clope. C'est le numéro de son travail. Elle a préféré me donner un autre numéro que chez elle parce qu'il est très jaloux, notre ami Gabriel. Tu comprends, m'a dit Tonino, on était tous ensemble mais, je ne sais pas... Il y avait son regard à elle sur moi et je n'arrivais pas toujours à le supporter, c'était difficile. Tonino m'a expliqué que faire du gringue à une fille dont vous êtes en train de vider le sac à main, hein, franchement, reconnais, c'est pas évident.

Bon, j'admets.

Il m'a dit, tu sais, elle est étonnante cette fille. D'abord, si elle s'habillait bien elle serait très belle, pas seulement jolie, non, mais très belle. J'ai compris ça quand on était au bar tous les deux. Et il a parlé des yeux noisette, presque jaunes et des pommettes un peu hautes, des cheveux qu'elle devrait couper ou remonter et surtout qu'elle arrête de les brûler avec des teintures de mauvaise qualité. Je sais que Tonino a été troublé, j'ai senti qu'il avait regretté d'avoir pris les billets, parce qu'ils ne pourraient plus se revoir, il n'oserait pas appeler. Pourtant, s'il n'a pas demandé un stylo pour noter le numéro sur un morceau de papier, il ne s'est pas non plus lavé les mains. Il a choisi de ne pas effacer le numéro, de ne pas humidifier ni frotter ni rincer le dos de sa main. Et il m'a dit, tu sais, quand on était au bar il s'est passé un drôle de truc : nos mains se sont touchées et elle a été complètement terrorisée par ça. Oui, terrorisée, vraiment. Elle a regardé dans la salle pour vérifier que personne n'avait vu ce qui venait d'arriver, parce qu'elle avait une bague et que celle-ci a glissé de son doigt avant de tomber dans sa paume. Il n'y a rien eu de grave, mais dans ses yeux ça a été un vrai moment de panique.

Alors Tonino m'a parlé de cette bague. Il a dit, c'est un anneau de je ne sais quel pays qui est fait de trois anneaux imbriqués, on dit qu'ils ne peuvent pas se séparer ou alors, alors c'est que la femme qui porte la bague a choisi de la retirer, tu comprends, le vieux truc d'adultère, et toc, celle-ci se défait, elle tombe et il est très difficile d'imbriquer à nouveau les trois anneaux. Quand j'ai frôlé sa main, a dit Tonino, la bague est tombée toute seule. Virginie est restée les yeux fixés dessus en disant que les anneaux ne s'étaient jamais séparés, pas une seule fois depuis que Gabriel les lui avaient offerts.

De ces visages vus dans le train et sur les quais, de tous ces gens entassés sur les banquettes, que pourtant j'avais à peine aperçus en montant dans le wagon, de tous ceux qui tenaient des jeux de cartes en éventail entre les mains, ou ces dés rognés aux angles et qui roulaient sur les tablettes en plastique, devant eux, se sont fixées des images aussi précises et intactes que le reste est devenu flou. Le reste. Ce récit de plus en plus obscur au fur et à mesure que j'ai travaillé à l'oublier et à le chasser pour ne pas le ramener à Liverpool, ni vivre avec, évacuant de moi tout ce qui s'était passé et qui reviendra, pourtant, à travers les traits précis de ceux-là, les plus jeunes en jeans et tee-shirts, assis à même le sol dans les allées du wagon, et dont les sacs et les blousons, avec ceux des autres dans les filets à bagages, débordaient et menaçaient de tomber sur les gens et dans la travée. Et puis de tous ces gens et des visages que j'ai retrouvés dans le bus venu nous déposer à l'hôtel, de ces visages et des voix, de la chaleur contre la vitre et des mots qui furent dits, je crois n'avoir rien oublié non plus. Pas même les visages si blancs et l'air inquiet et méfiant de l'homme de l'hôtel. Son nez trop fin dont la pointe descendait jusqu'à la bouche. Ni non plus la moue un peu triste, dubitative ou seulement ennuyée de sa femme.

Cette chambre, avec les trois lits et cette petite fenêtre qui donnait sur une cour aussi sombre et étroite qu'une cage d'escalier, et, sur un papier peint au fond beige, l'image reproduite des dizaines de fois de canards sauvages survolant une flaque bleue censée représenter une mare. Peut-être que j'invente tout ça ? Que ce n'était pas des canards sur le papier peint. Mais d'autres oiseaux. Des oies sauvages. Des grues cendrées. Qu'est-ce que j'en sais ? Peut-être même n'y avait-il pas d'oiseaux mais seulement des chiens de chasse et des arbres à la place des roseaux. Peu importe. C'est comme ça que me reviennent les choses. Aussi vrai qu'il se peut que la mémoire me fasse défaut et que l'imagination travestisse le monde comme ça lui chante. Mais, ça n'importe pas. Pas de mon point de vue, qui est la seule chose dont je dispose. Oui.

Faire avec. Avec le souvenir de ces voix qu'on entendait à travers la cloison et qui ricanaient et se chahutaient en anglais, parce que tout l'hôtel avait été réservé pour les Anglais, ceux qui ne partiraient qu'au lendemain du match.

Et c'est de là, de l'hôtel, que beaucoup sont partis en ville pour l'après-midi, dégagés des sacs et des vêtements qu'ils avaient apportés avec eux. C'est de là aussi que tout a commencé. Cette connivence entre tous ceux qui portaient l'Union-Jack sur leurs tee-shirts ou bien tatoué sur les bras ou dans le dos. Tous ceux qui ressemblaient à des Anglais de Liverpool, leur face si rouge et ronde, pour la plupart, à moins qu'au contraire elle soit maigre et cassée, comme si le vent et la pluie nous avaient greffé des visages de vieux totems indiens, taillés à même le bois, à la serpe ou à la faux, des cheveux roux et jaune paille déambulant dans toute la ville.

Sauf que bien sûr les différences n'étaient pas si nettes et que ces visages que je connaissais, que nous croisions au détour d'une rue ou près d'un canal, d'un feu, à la sortie d'une galerie marchande, on les reconnaissait à cette façon de se montrer différents et impatients, malgré les cheveux bruns ou châtains, les tailles, les vêtements, tout ce qui aurait pu être de Bruxelles ou de Berlin, de Paris ou de Londres. C'est ça. Parce que, pour beaucoup, tout tendait à les confondre. Et on les reconnaissait tous parce qu'ils avaient cette façon à eux de marcher et de se reconnaître. De se réunir par petits groupes qu'on saluait en les reconnaissant même de loin. Eux, qui étaient observés comme des choses étranges et dangereuses. Eux, c'est-à-dire les mêmes gens que nous. On voyait cet étonnement et cette suspicion qui tétanisaient dans la rue les regards et les voix dociles des commerçants. On se disait que les Italiens étaient mieux reçus que nous, parce que les gens n'imaginaient pas des choses monstrueuses sur eux. Les gens ont peur de nous. C'est à cause de la télévision. Ils nous prennent pour des gars de Manchester-United et voilà la publicité que ça nous fait. Ils nous prennent pour ce que nous ne sommes pas.

Et pourtant je me souviens, moi, de voir Hughie s'amuser de cette peur, près d'une fontaine où des gamins jouaient au foot. Lui, sans rire, qui s'était mis à courir vers eux pour s'emparer de leur ballon. Alors les gamins n'ont pas osé bouger. Parce qu'ils ne l'avaient pas vu venir, ce grand type avec ses jambes molles qui couraient et entouraient le ballon pour qu'aucun d'eux ne puisse le reprendre. Hughie riait d'un gros rire sonore qui interdisait aux enfants de jouer avec lui. Il a envoyé la balle rouler loin de l'autre côté de la fontaine. Puis il a pris la bouteille des mains de Doug. Et, reprenant la marche, il a parlé si fort que des gens sont sortis de chez eux. Des agents se sont arrêtés pour nous regarder ; ils ont attendu à l'autre bout de la rue, mais nous avons continué à marcher sans qu'ils nous suivent. Et moi je sais quelle ivresse il y avait, au-delà de l'alcool, de voir qu'une ville entière se laisse fasciner et attende d'être ravagée pour ne plus avoir personne à craindre. C'est ça qui nous a traversés au moment où nous avons rencontré le gros Gordon, par hasard, lui dont on disait à Liverpool qu'il ne parlait qu'au bout de sa dixième pinte et ne pouvait pas maintenir son pantalon fermé, à cause de son ventre qui dégoulinait par-dessus. Il était là. Déjà piaffant de rire quand il nous a vus – et déjà tellement bavard. Gordon s'est précipité vers nous et son ventre et son corps étaient comme secoués par une énorme tempête. Sa main gauche retenait le haut de son pantalon, parce qu'une ceinture aurait été inutile.

Il est venu comme ça, ridicule et lourd, avec ses yeux bouffis et ses cheveux coupés courts sur le front, d'une frange nette, tandis qu'une queue-de-rat malingre et noire comme j'imagine une patte d'araignée, descendait entre ses épaules. Il a parlé du soleil et du printemps. Il a dit que lui, si ça ne tenait qu'à lui, ah oui ! il ne refoutrait plus jamais les pieds dans les usines de chez nous ni d'ailleurs. Il resterait peut-être là, a-t-il dit en grattant les poils rêches de sa moustache. Puisque, ici, même les policiers restaient muets en nous voyant. Même les passants étaient stupéfaits de nous entendre gueuler. Même nous, à ce moment-là, disait-il, on peut marcher sans personne pour nous emmerder ni nous dire de frotter nos yeux pour les nettoyer, personne pour nous dire où il faut aller.

C'est donc comme un conte de fées, une révélation, une épiphanie ! Alléluia mon Tonino ! ai-je dit – entrecoupant ma tirade des rires les plus moqueurs dont j'étais capable, au sujet de cette histoire d'anneaux qui tombent dans la paume. J'avais le sourire au coin des lèvres pour bien montrer comment je n'étais pas dupe de cette histoire à l'eau de rose, dis donc, mon pote, celui que Virginie attendait est enfin arrivé, n'est-ce pas beau ? Et nous deux alors, pas très bien réveillés sur la terrasse, partant dans un grand éclat de rire pour cacher que l'idée ne nous déplaisait pas tant que ça, puisque, sous les airs bourrus qu'il voulait prendre et afficher, je savais bien que Tonino aimait les cœurs tendres et les sornettes qu'on leur débite.

Il aimait l'idée de cette rencontre parce qu'il aimait l'idée du caractère irréversible de toutes les rencontres. Je disais et répétais en renouant mes lacets, ouais, bof, moi tu sais, ce que j'en pense... la maladresse de la bague qui tombe, ça doit plus à la bière qu'à la révélation. Et lui me répondant que sans doute ce que je disais était vrai et qui rajoutait aussitôt, tant pis, ce qui compte c'est que nous étions troublés tous les deux, qu'il y a eu ce regard entre nous deux.

On a repris du café et on est restés longtemps dehors, comme ça, la tête alourdie par la bière de la veille et parce que nous avions trop fumé. Et nous sommes restés à cette terrasse en regardant des lycéennes qui lisaient des notes écrites à l'encre violette sur des feuilles à gros carreaux. Nous les regardions et regardions aussi les gens qui se disaient bonjour ; on cherchait ceux qui se connaissaient parce qu'on aurait voulu faire comme eux et faire semblant d'avoir des habitudes ici, dans cette ville, sur cette place, comme pour oublier les nôtres et s'imaginer être quelqu'un d'autre. On aurait voulu avoir vécu toujours à Bruxelles et connaître l'envie de fuir Bruxelles, son histoire et ces gens qui l'ont faite, elle et toutes les preuves de sa présence – monuments, rues, toute l'architecture des envahisseurs avec ses relents de conquêtes et de massacres –, et se prendre à notre tour pour un Baudelaire de passage et détester les visages d'ici, comme, chez nous, les nôtres pouvaient nous ravager tant ils nous ramenaient au plus loin de ce qui nous fatiguait et nous poussait à la colère. Nous ne parlions pas souvent de ça avec Tonino et c'est longtemps, oui, finalement longtemps après ce printemps-là, après ce jour-là, précisément, que nous avons compris l'un et l'autre nos poumons prêts à éclater dans la ville où nous vivions, où nous étouffions sous le regard de la cathédrale et de la Loire – il aura fallu ce jour de printemps à Bruxelles et qu'une bague tombe dans la paume de Virginie, qu'il y ait eu ce bar au moment où Gabriel allait y entrer, et il aura fallu que Tonino et moi on s'entête avec cette histoire de match, ah, oui, ce match dont nous avons reparlé encore, quand nous avons regardé les billets sur la terrasse après notre café, quand, après un court moment de honte et de regret – vite balayé –, l'excitation est revenue, plus forte même que la veille, sans doute ravivée et renforcée parce que l'heure du match approchait, que nous étions fatigués et donc, peut-être, plus vulnérables.

On a marché dans les rues pavées ; on regardait partout et il y avait encore de cette fraîcheur qui n'existe qu'au printemps, cette lenteur dans les gestes des commerçants qui ouvrent leurs magasins, ceux qui sortent les présentoirs ou bien balaient devant leur porte. Il va faire beau. Ça va vraiment être une belle journée. On a pensé aux deux ou trois degrés de plus qu'il aurait fallu pour qu'on ait raison d'espérer le soleil d'été et la chaleur lourde de juillet – oh oui, marcher droit et non plus voûté comme sous la pression du froid de l'hiver, quand on a le nez dans l'écharpe, avec la tête qui pique sur les chaussures et le front qui se cogne contre le vent, et l'hiver qui résiste encore, pourtant, parce qu'à l'ombre tout n'a pas encore changé : l'hiver se tient aux aguets, il a ses poches de résistance et guette en embuscade, à l'encoignure des immeubles et il surprend, implacable encore, sous des porches de pierres humides. Mais je me souviens de Tonino et moi qui marchions si légers, cet air de vacances quand nous avons vu les premiers supporters de la Juve. Oui, le sourire de Tonino, jusqu'aux oreilles. Nous avons marché plus vite en cherchant le métro pour aller vers le stade. Et nous n'avons rien dit ni redouté quand, de loin, de quelque part dans la ville, des voix sont venues jusqu'à nous avec leurs menaces de pacotille qui répétaient en boucle, en l'air, *England ! England !* très au-dessus des rues et des toits.

Des pétales fuchsia de géranium et les taches noires des chewing-gums écrasés sur le pavé. La fine poussière jaune de pollen qui laissait, jusque dans les caniveaux, des marbrures et des veines colorées comme celles des couvertures de cahiers d'écoliers. Des images pour noyer des images plus anciennes encore, de ce qu'on croyait être notre enfance et notre mémoire. À moi seul, ces souvenirs de rouges-gorges picorant dans la neige. Des images de ma petite histoire. Inaliénables. Insalissables. Parfaites petites icônes d'un monde stable et fantasmé dont il ne restera pas même des images, puisqu'il a fallu comprendre que chacune d'elle se reproduisait pour chacun et pour tous, c'est-à-dire pour personne et pour rien. Par contre, il y avait cette image du couteau. Ce tatouage sur l'avant-bras de Doug et ses grandes mains veineuses et tachées de petites cicatrices blanches ou roses, sur les paumes, qui ont applaudi au moment où nous avons vu des gars de Liverpool assis à l'ombre d'une église, près des canaux. Des gars que mes frères connaissaient. Qu'il a bien fallu admettre qu'ils connaissaient. Je n'ai rien dit. Malgré les crânes rasés. Malgré la tête de mort dans le dos, sur le blouson en jean sans manches. Malgré les Bombers kaki. Rien. Seulement surpris de voir que mes frères les connaissaient.

Et nous sommes montés vers le stade, tous ensemble, des boîtes et des canettes de bière à la main, puisqu'on s'arrêtait à chaque épicerie pour se ravitailler et rassasier la soif et ce besoin de bruit, de cris, pour éponger les fronts de Soapy et de Gordon. On était une petite quinzaine, tout au plus, peut-être un peu moins. Je ne sais pas. Il y avait le chahut et ce mouvement qui soulève les gens quand ils sont à plusieurs et que déjà ils ont bu. On irait au stade comme ça. À pied. En levant la voix pour que les automobilistes nous laissent passer, sans qu'on ait besoin d'attendre les feux. Puisqu'on était nombreux et que rien ne nous retenait de rire et de dire dans une langue qu'on aimait croire incomprise, tout ce qui nous passerait par la tête, pourvu que ce ne soit ni sérieux ni calme. Puisque avec la chaleur et la bière, avec la marche, les voix qu'on entendait au loin – *England ! England !* –, nous étions comme chez nous, mieux que chez nous. Sans contrainte. Se débarrassant de nos vieilles peaux en balançant des injures et des rires. Les premières menaces à peine dissimulées sous les refrains des vieilles chansons. Les premières insultes, cette fois vraiment jetées à la face des gens que l'on croisait sur les trottoirs, insultes qui tenaient dans un coup d'œil, une façon de ne pas céder la place et de marcher les uns à côté des autres pour obliger celui-là, en face, à quitter le trottoir, ou le fixer dans les yeux pour qu'il baisse les siens le premier. Des menaces, et des blagues non plus seulement balbutiées entre nous, en catimini, comme jusqu'à maintenant tous avaient fait, quand l'alcool n'avait pas encore débridé les langues ni excité la méchanceté, mais au contraire, jetées bien haut les cœurs : les Belges sont des pédés et les pédés ça se casse comme du petit bois ! Mais c'était encore en anglais, et on supposait que personne ne comprenait l'anglais. Moi, je ne savais plus ce que j'entendais quand ma voix se confondait avec les leurs, pour envoyer des insultes à des Belges dont la méfiance et la colère devaient céder, quand il fallait freiner pour éviter l'accident et ainsi nous laisser passer, au dernier moment, parce que l'un de nous surgissait juste devant la voiture en regardant le chauffeur et en le menaçant du poing, hurlant contre lui et contre les Belges qui veulent tous écraser les Anglais.

Et moi je n'ai rien dit. Et même, je me souviens que j'avais ce sourire qui me tirait la peau du visage. Tout le temps, j'ai pensé au sourire que j'avais, qui me déchirait les muscles tellement j'avais conscience de sourire et de ne pas vouloir ce sourire dont j'avais honte, sans pouvoir ni le quitter ni même admettre qu'il aurait fallu le quitter. Parce que j'aimais ce qui se passait et que je le savais, ça, cette part de moi qui me surprenait toujours quand je la rencontrais, ou qu'il me fallait faire comme si je la supportais. Comme on se fait à un défaut physique. Mais non. Ce n'était pas un défaut. Ce n'était pas grave. Juste le contraire de ce que j'étais. Quelque chose qui montait sur mon visage pour me détourner de toutes mes certitudes, en me faisant tel qu'eux rêvaient que je sois. C'était en plein jour, sur la route à trois ou quatre voies qui menait au stade. On entendait les klaxons. Les appels de phares nous aveuglaient pour prévenir au dernier moment des présences des voitures. Et nous, sur un bout de pelouse ridicule, piétinée, on tenait les uns à côté des autres, se passant la bière de main en main, essayant de jeter les mégots de cigarettes de l'autre côté de la route – et l'on voyait les voitures qui les soulevaient derrière leur passage en des tourbillons qui remontaient d'un ou deux mètres avant que les bouts incandescents des mégots, ravivés par le mouvement, finissent par s'échouer plus loin, avec des étincelles qui éclataient pareilles à des feux de Bengale au-dessus d'un gâteau d'anniversaire. Tout le monde avait peur de nous, et ils avaient raison. Parce que nous n'étions pas comme les supporters qui étaient venus en famille, et que ce qui nous tenait droit, qui me tenait droit pareillement aux autres, c'était de sentir la puissance qu'on éprouve d'être soûl dans le regard des autres, et d'être loin de chez soi, si loin tout à coup que je me prenais à rêver de n'avoir aucun compte à rendre à personne, ni à mes parents ni même à Elsie. Croire soudain à la facilité. Croire que je pouvais claquer des doigts et faire basculer le sort du monde, comme ça, toc ! le faire plier et rouler sous les doigts, le faire éclater comme éclataient dans un grand fracas de verre les canettes vides que nous jetions sur les voies. Et se dire comme c'était amusant de voir Gordon rire et marcher en tête du cortège, ne sachant pas marcher et piétinant les pavés, roulant de tout son tas, comme une bête insouciante va indifféremment, avec la même stupide bonhomie, vers l'abattoir ou la saillie.

Gale et Peter Farns, les deux frères moustachus et très quelconques quand ils ne parlaient pas, le plus vieux avec son chewing-gum et les mains dans les poches de son blouson en skaï rouge déchiré et rapiécé aux coudes par de l'adhésif rouge aussi, l'autre qui fumait cigarette sur cigarette et raclait sa gorge toutes les minutes en grattant son cou au même moment, eh bien, c'étaient eux qui chantaient le plus fort *England !* *England !* avec des grosses voix caverneuses qu'ils allaient chercher où, tous les deux qu'on connaissait si discrets, si calmes dans l'usine où ils travaillaient ? Eux que mes frères connaissaient depuis l'enfance et que ce jour-là ils verront tenir, dans le stade, tout à l'heure, comme des fous, hirsutes, sautant sur place, le drapeau de l'Union-Jack.

Est-ce que je me suis endormi dans le métro – malgré le balancement de la rame et de mon cou, le crâne contre la barre métallique ? Ou bien, est-ce que j'ai seulement somnolé et que je suis resté entre deux sensations, l'une nourrie par l'autre, avec ce rêve d'une promenade sous des tilleuls et d'une main d'enfant dont j'ignore encore à qui elle appartenait (c'était juste des doigts et une paume grande ouverte, tendue vers moi, une menotte colorée par des taches de groseille) ?

Est-ce que c'est à cause de ces voix que j'ai entendues autour de moi, à cause d'elles que j'ai rêvé ces images de fraîcheur sous les tilleuls ? Ou bien n'est-ce pas, plus simplement, parce qu'il faisait frais dans le métro ? Je ne sais pas. En tout cas, je suis sûr que ce qui m'a réveillé, par contre, ça a été de reconnaître la voix de Tonino et les intonations si particulières qu'elle prenait en italien, parce que si le rire ne change pas selon la langue, la voix, elle, prend d'autres inflexions et d'autres rythmes, et il faut à l'oreille un peu de temps pour s'habituer à ce tempo qu'elle ne retrouve pas quand elle cherche à reconnaître la voix par laquelle elle identifie quelqu'un (une voix dont il lui faut convenir, à ce moment-là, que c'est seulement d'un ton, d'une possibilité qu'elle a l'habitude, et non, comme on le pensait jusqu'alors, de cette voix elle-même, puisqu'elle n'en mesurait ni les capacités ni l'étendue ; un peu cette surprise qu'on éprouverait devant celui qu'on s'imagine connaître parfaitement et qui nous étonnerait un jour en réalisant ce dont on l'aurait cru, précisément lui, incapable). Je n'ai pas reconnu sa voix tout de suite, comme si c'était ce changement-là, cette étrangeté qui m'avait réveillé et sorti de l'assoupissement. Le fait de reconnaître la voix de Tonino puis de me dire, tiens, mais, à qui est-ce qu'il parle ? Il parle en italien. Et puis ce léger décalage donc, cette voix qui n'était plus tout à fait celle que je connaissais de Tonino – elle me semblait aller plus vite, être plus légère aussi et quand j'ai ouvert les yeux devant moi, Tonino était dos à la porte, le métro roulait vers le nord-ouest, vers le stade, et à côté de lui il y avait cette fille, face à moi. Elle se tenait à la barre et souriait en me regardant, pendant que le type avec qui elle devait être, me suis-je dit, avait – lui, je le voyais de profil – la nuque penchée et le dos courbé pour entendre ce que Tonino racontait.

C'est lui que j'entendais le plus. Quand je dis lui, je veux dire ce type, pas Tonino ; je veux dire que c'est cette voix du type que j'entendais le plus, et de Tonino, seulement des réponses et des rires. En écoutant leurs voix je me disais, l'italien n'est pas comme on dit une langue chantante, non, ça n'a rien à voir avec un chant – ça ne chantait pas, ça sautait, crépitait dans l'oreille, bien plus léger et rapide que les soubresauts du métro sur les rails. Je voyais Tonino, ses mains dans le dos contre la porte couleur ocre, non, crème, ou café au lait, une couleur un peu triste comme étaient tristes les fauteuils pourtant orange, mais d'un revêtement plastique trop terne ; et je me souviens de cette couleur crème ou beige qui accrochait l'œil et me faisait mal comme les freinages abrupts, ce bruit strident qui couinait longtemps avant chaque station et agonisait jusqu'à l'arrêt total de la machine. Et puis, tout autour de nous, il y avait d'autres Italiens et des gens qui n'étaient pas italiens mais qui allaient eux aussi vers le stade.

Quand j'ai ouvert les yeux et redressé la tête, c'est elle que j'ai vue la première. Elle, debout, qui m'a souri comme si elle me connaissait déjà, comme on le fait, j'imagine, à celui qui se réveille à côté de soi le matin. Oui, comme un sourire de bienvenue ; et moi, tardant à me réveiller, n'émergeant toujours pas des images de mon rêve et des odeurs de tilleul qui n'existaient que dans ma tête, je me suis redressé (mais lentement, avec l'envie de retarder pour ne pas avoir à affronter le moment où je devrais pour de bon la regarder dans les yeux et lui sourire vraiment) pour répondre à son sourire par un autre sourire, plus discret, presque de remerciement. Mais j'ai dû rougir – bien entendu j'ai rougi, c'est sûr que j'ai dû, comme aurais-je pu ne pas rougir ni baisser les yeux ? hein ? me connaissant, quand elle est apparue devant moi, blonde, si souriante, les doigts très fins qui se sont agrippés à la rampe – on aurait dit qu'ils s'y enroulaient presque, parce qu'ils étaient très longs ou très maigres –, son visage presque laiteux malgré les quelques taches de rousseur sur le haut des joues et sur le front, mais aussi la très légère cicatrice blanche au-dessus de la lèvre, les yeux à la couleur indéfinissable, presque la couleur du cognac. Elle portait un blouson en cuir noir, un genre de Perfecto ; sa jupe était rouge avec des pois blancs et, autour du cou elle portait un foulard rouge, dans les cheveux un gros élastique qui les tenait attachés en queue-de-cheval.

Je me souviens de sa voix quand j'ai entendu qu'elle a parlé à Tonino pour dire que j'étais réveillé. Et Tonino quand il a cessé sa conversation avec le garçon et qu'il m'a regardé, souriant et heureux quand il m'a présenté le couple en disant, ils vont au match et tu sais, ils sont d'un village voisin du mien, un de ces quatre on ira les voir là-bas, allez, Jeff, réveille-toi, que je te présente Francesco et Tana. Et il m'a raconté cette rencontre qu'il avait faite dans le métro, de ce couple (et moi, imaginant les premiers mots – Vous venez pour le match ? – Oui – Vous êtes d'où ? – Près de Gênes – Ah ? – De Montoggio, – C'est vrai ? vous venez de là ? c'est fou, ma famille à une maison juste à côté, à Casella). Je revois Francesco avec les cheveux noirs plus bouclés encore que ceux de Tonino. Il avait les sourcils très proches et épais, la peau presque bleue sur les joues et le menton assez massif ; son pantalon, c'était un jean vert bouteille et il souriait à tout ce que Tonino disait. Il y avait ce mouvement des portes qui s'ouvraient et un grand fracas lorsqu'elles se refermaient, avant le départ, et les mouvements et les voix des gens qui entrent et sortent et se bousculent en se regardant puis en s'ignorant. Toujours pas d'Anglais mais des uniformes – des policiers ? –, non. Des pompiers.

Mais pour moi, l'image la plus brutale c'était le mouvement léger, de gauche à droite, de la queue-de-cheval qui balayait les épaules de Tana. Mes yeux fixaient le balancement ; très vite le mouvement me soulevait le cœur et je me disais, bon Dieu de bon Dieu, ça m'apprendra à boire autant ; je voyais défiler devant moi les bières et les cigarettes de la veille, j'entendais les bruits du verre qu'on choque et voyais la mousse de la bière qui dégueule jusqu'au sous-verre. Aïe, franchement, pourquoi boire autant et se rendre malade, quelle connerie, et vraiment, s'endormir dans le métro, quel mauvais sommeil !

Après être restés longtemps l'un et l'autre dans une usine de pneumatiques (vers Stoke je crois), Gale et Peter Farns travaillaient maintenant vers le port de commerce. On les connaissait bien, les Farns. Et ce jour-là, on riait de les voir comme personne ne les avait jamais vus, si excités l'un et l'autre. Si bruyants. Je me suis dit que je ne les connaissais pas et c'est vrai que les amis d'enfance de mes frères n'avaient jamais été pour moi que des ombres et des voix murmurant leurs vies plus qu'ils ne la vivaient, aussi vrai que je ne connaissais leur présence qu'entre les murs où j'avais vécu. Nous nous sommes croisés et vus grandir, mais c'est la seule connaissance que nous avons eue à partager. Car, en retour, pour eux aussi ma vie ne tenait qu'à ma présence là où vivaient mes frères, quand eux venaient les voir à la maison.

J'étais là comme ma mère devant la télévision ou Pellet recrachant ses croquettes ou se traînant sur sa couverture marron ; là, tout jeune, et je les regardais vautrés dans le canapé, écoutant de la musique et buvant, fumant beaucoup.

Je me souviens que c'était Doug qui ouvrait le paquet de cigarettes qu'il fauchait à notre père, dans une cartouche que ma mère cachait dans la chambre à coucher, dans le tiroir de la table de nuit. J'étais, moi, Geoff, cette ombre aux yeux grands ouverts que les deux amis de mes frères regardaient avec agacement, l'un se raclant la gorge au lieu de parler, et l'autre remuant la tête pour demander à Doug et Hughie de me faire sortir quand ils voulaient parler de choses qui m'étaient interdites. Mais je les entendrais bien mieux à travers la cloison. Je me régalais du moment où Doug me disait de partir. Je disparaissais et j'écoutais de l'autre côté les grands parler de bagarres, de musique et de hit-parade, de jeux que je ne comprenais pas. Il suffisait de coller l'oreille contre le mur. De poser sa main à plat sur l'autre oreille. Et les voix venaient par éclats me révéler ce que c'était qu'être adolescent et rêver de filles à moitié nues dans des voitures de course. Finalement, j'en ai toujours su plus d'eux qu'ils n'en sauront jamais de moi. Et pour Gale et Peter, ce jour-là, à Bruxelles, et même – mais peut-être que c'est à cause de ça justement –, même si je ne gueulais pas comme mes frères, que je buvais moins qu'eux et que je restais un peu derrière eux tous, j'étais encore là, toujours, comme cette ombre imbécile qui pourtant ne les gênait plus comme lorsque j'étais enfant. Ils ne me connaissaient pas plus, mais, depuis quelques années, ils avaient appris à me reconnaître dans la rue et à lancer leur bras au-devant du mien, pour me saluer. Parce que pour eux, j'avais au moins le mérite d'avoir sur mon visage les traits et le regard de mes frères.

Maintenant j'avais l'impression de balancer au vent, les jambes flageolantes à cause de la chaleur qui montait et de la bière qui montait aussi dans ma tête et me brouillait la vue, de plus en plus vite. La bière et les images écœurantes qui bouillonnaient dans le cerveau. Elles jouaient avec le balancement des jambes. Un pas. Un mot. Je t'aime, je tombe. Je m'amusais presque à chanter et, en regardant les boucles de mes lacets, mes baskets sur le bitume et sur le pavé, je voyais Elsie dans sa blouse bien repassée. À qui pouvait-elle parler, à cette heure où moi j'allais déjà tanguant et où j'entendais ses pas qui résonnaient dans le couloir de l'hôpital et dans mon cerveau, quand elle parlait peut-être de moi avec une collègue, et du match qu'elle regarderait ce soir ? Mon cœur battait si fort déjà. C'était le moment de la bière et du vent. De cette marche et de notre façon de nous tenir, tous. Comme si même nos démarches et nos ombres devenaient bavardes et bravaches.

Alors moi, à ce moment-là, pour la première fois ce n'était pas de l'amour ni de la douceur que j'éprouvais pour Elsie, en l'imaginant, en revoyant sa douceur et son regard, cet air attendri qu'elle avait sur tout, comme si elle allait recouvrir toutes choses et les protéger de sa tendresse un peu molle. Oui, à ce moment-là, parce que j'avais pour moi d'être le cœur battant, d'être ailleurs, de croire en la liberté et en la force que donnent la bière et les autres, quand ils sont avec nous dans la rue, que le vent les porte et que la rage et les rires les portent aussi, qu'il y a cet élan qui veut nous débarrasser de nous-mêmes et nous souffle à l'oreille que cette fois c'est possible, que tout est possible et que le monde est une gouttelette d'eau qui fait du toboggan dans notre paume, en disant, allez, amuse-toi, le cœur bat, la peau vibre, je n'éprouvais pas d'amour pour elle. Quelque chose est désagréable, qui colle à la peau. L'alcool qui est monté peut-être trop vite à la tête, et la bouche qu'on sent déjà pâteuse.

Puis la chaleur, et les bruits aussi. Les odeurs des gaz d'échappement. Le vacarme en approchant du stade, l'avenue Houba-de-Strooper. La peur qui est montée en moi, oui, cette appréhension devant ce qui allait se produire avec la foule qu'il faudrait affronter et repousser du coude ou du corps entier, peut-être, afin de ne pas se perdre. J'ai proposé que Doug nous donne nos billets pour que l'on puisse se retrouver sur place si jamais nous nous perdions. Il a dit, nous, nous perdre ? On ne va pas se perdre, aucun risque. Mais pour l'instant ce n'était pas la foule. Nous étions encore assez loin. Ce n'était que le début de l'après-midi. Il faudrait attendre et nous allions encore attendre des heures, dehors, sous le soleil, devant la façade du stade. Et puis devant les grilles pour canaliser la foule, des baraques à frites de Pakistanais et de Turcs. Il y avait des policiers. Comme ceux qui nous ont arrêtés à ce moment-là, les quatre policiers qui nous avaient vus traverser n'importe où, ou bien jeter des canettes. Ils s'étaient contentés de demander si nous étions ici pour le match, en nous saluant d'un signe de la tête très rapide, à peine esquissé. Puis le plus grand des quatre nous avait demandé plusieurs fois de faire attention et de ne pas jeter les canettes n'importe où. Celui qui avait parlé était resté devant nous assez longtemps, claquant discrètement le bout de ses doigts pour calmer son impatience et son agacement. Le geste n'avait échappé à personne, et quand ils ont été partis nous nous sommes tous regardés, hésitant entre le rire et l'envie de cracher. Alors que Doug, pâle, lèvres mordues, avait fermé le poing et que, de la pointe de la chaussure, il s'était mis à écraser une cigarette à peine allumée, avec un acharnement particulier, comme s'il se battait contre elle et qu'il était décidé à la réduire en bouillie.

Tonino et Tana étaient les seuls à savoir parler italien et français. En parlant, on s'essuyait les lèvres et le menton avec des serviettes en papier ; les barquettes gondolaient et s'écrasaient entre les mains à cause des rires qui secouaient les corps, et, pendant que les morceaux de patates bouillies remontaient et s'écrasaient en même temps qu'on pressait la barquette du bout de nos doigts graisseux, pour qu'elle ne nous échappe pas des mains, c'était les frites elles-mêmes qui menaçaient de déborder et tomber. Je me souviens du sel sur les doigts que j'avais envie de lécher, de cette gourmandise frustrée par cette pensée qu'il vaut mieux ne pas se laisser aller quand il y a du monde, mais plutôt faire semblant et regarder avec une fausse indifférence la moutarde et le ketchup dégoulinant sur le rebord des barquettes.

Et à chaque éclat de rire – pas tout à fait à chaque fois, parce que pour certains de ces rires c'était Francesco qui était condamné à ne pas comprendre ce qui avait pu les déclencher, ni eux, ni les regards et les gestes des mains et des épaules qui s'ensuivaient, pour peu que l'allusion ait été faite en français et non en italien – j'avais l'impression que c'était moi qui restais sur le bord de la route. Peut-être parce que pour Tonino il y avait ce plaisir à parler italien, qu'il ne pouvait satisfaire avec aucun de ses amis français, en tout cas, pas avec moi. À chaque mot, il fallait attendre des autres qu'ils me fassent participer. Alors je les regardais, les yeux ronds, la bouche esquissant le sourire qui s'affirmerait tout à l'heure, quand je saurais de quoi il retournait, le tout accompagné d'un hoche- ment de tête et d'un regard vers Francesco et Tana. Je disais à Tonino et à Tana, bon Dieu, c'est humiliant à la fin, d'être aussi nul. Et alors, cinq minutes après tout le monde, j'avais la version traduite des faits qui avaient déclenché les rires que j'avais entendus et vus sans réagir. Après traduction et explication, c'est moi qui me mettais à rire, d'un rire plus discret et moins franc, un peu forcé parce que rire tout seul ou sous le regard des autres n'est jamais très drôle. Mais mon rire à retardement déclenchait à nouveau celui des autres. Et Tonino me racontait tout, patiemment, quand le couple lui expliquait qui ils étaient. J'entendais Tonino engloutissant ses frites, je regardais le mouvement très saillant de ses mâchoires broyant les morceaux de patates trop blanches, farineuses, et lui, levant ses doigts graisseux pour m'expliquer que Francesco et Tana s'étaient mariés très récemment, sans inviter personne de leurs familles respectives, oh, là, que d'embrouilles a-t-il dit, mais bon, ils ont fait ça, se marier sans la famille mais avec quelques amis, parce que comme dit Francesco, le mariage est une chose trop sérieuse pour qu'on y mêle la famille.

Tonino expliquait, commentait, reprenait, et sous le soleil nous marchions vers le stade ; j'ai vu que Tana avait des reflets roux dans les cheveux. Son sourire, oui, je l'aimais bien. Et le léger trait de khôl et la forme en amande des yeux, la bouche pas très épaisse mais très rouge, à peine – ou pas ? – maquillée. Et puis, Francesco, dont les gestes dégageaient quelque chose de très terrien, des mouvements rapides, presque brutaux – non, ce n'est pas ça, il dégageait cette sorte de puissance, quelque chose comme l'expression d'un désir et d'une puissance à l'accomplir –, malgré son sourire et sa douceur dans la façon de regarder autour de lui, qui lui donnaient un air timide, les yeux étonnés d'un gamin en vadrouille. Francesco a raconté et, sans comprendre les mots qu'il disait, j'entendais dans la voix l'émotion d'être là, de ne pas être aujourd'hui en train de conduire un camion et sa cargaison de tambours de machines à laver à travers toute l'Italie ou même toute l'Europe, mais d'être ici, avec nous, de tenir la main de la femme qu'il aimait et dont il était aimé.

Parce que leur amour crevait les yeux, les nôtres. Et nous, donc, avec Tonino, on restait Gros Jean comme devant – devant les regards qu'ils avaient l'un pour l'autre. Oui, ça se voyait. On le voyait, nous, à la façon qu'ils avaient de se tenir ensemble sans rien se dire, juste en se regardant quelques secondes, avec gravité parfois, mais de manière tellement discrète qu'on se disait qu'eux-mêmes, trop habitués à leur complicité, ne devaient plus s'en rendre compte. Et je me souviens qu'à l'ombre du store de la baraque à frites, aux odeurs de bière et de friture se mêlait un parfum de mimosa et de poivre. C'est là que nous avons su comment ils s'étaient mariés en ne prévenant la famille que deux jours avant, provoquant suffocations et irritations, mais précisant tout de même que le pire était à venir, puisque, non seulement la famille était prévenue au tout dernier moment, mais elle n'aurait pour se consoler que le soulagement de se dire qu'il était inutile de s'en faire pour les préparatifs et la robe et les cadeaux, non, pas d'inquiétude à se faire de ce côté-là : personne n'est invité.

Mais, ont dit Francesco et Tana, bon, c'est vrai, on n'a pas respecté le rituel du mariage, mais on aurait aussi bien pu ne pas se marier du tout ! ce qui aurait été encore pire pour la famille. Ils ont raconté le mariage, l'un et l'autre apportant les détails qui leurs tenaient à cœur, et puis ils ont parlé des quelques amis qui avaient été invités, les amis indispensables, quatre ou cinq, avec la sœur de Tana et le frère de Francesco – les deux seuls pour qui la loi anti-famille pouvait être contournée –, à peine une petite dizaine de proches tout au plus, du soleil, du vin, et le pique-nique tous ensemble. Mais la famille n'avait pas dit son dernier mot. Un mois plus tard, c'est-à-dire l'avant-dernier dimanche de mars, le couple était allé déjeuner chez les parents de Francesco, et quand ils étaient arrivés dans la cour, ils n'avaient pas remarqué le silence étrange, trop parfait. Et ils ont raconté l'un après l'autre, même si leurs voix, parfois, se chevauchaient pour raconter ce dimanche, quand ils étaient entrés dans la cour et puis dans la maison, où ce sont des cris et des rires qui nous sont tombés dessus, ont-ils raconté, des cotillons en veux-tu en voilà et du riz à la volée, des flashes et des pola-roïds et toutes ces mains levées qui applaudissaient pour couvrir les larmes des mères et les cris des enfants – ça courait dans les guibolles en hurlant Vive les mariés ! Vive les mariés ! – les hommes avaient passé leur cravate et, en costume gris ou bleu foncé, se tenaient droits et fiers comme pour un enterrement ; les femmes portaient des robes de soie dans lesquelles elles grelottaient et des colliers de perles, des bijoux, du maquillage, des brushings et des mises en plis ; la marmaille des oncles et des tantes de Francesco crapahutait autour des bouquets de jasmin et de roses, de la nappe en dentelle sur la grande table du salon, sous le regard de cet Amour gros comme un gamin de cinq ans, accroché avec ses flèches en carton et son étui au-dessus de la table, retenu par des fils de fer entortillés et des fleurs de papier crépon, et des guirlandes pour camoufler tout ce qui débordait – je ne souhaite ça à personne ! a conclu Francesco en riant, décou-vrant ses dents blanches et l'espace entres elles (je me suis dit, tiens, les dents du bonheur). Tana et lui avaient ri et riaient encore en se rappelant comment les larmes et les cris de leurs mères leur montaient à la tête avec les bulles de champagne, et puis ces voix où pointaient encore les repro-ches qu'on avait fait semblant de vouloir taire. Mais pourquoi ne pas vous être mariés à l'église ? Au moins, à l'église... Pourquoi n'aimez-vous pas Dieu, puisque lui vous aime d'un amour infini ? Vous ne comprenez donc pas, dites – si, si, calme-toi maman, calmez-vous belle-maman, et les langues de belle-mère aussi y sont allées de leurs longs cris stridents.

Et tous les deux, Francesco et Tana, débordés et dépassés par les membres de la famille, retenant leur envie de rire et nous racontant comment, un mois après leur mariage, il avait fallu vivre exactement ce qu'ils avaient voulu éviter avec, pour finir de décorer l'ensemble, le grand-père Gianni en bout de table, tremblant de tous ses vieux os et sanglotant sur le temps qui passe, avant de se resservir une tranche de jambon de Parme et bredouiller des mots de bon sens, eh oui, c'est la roue qui tourne et qui tournera aussi pour vous les enfants, et puis les cadeaux portés par les plus petits, des nièces et des neveux surgis de nulle part ; alors, il avait encore fallu entendre les reproches et l'amertume sous les blagues – eh oui, vous comprenez, on espère que ça vous plaira, comme il n'y avait pas de liste de mariage... forcément, c'était difficile de savoir ce dont vous aviez besoin. De la vaisselle. Des outils. On a fait au mieux. Un aspirateur. Et puis des fleurs à planter sur votre balcon et du linge de maison bien sûr, une magnifique nappe blanche, finement brodée, et aussi, cette folie dont on était très fiers : un voyage de noces jusqu'à Amsterdam avec, comme si ça ne suffisait pas, un arrêt à Bruxelles du 28 au 30 mai à l'hôtel Bellevue, et deux billets pour la finale de la Coupe des coupes, rien que ça, la Coupe d'Europe des clubs champions !

4

Tout l'après-midi avec ce foutu cor au pied, dans ces foutues chaussures neuves et les chaussettes trop épaisses. Tout ce temps passé à serrer desserrer l'étreinte des lacets. Et puis faire le tour du stade, guetter aux principaux guichets en se demandant par où ils vont passer – est-ce que je vais avoir le temps de les retrouver, de les rattraper et de récupérer les billets, d'exiger d'eux qu'ils me rendent les billets ? Et moi, tout l'après-midi avec le poil rêche d'une barbe naissante pour gratter la paume de ma main, quand je veux me frotter le nez ou la bouche, et la langue pour humidifier les lèvres trop sèches. Les djembés, les tam-tam ; la fumée des cigarettes et les odeurs de viande et de graisse brûlées. Puis les bus à la queue leu leu avec leurs papiers sur le pare-brise, où sont écrits en grosses lettres, au feutre, le nom de la ville et du pays d'où vient le bus.

Je suis furieux encore, le visage de Tonino marqué dans ma tête et n'en sortant plus que pour laisser place aux lettres en forme d'arabesques de son blouson. Celles-ci ne disparaissant que pour laisser revenir les boucles des cheveux, puis à nouveau le visage de Tonino. L'idée qu'il sera là, avec l'autre, ce Jeff à qui l'on ne fait attention que parce qu'il se manifeste assez bruyamment pour qu'on ne le renvoie pas au silence et à la nuit, d'où l'on pourrait croire qu'il vient, lui qui est si pâle, si blanc qu'on voit tout de suite comment il fait semblant d'être là et comment l'autre, au contraire, Tonino, a cette présence sur les choses et les gens, cette évidence qu'ont certains à disposer de tout.

Cette présence, je la sens si fort que, quand nous avons compris avec Virginie ce qui avait dû se passer, ce n'est pas Tonino que j'ai accusé en premier, mais elle, Virginie, et j'ai dit, merde, de quoi avez-vous parlé ? je t'ai vu rire avec lui – ma honte quand j'ai dit ces mots-là, que j'ai entendu ma bouche prononcer ces mots-là. Et le ridicule de s'avouer jaloux et faible et d'avoir en douce surveillé ce qui se passait dans le bar, en faisant croire que je m'en fichais et qu'elle pouvait bien parler à qui elle voulait. Mais au lieu de me taire et demander pardon, au lieu de baisser la tête, de fermer les yeux, au lieu de savoir pour moi-même rougir de ma faiblesse et de mon manque de confiance, encore, comme toujours, ce défaut, cette saloperie de méfiance que je traîne et cette haine que je traîne de n'aimer ni de ne laisser personne venir vers moi et dire, fais-moi confiance. Au lieu de ça encore il a fallu,

encore fallu,

Et Virginie, que je soupçonne de m'aimer pour le plaisir qu'elle aura à me ruiner le jour où elle décidera de me quitter, comme ça, juste pour voir. Elle dit que je suis fou. Elle dit que je suis violent. Et, oui, c'est vrai, au lieu de faire ce que j'aurais dû, j'ai basculé vers elle et je me suis approché et j'ai hurlé encore, qu'est-ce que vous vous disiez ? Tu ne voulais plus boire et pourtant, avec lui, au comptoir tu as repris un verre, tu ne voulais plus rien et tu es restée au bar avec lui, avec lui tu ne t'ennuyais pas.

Elle ne m'a pas laissé finir. Elle a reculé, très vite, et maintenant je suis seul dans la foule, en plein après-midi. Seul et cherchant vers les entrées principales deux silhouettes, un grand aux allures squelettiques, tout droit sorti d'un cauchemar de Vincent Price et l'autre, l'Italien, plus petit et bouclé, avec son *Chicago* en lettres rondes sur le dos. Et comment, en les cherchant tous les deux, je pense à Virginie et à la fin de cette nuit, quand elle s'est relevée et qu'elle a allumé une cigarette, assise sur le bord du lit, dans le noir, avec seulement la lumière de l'aube qui commençait à poindre et puis l'incandescence de la cigarette.

Je ne dormais pas et j'ai regardé comment sa main tremblait. Comment elle aspirait fort la cigarette. J'ai vu la lumière incandescente, orangée, les reflets de l'aube sur sa chemise et sur ses cheveux. Je me souviens de son souffle. Elle savait que je la regardais. Elle savait que je voulais lui dire de se recoucher, ce n'est pas grave, on verra demain, j'ai trop bu, je suis jaloux c'est idiot, je sais, je sais. Et elle : non, pourquoi ce serait idiot d'être jaloux, hein ? Dis-moi, ça pourrait me plaire que tu sois jaloux – seulement, il y a deux types de jaloux : ceux qui ont peur de perdre qui ils aiment, et les autres, dont tu fais partie, m'a-t-elle dit. Ceux-là qui ont tellement peur qu'on les abandonne qu'ils en oublient ceux qu'ils aiment. Elle m'a dit qu'elle n'en pouvait plus de ma jalousie et de ma peur d'être seul.

Et j'ai pensé à tout ce qu'elle avait dit pendant qu'elle criait. J'ai pensé à ça, dans le lit, au petit matin, quand elle fumait assise sur le rebord du lit et que, déjà, le jour dessinait sa silhouette assez nettement pour que je voie la chemise et les cheveux, pour que se dessine la main qu'elle a passée sur son front. Et puis, je pense aussi, dans la rue, à ce début d'après-midi où, n'en pouvant plus d'attendre, j'avais dit, j'y vais maintenant, espérant qu'elle viendrait, qu'elle réagirait. Mais non. Elle portait la longue chemise de grand-père qui lui arrive aux genoux, qu'elle garde tous les dimanches, quand on décide de ne pas sortir de l'appartement de toute la journée. Et là, elle est restée comme ça. Elle a refusé de prendre une douche, refusé de sortir pour m'accompagner quand je suis allé acheter des cigarettes. Je suis sorti et j'ai bu un café dehors, pas très loin de l'appartement. J'ai entendu des vieux qui disaient que les Anglais avaient cassé des vitrines du côté de la Grand-place, qu'il y avait eu quelques bagarres. Mais, moi, à ce moment-là, j'ai d'abord repensé aux billets et à la soirée ; je me suis inventé des images : Virginie et moi dans le stade. Virginie et moi nous tenant la main pour regarder le match. Virginie buvant un Coca-Cola à la paille pendant la mi-temps. Et puis, j'ai vu l'ironie d'être pour les Italiens alors que c'était un Italien qui nous avait volé les billets.

Et je suis seul pour aller voir si je les trouve devant l'entrée du stade. Seul avec ce foutu cor au pied dans ces foutues chaussures neuves. Je n'ai pas envie de fumer et pourtant je fume. Je me suis acheté des brunes, des Gauloises. J'aime les Gauloises quand j'ai besoin d'oublier, d'aller vite, que j'ai besoin de me consoler et de ne pas penser encore comme je pense, maintenant, en remontant vers la foule qui grossit devant le stade pendant que j'entends la rumeur, comme on dit, cette rumeur, dans l'air, des voix et du vent mélangés, confondus, la rumeur qui distille et colporte son flot de mensonges et de ragots, je vais vers elle, j'entends les premières voix des Italiens et des Anglais. On rit. On parle fort. On crie de partout. J'entends les sabots des chevaux de la police montée, les moteurs des voitures qui tournent encore, sur le parking, devant l'entrée principale. Des gars jouent de la musique. On entend les rires, les tam-tam de plus en plus fort et aussi des Africains qui vendent des lunettes de soleil et des ceinturons, des foulards, des posters de Bob Marley et de Michael Jackson. Des gens se cherchent sous des fanions rouges et or, ou jaunes, des damiers blancs et noirs, peu importe. La communauté du foot est une seule nation et l'Europe entière attend aux sons des autoradios, des crécelles, des cornes de brume qui ont commencé leurs vacarmes en plein après-midi, sous le soleil où cuisent déjà les torses nus de certains supporters. Pour beaucoup, ils attendent depuis le matin. Les autres continuent d'affluer. Ils ont des chapeaux bariolés, comme ceux des bouffons avec des cloches au bout, qu'on entend tinter et accompagner les rires. Et puis, il y a des gens assis en tailleur, les plus jeunes sur les voitures. On attend l'ouverture des guichets derrière les grillages. Ça ne devrait plus tarder.

En regardant les projecteurs géants qu'on voit du dehors – ils dépassent du haut du stade et tout à l'heure ils jetteront leurs milliers de watts sur le match –, ça y est, la colère me reprend, il faut faire plus vite. Où sont-ils ? Il faut reprendre la marche. Je me faufile entre les gens et je cherche, malgré mon pied qui me fait de plus en plus mal. J'ai chaud. Je prends en plein visage les bouffées de cigarettes et de rires des plus excités. Ce putain de cor au pied. Mes chaussettes trop chaudes pour la chaleur d'aujourd'hui, la poussière qui remonte du sol et étouffe. Je tire sur la cigarette. J'essaie de ne pas appuyer sur le haut de mon pied gauche. Des gens m'empêchent d'approcher. Plus je serai proche de l'entrée, plus j'ai de chances de les apercevoir. C'est ce que je me dis. Des gens passent devant moi, des Italiens, ce sont tous des Italiens, non, il y a des Belges et des Français, quelques Allemands aussi. Voilà, il va falloir attendre ; être compressé et accepter la voix des flics et du service d'ordre, le grand blond rougeaud qui gueule pour que chacun entre à son tour. Et moi je guette. Je cherche. Je me lève un peu, sur la pointe des pieds. Tant pis pour le cor qui me fait mal, le pied trop à l'étroit dans la chaussure. Une grimace à cause de ça ; non, la grimace sur mon visage est due au relent de bière, aux lèvres sèches et au soleil qui brûle. J'ai plissé les yeux, je cherche, mais, qu'est-ce que je cherche ? Je sais bien que ce ne sont pas eux que je cherche, je voudrais bien que ce soit eux, j'aimerais que mes yeux scrutent pour les trouver, eux, les deux gars d'hier soir, reconnaître leurs silhouettes puisqu'on les reconnaîtrait entre mille, tous les deux avec des allures jeunes et presque exubérantes à force de se tenir comme ils font, si maladroitement pour Jeff, un peu lent, les mains dans les poches alors que l'autre est sec, nerveux, des chaussures à semelles compensées, une chemise hawaïenne et un blouson avec écrit *Chicago* au dos. Alors, je devrais les voir. Je vais les voir. Je suis là pour ça, pour les billets. Mais maintenant ce n'est pas vrai. Je sais qu'au fond, maintenant, ça ne m'importe pas. Je m'en fous. Je ne veux pas les voir. Je ne veux plus entendre parler de ces deux-là, ni de leurs grandes gueules ni du match de ce soir, ni de rien. Je voudrais juste me dire, c'est elle, elle est venue me retrouver. Oui, c'est tout ce que je veux.

Parce qu'ici, je vois bien que c'est pour Virginie que mes yeux fouillent et s'enfoncent dans la foule, parmi les gens. Je me dis qu'elle va me rejoindre, que peut-être elle va venir. Elle va apparaître et portera sa robe safran aux volants froissés, ses sandalettes jaunes et elle me dira que ce n'est pas grave si nous n'avons pas les billets, nous irons au cinéma ou dans un res-taurant chic, où tous les deux nous mangerons du risotto de homard qui est si bon et si cher que même le prix nous fera éclater de rire ! Nous parlerons tout bas dans le restaurant, je caresserai sa main sous la table. Nous nous regarderons long-temps et nous oublierons les autres, nous oublierons tout ce qui s'est passé cette nuit, mon idiotie au moment où nous avons compris que nous n'avions plus les billets, qu'ils avaient volé les billets, tous les deux, Tonino et Jeff.

Oui, elle va peut-être venir, elle va sûrement venir. Elle a fini par prendre sa douche et puis elle a mangé un peu. Elle a pris de l'aspirine, elle s'est maquillée pour effacer la fatigue et, tout à l'heure, je sentirai sur son visage la poudre et l'odeur du parfum. C'est ça. Elle va venir. Elle est en route. Elle me cherche pour me dire que cette fois encore ce n'est pas grave, qu'elle ne m'en veut pas même si je lui ai fait peur, cette nuit encore, quand nous avons compris tous les deux en même temps et que nous sommes restés muets, interdits, l'un en face de l'autre, elle dans son peignoir, les cheveux mouillés qui tombaient sur les épaules, comme des tiges, et moi qui cherchais dans son regard les explications qu'elle ne pouvait pas donner. Comme si là, à ce moment, j'avais imaginé qu'au bar elle avait monnayé les billets avec Tonino ou que, pour rien, elle les lui avait offerts, pour une promesse de départ, un sourire, juste pour dire qu'elle pouvait, et,

Elle a compris avant moi. Avant même que j'ose me dire ce que j'avais pensé et que les mots prennent forme. C'est elle qui avait parlé et crié pour dire, tu ne vas pas croire que ? Tu ne vas pas imaginer que ?

Et moi, alors, je n'ai pas vu venir cette rage ni cette boule dans ma gorge, qui a sauté, surgi, crié plus fort et de tellement loin qu'il a fallu les mains pour m'accrocher à Virginie, qu'elle entende, qu'elle écoute au-delà des billets et de Tonino, bien plus loin que cette soirée et la bière et le moment qu'ils ont passé tous les deux au comptoir (et je l'entends, ironique, qui me dit : quoi le bar ? Qui t'a interdit de venir nous rejoindre ? Hein, moi ? J'ai dit ça ? Ose me dire que ce n'est pas toi qui as choisi de regarder de ton coin pour mieux crier et gueuler et te rendre malheureux comme un âne ?).

Je ne pourrais rien répondre à ça. Ou bien que comme tous les hommes j'imagine qu'on me fait le mal que j'aimerais faire. Parce que même là, tout de suite, sans le vouloir vraiment, presque par habitude, je cherche les filles dans la foule. Il fait beau. J'aime le soleil. J'aime la peau des filles, les formes des filles. Et j'aimerais que, pour moi, toutes puissent abandonner leurs amours, leur vie, tout, pour moi, pour moi seul. Maintenant je suis là, debout, et il fait chaud. Je voudrais qu'elle vienne, mais j'entends autour de moi des gens qui discutent en français, trois hommes. Ils sont juste à côté, et tout à coup je voudrais leur dire qu'ils ont tort, quand ils disent que si la Juve a gagné en janvier c'est que Liverpool était privé de Dalglish et de Lawrenson. Et lui, là, le petit gros qui insiste pour dire que les Italiens n'ont aucune chance, et qui ricane parce que l'UEFA a refusé au président de la Juve le droit d'avoir des maillots bleus ou jaunes ! Il ricane, il dit, c'est bête, le jaune leur irait si bien ! Ils se contenteront d'être eux-mêmes en noir et blanc et tant pis pour le président de la Juve ! Les gars ! Le noir et blanc porte malheur ! Voilà ce qu'ils disent, les Italiens ! Parce qu'ils ont perdu deux finales avec le noir et blanc ! Et l'autre qui en rajoute en gueulant, oui, les Reds, eux, auront de nouveaux maillots. J'entends ça. Je regarde derrière moi. Enfin, non, pas exactement ; je ne regarde pas, je vois, j'entends. J'ai reconnu sous les voix et au milieu de la cohue des pieds qui font du surplace, des rires, des canettes qui tombent par terre, un rire et une voix, celle de Jeff. Et soudain je les vois tous les deux, à quelques mètres de moi, un peu plus haut, la diagonale en remontant vers l'avenue. Alors vite. Tout oublier. La chaleur. Le cor au pied. Les gens qui gueulent ne comprennent pas que je fasse demi-tour, que je laisse ma place et que je veuille remonter à contre-courant de la queue qui s'est faite derrière moi, pour aller jusqu'aux guichets. Mais maintenant que je les ai vus, que j'ai vu Jeff du moins, je sais, oui, ils sont là, Virginie, tu entends, je vais récupérer les billets !

Puis ensuite j'irai dans un bar, ou dans une cabine, et j'irai téléphoner à Virginie pour lui dire, tout est arrangé, j'ai tout arrangé, Virginie ! J'ai les billets ! Il faut que tu viennes ; tu vois, il suffisait d'y aller et d'être un peu patient mais, viens, allons ! Fais un effort ! Pourquoi tu ne me parles pas ? Viens, Virginie, allons voir le match ! Et Virginie et moi nous verrons le match. Nous applaudirons à tout rompre quand nous verrons Platini et Boniek. Et nous nous tiendrons la main jusqu'à ce qu'elle me dise de la lui lâcher, parce qu'il fait trop chaud et que sa paume est humide. Et puis, à la mi-temps, j'irai acheter un Coca-Cola et Virginie le boira à la paille, faisant croasser les dernières bulles en soufflant dans la paille, quand la canette sera vide. Et puis nous rirons en fumant, jusqu'à ce que le match reprenne.

Mais pour l'instant il faut rebrousser chemin. Aller vers eux, même s'ils marchent vite. Les gens me freinent. Je dois bousculer un groupe qui a fait semblant de ne pas me voir ni de m'entendre, pourtant je gueule. Sorry. Scusi. Pardon. Mais non, rien n'y fait, personne ne bouge. Alors je m'agite, je m'impatiente parce que je sais qu'eux, plus haut, ils disparaissent. Je ne les vois déjà presque plus ; j'aperçois leurs têtes, les cheveux, bientôt presque plus du tout, seulement par à-coups. Ils sont derrière des gens qui essayent de remonter vers les guichets. Et Jeff et Tonino ont remonté plus loin, presque du côté de la bouche de métro. Je n'arrive pas à les rejoindre ni à me dire que je devrais gueuler pour les appeler. Est-ce qu'il faut appeler ou, au contraire, est-ce que je dois les suivre, les coller au plus près et attendre d'être contre eux pour hurler ? Ils sont avec des gens, un couple. C'est surtout Tonino qui parle. Et puis, ils disparaissent encore, derrière un groupe qui s'entasse et rit autour de... quoi ? On ne voit pas. On ne voit rien. Quelqu'un souffle dans une trompette, il grimace, un éclat de soleil brille sur le cuivre. Je regarde plus loin, plus haut, de l'autre côté de la marée humaine. Au-delà il y a des voitures qui roulent très lentement. Des regards vers le stade, des visages derrière les fenêtres ouvertes des voitures. Les bras pendent aux portières et saluent une foule qui ne regarde pas de ce côté et fait dos à l'avenue, aux policiers qui surveillent et maintiennent la foule. De l'autre côté de l'avenue de l'Impératrice-Charlotte, un vieux monsieur à casquette promène un lévrier osseux et musculeux comme un lapin écorché ; Jeff, Tonino.

Je vais les suivre. Je ne vais rien dire. Je vais seulement les suivre. Pour l'instant, je vois les lettres sur le blouson de Tonino et aussi ses cheveux. Je n'entends pas ce qu'ils disent, mais je vois les bras et les mains qui s'agitent. Il parle et les autres lui répondent. Sauf peut-être Jeff, un peu en retrait, derrière. L'air distrait, il regarde ses chaussures et fume, il se gratte l'oreille, regarde à droite et à gauche, à quoi pense-t-il ? Est-ce qu'il regrette ? Non, non, il ne regrette pas. Pourquoi est-ce qu'il regretterait ? Moi aussi je vais passer devant l'église, et je m'arrêterai pour ne pas les approcher trop vite, alors qu'il faudrait que d'un pas décidé et ferme j'aille vers eux, pourquoi attendre ? Pourquoi ? Qu'est-ce que je vais dire ?

Maintenant il faudrait que la colère revienne.

C'est toujours pareil, on épuise sa colère contre qui on ne voudrait pas, sur ceux qui sont là, les proches, les amis, les frères. Toujours sur celle qui nous écoute et nous console, à qui l'on reproche d'être comme ceci plutôt que comme cela, alors qu'on l'a aimée justement parce qu'elle était comme ceci et pas comme cela. Mais c'est sur elle que ça tombe, toujours, cette loi dégueulasse, je sens bien que mon pas ralentit maintenant, je sens bien que je ralentis. Que je freine.

Il faut que je reprenne mon souffle.

Et si ce n'était pas eux ? Si le sac s'était ouvert et que les billets étaient tombés sur la banquette, par terre, dans le bar ? Et si c'était quelqu'un d'autre ? Quelqu'un que nous ne connaissons pas ? Pourquoi avons-nous tout de suite pensé à eux ? Parce qu'il est italien et que les Italiens sont tous des voleurs ? Va savoir, on s'est peut-être dit ça ? Peut-être que même Virginie a pensé que c'était Tonino... parce qu'il était italien ? Peut-être que tout ce dont on nous a bourré le crâne depuis l'enfance, je ne sais pas, méfiez-vous des gens du Sud, ce genre de choses. Mais, non, ils étaient tous les deux, Jeff et Tonino. Pas seulement l'Italien. Pas parce qu'il est italien, mais parce qu'il avait une chemise hawaïenne et son air de petite frappe. Évidemment, elle, elle n'a pas vu ça comme moi. Elle a même dû trouver ça plutôt sexy. Elle ne l'avouera pas, mais elle n'a pas pu voir ça comme moi je l'ai vu, avec ma manie de me méfier de tout et de tout le monde.

Et ce qu'elle m'a dit aussi, Virginie, dans la colère, debout dans le salon, les poings qu'elle avait refermés et qu'elle tenait devant elle, puis que parfois elle ouvrait complètement en écartant les doigts le plus possible, tout en balançant les avant-bras, hurlant, dis-moi, tu te crois méfiant ? Et sa colère qui a monté, sa voix brisée pour dire, Gabriel, c'est toujours de moi que tu te méfies, de moi, jamais des autres ; non, tu n'es pas méfiant, tu n'étais pas méfiant ce soir quand tu les as invités. Et maintenant tout est de ma faute, dis-moi – elle a pleuré et j'aurais voulu qu'elle accepte que je la réconforte et la prenne dans mes bras.

Mais quand j'ai voulu, parce que comme à chaque fois j'ai voulu, elle m'a repoussé. Je connais ce regard : le regard que Virginie lâche pour mordre, ou tuer, ou insulter, ou quoi, je ne sais pas, je n'ai jamais rien vu de pire, de si coupant que l'expression qu'ont ses yeux dans ces moments-là. Alors qu'il suffit d'une seconde pour qu'ils soient doux et tendres, indifférents ou bien amoureux, câlins, languissants mais cette nuit non, pas franchement languissants. Et ce reproche auquel je repense maintenant, parce que, oui, c'est vrai, elle avait raison, c'est moi qui les avais invités. Pourquoi j'essaie d'accuser Virginie alors que c'est moi qui les avais invités ? Et dès lors, qu'est-ce qu'il faut faire ? Accélérer et traverser l'avenue ? Les suivre devant l'église et puis faire comme eux ? Continuer ? Aller vers le parc des expositions et tenter de les rattraper, de marcher d'abord, juste derrière eux, remonter presque à leur niveau, juste pour les entendre ? En restant suffisamment loin pour qu'ils ne me voient pas pendant que je les entendrai parler et rire, et pourquoi pas se vanter auprès du couple de leur soirée d'hier, de comment ils ont eu des billets à l'œil, de comment les deux autres crétins doivent être en train de pleurer sur leur sort ?

Et les entendre dire : bien fait pour eux. Ils n'avaient qu'à pas être aussi naïfs, et lui encore plus, avec sa tête de gendre idéal et son air de présentateur de télé-achat ou que sais-je encore de pire, de pâle, d'infiniment grotesque. Alors non, je voudrais leur dire, attendez-moi. Je vous en supplie, attendez-moi, je ne suis pas si con ni si fade ni si pâle ni si peu, rendez-moi les billets, rendez-les-moi, si vous saviez, avec ce droit de sourire que j'ai perdu ou que je n'ai jamais eu, j'ai toujours eu peur, je ne regarde la vie que de loin, que parce qu'il faut et qu'on ne peut pas faire autrement, et je ne veux plus, je veux être au monde, faire le monde et vivre et que

Virginie me tienne le bras, qu'elle soit là, je ne vais pas la perdre, je ne veux pas la perdre. Mais soudain il y a ce mouvement, des cris, quelques Anglais ont jeté des canettes de bière vers un groupe d'Italiens. Et tout à coup c'est comme si je me réveillais. J'entends, je vois les yeux qui se retournent vers la scène, puis, rien, la tension retombe. Il n'y a des flics que pour filtrer les gens aux grillages, pour vérifier les billets d'entrée. Il fait chaud. Les gens sont énervés. Drôle d'ambiance, poisseuse, électrique tout à coup. La queue pour entrer n'avance pas vite. Et puis, moi non plus je n'avance pas. Je ne vois plus ni Tonino ni Jeff. Je m'arrête, ils doivent être avec le couple. Il y a des gens qui se prennent en photo, en attendant que la queue avance. On a ouvert les guichets, j'ai oublié ma montre, je ne sais pas vraiment l'heure qu'il est, peut-être cinq heures et demie ou six heures, mais, quand je redresse la tête, cette fois il n'y a plus rien à faire, je ne vois plus ni Jeff ni Tonino.

Je voudrais voir arriver Virginie et qu'ensemble nous laissions tout en plan, le match, la ville, que nous allions à la mer et que nous restions seuls là-bas, toute la nuit et jusqu'à demain. Mais non, elle n'est pas là. J'entends un flic anglais, je me souviens qu'à la télévision on a dit que la police anglaise faisait le voyage pour maintenir ses supporters. Mais moi, moi maintenant, en m'approchant des grillages, en essayant de voir ce qui se passe, je comprends pourquoi j'entends les tifosi qui gueulent, deux agités prennent des flics à témoin. Ils crient, ils montrent quelque chose, là-bas, derrière les grillages. Mais les autres sont trop occupés à vérifier les billets d'entrée. Il y a tellement de monde pour le match, c'est le match du siècle et bon Dieu j'ai failli en être et je n'y serai pas, à cause de ces deux salopards. Mais les Italiens insistent et les flics ne les écoutent pas, ils ne voient pas, derrière, que juste après qu'ils contrôlent les sacs et les blousons, pour voir s'il n'y a rien, ils ne voient pas – si ? Ils voient ? Est-ce qu'ils voient ? C'est sous les yeux des policiers que ça se passe, malgré les fouilles méthodiques – sacs vérifiés, fanions, hampes en plastique rigide des drapeaux, armes, poings américains confisqués. Les quelques Italiens qui sont devant continuent d'interpeller les policiers : des Anglais balancent des hampes et des barres de fer par-dessus les grillages ; ceux qui ont passé le contrôle les mains nues récupèrent le matériel en profitant du désordre, des cris des quelques Italiens qui n'en peuvent plus de ne pas être entendus. Et moi, là, je cherche encore Tonino et Jeff. Encore une seconde et j'ai cru reconnaître les arabesques sur le dos de Tonino, ses cheveux. Non, ce n'était pas lui. Mais la fille qui est là, avec son blouson noir, sa queue-de-cheval et la jupe rouge avec des pois blancs, je crois que c'est elle qui était avec eux.

Elle sourit et parle avec quelqu'un. Ils doivent être encore ensemble. Il faut que je les trouve. Bientôt il sera trop tard, il y a trop de monde, on me bouscule, tout le monde piétine. Maintenant tout le monde aimerait avoir pris sa place dans le stade. Désormais, ce n'est plus la colère qui m'écrase, mais l'étonnement et la stupéfaction : une canette a éclaté à mes pieds, de la bière a éclaboussé mes chaussures et mes bas de pantalon. Je ne bouge pas et je reste là, j'attends, je relève la tête et j'entends les voix qui viennent du dessus des gradins, d'où l'on voit des visages, des jeunes qui courent sur les hauts des gradins – ils sont là depuis combien de temps ? Là-haut, tournés vers l'extérieur, vers nous, à regarder tous ceux qui attendent encore d'entrer ? Et eux, de là-haut, ça les chauffe, ils s'excitent et piétinent, ils font des gestes obscènes contre nous. Ils gueulent et jettent des canettes à moitié vides qui explosent au sol. Les gens en bas, à côté de moi, n'ont pas peur et montrent les poings en gueulant. J'en ai vu qui se mettent à leur tour à lancer des cailloux et des bouteilles vides qui éclatent contre le mur d'enceinte.

Et les cris, les mouvements par à-coups du flot qui avance et pénètre dans l'enceinte. Je n'y peux rien, je suis entraîné vers l'entrée, vers le sas où les policiers et les agents du stade vérifient les billets. Mais je n'ai pas de billet. Je n'ai rien que mon corps qu'on charrie et mes pieds qui refusent et freinent, dans la poussière, sous la chaleur. Il ne faut pas, je me cabre, résiste, retiens. Les muscles se tendent et puis, un instant, il y a derrière moi comme un trou. Je recule d'un grand pas en arrière. Puis un autre. Je ne veux pas entrer maintenant, comme ça, sans elle. Où est-elle ? Elle. Virginie. Sans qui la finale n'est rien. Sans qui rien n'est rien. Ma colère tombe à cause du besoin que j'ai de répit, de prendre le temps de retrouver mon souffle, en aspirant profondément des goulées de cet air tiède et puant d'odeurs de merguez et de pots d'échappements, saturé de poussière, que je recrache alors en petits souffles courts, rapides. Ma poitrine se soulève au-dessus de cette odeur qui monte. Et moi qui hier soir me sentais comme le roi du monde, tout entier occupé à gagner mon premier travail et des billets pour une finale, me voilà avec l'impression de ne plus rien avoir que le soleil au-dessus de ma tête. Et tout à coup cette main sur moi, qui m'agrippe. En me retournant, je les vois, eux, les visages amis, étonnés, plus surpris encore que moi – Adrienne, Benoît, qu'est-ce que vous faites ici ?

Ils m'ont tout raconté. Le coup de téléphone qu'Adrienne a passé à l'appartement (comme prévu), la voix presque effacée de Virginie pour répondre et raconter comment la nuit avait dégénéré. Et comment, au matin, elle n'avait pas voulu m'adresser la parole. Elle a raconté que j'étais parti en début d'après-midi, furieux contre elle, à cause de ce que j'avais appelé *son fatalisme*. Mais elle a raconté aussi le matin, très tôt, quand j'avais fini par me lever et que dans la cuisine je regardais l'eau bouillante qui imbibait le filtre, et puis le goutte-à-goutte noir que ça faisait quand le café tombait, cette déflagration minuscule, *ploc, ploc,* qui me revient avec le bruit de la gazinière pour allumer le feu, avec ce crépitement des morceaux de pain dur au bout d'un couteau, au-dessus de la flamme bleue, et, derrière moi, Virginie – elle traîne ses pas et attend, elle tourne autour de moi, ses pantoufles glissent sur le lino. Et moi, fixant les bouts de pain qui brûlent sur le feu que j'éteins. Je remonte le couteau à la verticale, lame en l'air, pour que les bouts de pain embrochés ne tombent pas. Je fais semblant. J'écoute encore l'eau qui bout dans la casserole et qui s'égouttera dans le filtre, sur la théière qui nous sert de cafetière. Mais tout à coup je n'y tiens plus, je dis à Virginie : arrête de traîner comme ça. Qu'est-ce que tu vas faire, toute la journée, si tu ne veux pas venir avec moi ? Il faut bien voir si on les trouve, non ? Et elle n'a rien répondu, elle est restée debout, comme ça, avachie contre le frigo, attendant de moi que je dise quelque chose, mais quoi ? Pour elle, pour nous ? Non, je n'en sais rien. Adrienne et Benoît m'ont raconté qu'elle ne pleurait pas au téléphone : elle attendait mon retour. Elle n'osait pas me rejoindre. Alors, c'est pour ça qu'ils se sont décidés à venir, pour m'aider à retrouver les deux autres ou pour me dire de revenir.

Mais il n'y a plus beaucoup de monde au-dehors. La police montée, les gardiens du stade. Il faut se poster un peu plus loin pour voir, au-dessus des gradins, des caméras et les types en bras de chemise, un casque sur les oreilles, déjà penchés sur l'œilleton de la caméra. Et aussi les drapeaux et cette rumeur d'un stade rempli à ras bord. Des voix qui débordent vers la ville et nous transpercent ; cette impatience des Anglais avec les mots de chansons incompréhensibles. Mais on entend cette fureur qui fait lever le stade comme une bulle de savon et trembler la terre, les murs, comme si l'air vibrait aux sons des voix et des cornes de brume.

Et maintenant je me dis que c'est trop tard, que nous ne les verrons plus dehors, Tonino et Jeff. Ou alors tout à l'heure, après le match, si nous avons suffisamment de chance pour pouvoir les trouver dans la foule, puis remonter vers eux, longeant le mouvement, le remontant à contre-courant, uniquement pour aller s'entendre dire que c'était un match magnifique. Et répondre quoi, sans rester comme deux ronds de flan ? Leur dire quoi ? À eux deux, simplement leur faire peur en les menaçant, mais de quoi ? De les frapper ? Nous ? Avec nos muscles si flasques ? Ah, oui ! Tiens, donc ! Bonne idée ! Jeter des sermons sur le bien, le mal, la trahison ? Et eux, je les vois déjà en train de pouffer dans leur coin et de ricaner franchement au moment où nous aurions l'idée d'appeler la police. Comme si la police n'attendait que nous dans ce genre de soirée. Voilà à quoi je pense quand Adrienne et Benoît disent, non, il faut essayer, peut-être qu'ils ne sont pas encore entrés. Il y a tellement de monde.

Bien sûr que si, ils sont entrés.

Nous sommes là tous les trois, et eux, Adrienne et Benoît, ils veulent que chacun de nous aille d'un côté du stade. Qu'on longe chacun une partie du stade et qu'on attende. D'accord, si vous voulez. Je vais marcher un peu mais je ne vais pas aller trop loin. Je vais attendre. Je vais fumer encore. Malgré la gorge sèche et la honte que j'éprouve d'avoir crié contre Virginie, de m'être, comme toujours, laissé emporter contre elle. Et puis je vais fumer contre mon dégoût de moi, en regardant

partir Adrienne vers la gauche, alors que Benoît est parti sur
la droite. Oui, le dégoût de moi quand je me dis, pauvre con...
il a aussi fallu que tu couches avec Adrienne, un soir où ni
Virginie ni Benoît n'étaient avec nous. Et pourquoi tu as fait
ça ? Puisque je n'avais aucun désir d'elle ? Peut-être que je
n'avais pas envie et que c'est pour ça qu'il fallait le faire, pour
faire ce qu'on se croit interdit, pour s'autoriser d'aller au-delà
de ce qu'on tient pour acquis ? Et cette honte, en voyant ces
grosses fesses molles, ces cuisses épaisses, le dégoût de ce corps
et d'avoir voulu ce corps, d'avoir aimé ce corps, alors que celui
de Virginie est si beau que,

    allez,

    tais-toi. Écoute. Regarde. Un cameraman vêtu de jaune,
sur une nacelle au bout d'un bras articulé. On le voit à côté
d'un drapeau vert et rouge et, maintenant, au-dessus, dans le
bleu du ciel, ce morceau blanc de lune qui surveille le stade
et écoute la voix d'un speaker pendant que moi, à peine
attentif à la douleur de mon pied, à peine conscient de ma
façon de recroqueviller mes orteils dans la chaussure, je reste
là, comme celui qui ne veut plus ce qu'il voulait, absolument
vide. J'ai envie de partir mais il faut attendre Adrienne et
Benoît. Ils vont bientôt revenir. Quand ils auront compris
que tout le monde est entré et que les flics qui sont là n'attendent plus rien, eh bien, voilà, ils reviendront à ce moment-là
et on pourra rentrer. Ils dîneront à la maison et on regardera
le match ensemble. Ça ne sera pas plus mal. Et comme ça,
tous les quatre, gentiment, calmement, on se calera dans le
canapé. Je prendrai la main de Virginie et elle me sourira
parce qu'après le repas et avant le match elle aura voulu faire
la vaisselle et débarrasser la table, et que j'aurai dit, laisse,
on fera ça tout à l'heure. Voilà ce qui va se passer. Mais un
type me regarde. Il est là, devant moi, planté juste en face,

et dans ses mains il tient des billets qu'il agite quasiment sous mon nez en murmurant,

Liverpool, tickets ? Tickets ?

Le salaud, il me tend des billets pendant qu'à côté de lui un autre type fait le guet. Celui qui a les billets en main veut montrer son impatience, il répète en s'agaçant, tickets, tickets, c'est oui, c'est non, il est inquiet, c'est maintenant ou jamais et moi, dans ma tête, tout se bouscule. Ces deux-là m'ont flairé depuis longtemps. Ils doivent repérer les gens qui traînent comme moi je traîne, avec cet air de chercher quelque chose. Eux, ils m'ont repéré comme savent repérer les quelques gus qu'on voit encore près de l'entrée, qui marchent de long en large dans des costumes en damier noir et blanc, des chaussures bicolores, avec cet air inquiet et avide des revendeurs. Alors, moi, tout à coup, cette envie me prend de lui demander, tu les vends combien, tes billets ? Je sais qu'il me dira un prix exorbitant parce que le match commence dans moins de deux heures, et je me dis, eh alors ? Ferme les yeux, prends les billets, paie ! paie ! C'est le prix des billets désormais. Va retirer de l'argent, va, retire tout, donne tout ce que tu as ! vite ! et puis après tu appelleras Virginie et tu lui diras, j'ai récupéré les billets, viens vite ! Virginie, viens, pardonne-moi pour cette nuit, tout est arrangé, il faut que tu viennes. Je le dirai aux deux autres, à Adrienne et Benoît. Qu'ils partent et nous laissent tous les deux, Virginie et moi, et ce sera tranquille. Mais le type ne demande rien, il attend que je parle. Il mâche une allumette, des fibres de bois dépassent du coin des lèvres.

Alors ce sera non. Je dis non. Enfin... je ne dis pas : non. Le mot ne sort pas de ma bouche, aucun mot ne sort de ma bouche. Je reste là, les yeux écarquillés sur les billets et sur les doigts du type, sur les mains qu'il agite de plus en plus vite – dépêche ! dépêche ! allez, magne-toi ! Il agite les billets devant moi et moi, non, j'esquisse un geste de refus. Mais à peine j'ai fait ce geste qu'il a déjà fait demi-tour. Il est à deux mètres de moi et rejoint son copain. Je fais un pas vers lui, j'hésite, je... et puis non. Je n'ai pas la force. J'ai chaud, mais la transpiration est froide sur mes épaules et dans le dos. J'ai honte de n'être pas capable de claquer tout mon fric sur un coup de tête, de préférer encore la lâcheté à l'éclat d'un geste pour rien.

Et les deux types ont déjà disparu.

Je regarde les conducteurs des bus qui sont restés dans leur cabine, accoudés sur le grand volant pour écouter la radio. Devant le parking, ils vont attendre la fin du match en fumant et en mangeant des sandwiches, la radio ouverte à fond pour entendre le match. Et ils entendront, en arrière-fond, les cris, les attentes, les sifflets qui viendront jusqu'à la porte ouverte de l'autocar, parce qu'il fait encore si chaud. Quelle heure est-il ? Quel drôle de calme tout à coup. Les bruits viennent désormais du stade ou de l'avenue d'où l'on entend les voitures. Mais ici maintenant c'est le silence, ou plutôt le vide d'un lieu déserté où ne restent que les mégots et les déchets, la poussière dans l'air, pas encore retombée, et puis cet espace à nouveau immense, qui paraissait si insuffisant tout à l'heure, si étroit que désormais, par contraste, il paraît inutilement vaste. Les regards vers le stade, et, encore, de ce côté, les bruits mêlés des oiseaux et des feuilles dans les arbres. Quelques passants, des curieux qui jettent un œil vers le stade et reprennent leur chemin. Puis cette voix qui vient de l'autocar, derrière moi, et hurle avec l'accent métallique de l'autoradio, comme si le type voulait s'extraire de l'autoradio et du bus :

l'Europe entière retient son souffle... on annonce cinquante-huit mille spectateurs ! Toute l'Europe est suspendue au match de ce soir !

Je me dis que je suis fatigué. J'entends la voix dans le micro, de l'intérieur du stade. Je crois que c'est de l'italien, mais le son vient vers moi de façon brouillée, il a du mal à remonter les murs d'enceinte et à passer au-dessus du stade, au-dessus des chants des supporters. Alors, on ne comprend pas bien ; les chants montent ; on ne discerne pas ; ça ne couvre pas la radio dans l'autocar, ni la voix métallique qui continue :

Rossi jouera la saison prochaine à l'A.C. Milan et Tardelli est annoncé, je crois qu'il devrait partir pour la Fiorentina.

Je reste sur le parking et, pour attendre, je me suis assis sur le capot d'une voiture. Sur le mur d'enceinte, face à moi, il y a les lettres Y et Z, écrites en majuscules noires. De derrière, j'entends les sabots de, peut-être, une dizaine de chevaux. Je me retourne et je vois les policiers sur leurs montures. Ils avancent en file indienne, très lentement, indifférents aux chants qui redoublent. Dans le stade, les mains claquent et les applaudissements enflent d'un écho incroyable en remontant du chaudron – puisque c'est comme ça qu'on appelle les stades, à cause de la chaleur et la folie qui règnent les soirs où l'ardeur semble brûler à la fois les cœurs et la terre, avec cette impatience, les pieds qui tambourinent les dalles de béton et les tribunes d'où s'élèvent des sifflets et des cris,

des cris chauffés à blanc comme les capots des voitures,

l'herbe, le sable, le goudron désertés, piétinés,

Et puis soudain la voix qui s'affole dans la radio. Le type du bus s'est penché pour monter le son. Ça arrive de très près. Je ne sais pas d'où ça vient mais elles arrivent vers moi, des voix, des sifflements comme une volée d'hirondelles quand elles rasent les trottoirs et les rues – je dis vers moi parce qu'elles sont dans le tunnel d'entrée, juste derrière les grilles. Et elles crient. Elles avancent.

la capitale est sur le pied de guerre, oui, des mesures... le porte-parole de la police a même déclaré que les mesures seraient encore plus draconiennes que celles prises pour la visite du pape la semaine dernière.

Je vais me lever, je vais aller vers les grilles. Je ne comprends pas. Pas le temps de réfléchir, j'arrive devant un stand de sandwiches, je regarde les deux femmes qui font des hot dogs, elles ont l'air préoccupé. C'est vrai qu'autour d'elles, il y a encore une dizaine de types, tous bruyants, visiblement soûls, et elles paraissent toutes petites sous leur parasol et derrière leur table. J'ai encore le temps d'imaginer les deux autres, Jeff et Tonino, à ce qui était notre place dans le stade, à Virginie et à moi, et eux deux qui doivent se frotter les mains en attendant le match. Les salauds. Ils auront les cris et le soulèvement de joie quand les joueurs vont entrer dans le stade, sous les applaudissements et la foule debout. Boniek ! Platini ! Et les hymnes nationaux repris par les milliers de gens, la foule ivre d'elle-même et du retentissement du sifflet qui annoncera l'ouverture du match. Voilà, le match va commencer et il y aura au moment du coup d'envoi cette émotion si forte, si intense, cette attente et la crispation dans les regards et dans les nuques penchées, les épaules tendues pour suivre le ballon – et moi pendant ce temps je suis dehors ; je vais m'asseoir plus loin sur le capot d'une Renault 5 dégueulasse recouverte de pollen et de poussière, putain, non, je sens mon cœur qui tape plus fort maintenant, les poings se resserrent. Des types ont démoli à coups de pieds des morceaux de murs d'enceinte et soudain, aux pieds de certains tourniquets où il n'y a personne, je vois des billets ; on dirait des billets non déchirés, mais je me dis que ça ne peut pas être vrai, ça ne doit pas être vrai, alors je reviens vers le stand de hot dogs ; un type a l'air de rôder, il regarde les deux femmes puis finalement il a l'air

101

de partir. On entend les oiseaux dans les arbres. Des conversations au loin. Une sonnette de vélo. Les chevaux des policiers hennissent et trépignent. On écoute, et dans les radios des bus, on entend les commentaires des journalistes, toutes les langues d'Europe sur le même ton, la même surprise,

des spectateurs cherchent à pénétrer sur la pelouse

Devant les grilles, les gardiens du stade se regardent entre eux, l'air incrédule, vaguement inquiets. Des flics, des militaires, on dirait, peut-être, qui tournent en rond et attendent des consignes dans les talkies-walkies ; des uniformes rouges et gris. Devant moi, je vois des types de la Croix-Rouge qui passent en courant. Ils portent de grandes valises, je n'ai pas le temps de me dire que quelqu'un a dû s'évanouir ou avoir un malaise que le type qui regardait les vendeuses dans leur stand revient. Mais cette fois il n'est pas seul, ils sont une dizaine avec lui, et ils ont l'air de vouloir quelque chose. Je vois que les deux femmes sont inquiètes, la plus jeune tient son sac à main contre elle, elles ont fermé leur caisse.

et on a vu les premiers jets de pierres et les bousculades mais il semble que la police n'a rien dit

d'un seul coup, la dizaine de garçons ont encerclé le stand, les deux femmes se sont rapprochées l'une de l'autre, on reste un moment comme ça, et puis l'un des types se jette sous la table, il a fallu qu'il se jette d'un seul mouvement ; les autres l'accompagnent en criant et en hurlant, je vois la main et le bras du type de l'autre côté du stand, il a saisi des billets, peut-être dans la caisse, oui, sa main a plongé dans la caisse et il a saisi des billets à pleine main, les femmes commencent à crier, mais les autres sont là, ils arrachent les poches du tablier de l'une des femmes, ils arrachent des billets, personne ne vient, personne ne fait rien, quelque chose arrive du côté de l'entrée : de derrière la bouche noire du tunnel, de derrière les grilles. Les quelques gardiens qui sont encore là, devant, ne regardent plus du côté des autocars et de l'avenue. Cette fois, ils sont tournés vers le stade.

Personne n'entend la voix des femmes qui crient à l'aide. Rien. Un homme les menace, le sac à main glisse des mains de la plus jeune et finalement glisse sur le sol, les autres se précipitent pour le lui voler, elle crie, elle s'acharne et s'agrippe à la lanière,

une douzaine de gendarmes de la B.S.R. ont prévenu leurs officiers d'une percée des Britanniques, et non, – on dit, mais ce n'est pas officiel qu'il y aurait une trentaine de blessés ... on dit qu'il y aurait

J'ai à peine le temps de me retourner, des hommes boivent des canettes de Coca-Cola à côté de moi.

La femme s'accroche à la lanière de son sac, des pains et des sandwichs tombent et les voleurs piétinent les morceaux de pains ; ça s'écrase sous les chaussures, la femme est par terre et maintenant elle hurle, mais la police arrive, d'abord deux, puis plusieurs policiers. Les hommes ont disparu comme ils étaient arrivés, comme une nuée, vague, floue, ils se sont dispersés et pendant ce temps surgissent des visages effarés, des hommes, des spectateurs – de l'arrière du bloc Z on voit des spectateurs qui sautent dans le vide, ils ont l'air effrayé, ils sont effrayés, des hommes se jettent dans le vide – reculez, reculez, le pied du mur, l'extrémité sud du bloc Z, il faut fuir sur la piste d'athlétisme, franchir les deux petites portes mais elles sont fermées, le grillage a cédé sur plusieurs mètres, on va pouvoir fuir par l'ouverture, des centaines de gens veulent s'enfuir,

Francesco,
Francesco surtout ne lâche pas ma main et n'écoute pas les cris, tiens-moi la main, ne me protège pas, pourquoi me pro-

téger et te laisser frapper, toi ; je ne veux pas, pourquoi, pourquoi ce serait à toi de prendre les coups, dis – ils ont couru vers nous. Ils ont couru ou plutôt ils ont chargé et toi tu m'as dit,

Cours ! Cours Tana !

Il faut courir, mais toi tu es resté derrière moi pour me protéger, je le sais, puisqu'ils ont jeté des canettes et des cailloux, des morceaux de verre et je t'entends, ta voix couvrant à peine les hurlements autour de nous, les jets de pierres, les sifflements, la voix dans les haut-parleurs et ta voix dans mon oreille, elle force et veut me dire quelque chose, oui, c'est ça, tu veux que je prenne ta main et que nous courrions le plus vite possible, mais déjà tout le monde court et nous sommes entraînés,

Cours ! Cours Tana ! il faut s'enfuir par là, la pelouse, il faut fuir,

on dit que le mur s'est effondré, que des gens sont écrasés et cette fois on parle d'une dizaine de morts, des morts italiens pour la plupart

Devant le stade les gardiens ne parlent plus. Ils échangent seulement des regards interrogateurs, comme s'ils ne croyaient pas ce qu'ils entendaient dans les talkies-walkies. Mais ils écoutent et ils répondent. Et puis se regardent encore entre eux et restent indécis, comme s'ils avaient l'air de ne pas croire ce qu'on leur dit. Puis, incrédules, leurs visages marquent un temps et se transforment. Et maintenant, ils sont dos à nous et on sent l'odeur sèche de poussière et de béton ; dans l'ombre du tunnel il y a des silhouettes, je suis entré en suivant les policiers qui ont couru, on ne m'a rien dit, on ne m'a pas vu et j'ai entendu celui qui a crié, reculez, reculez, des spectateurs continuaient à sauter, le mur a bougé, c'est certain, le mur tremble, je recule, le mur s'effondre et avec lui on voit des yeux, des visages, des bouches, des épaules et des corps entiers et les premiers visages, le sang et la frayeur sur les visages, mais, est-ce que ce sont encore des visages ou les lambeaux d'une chair effrayée, battue, retournée,

mais que se passe-t-il ici, c'est la guerre ici, c'est la guerre, des images d'apocalypse ici

ces images qui s'écrasent contre les visages et les cris, les pleurs, la foule qui surgit sous la poussière, des ombres dont le flux va s'écouler, des gens par dizaines, par centaines, se répandent et courent maintenant pour trouver une issue, et les visages – cette trouille et la hargne d'avoir crié et hurlé, ils sont là, à envahir la pelouse par centaines,

Francesco,

Francesco je t'en supplie, donne-moi la main, bien fort, serre-moi, ne me laisse pas. Tu ne vas pas me laisser non tu ne m'as pas fait d'enfant, nous n'avons pas vu le match et n'avons pas fait l'amour dans cette ville et pas vu encore Amsterdam ni ses canaux noirs, l'eau glacée de la Venise du Nord avec les *coffee shops* et les fumeurs de joints – nous n'avons pas vu les briques rouges, le grès jaune, ni les tours, les maisons si étroites et si hautes que les pignons écorchent le ciel,

qu'est-ce que,

qu'est-ce que tu veux faire, nous ne pouvons plus rien que rouler et courir, souffler, on ne peut plus, tu es derrière moi, ta main est dans la mienne et mon bras en arrière, tu es resté figé quand tu as vu le sang qui a giclé. Et cette femme dont les cheveux ont brûlé à cause d'une fusée. Ce bruit. Ce sifflement de la fusée. Ce crachat de la flamme. La pression du feu, la fumée et le cri de la femme, ses mains levées et agitées au-dessus de la tête. Tu es resté comme ça et puis cette bouteille vide qui a ouvert le front de l'homme au visage gris,

Cours ! Cours Tana !

Et toi qui ne veux pas que nous retournions en haut de la tribune puisque déjà les Anglais sont arrivés. Ils sont là, maintenant, à quelques mètres seulement et nous ne voyons pas les visages, parce que ce qu'il faut voir ce sont les mains, les poings fermés, les poings qui frappent, les couteaux qui dansent dans les mains et déchirent l'air épais de relents de bière et de sueur, l'air et la poussière déchiquetés à coups de lames de couteaux. J'ai peur. Ça se referme ; on descend, on descend plus bas encore, il faut suivre vers le bas le mouvement qui nous entraîne, ta voix derrière moi,

Ta main ! Tana, ta main !
donne-moi la main !

Et dès qu'ils arrivent dans la lumière du dehors c'est comme s'ils couraient après leurs voix, leurs cris loin devant eux, devant leurs corps tuméfiés, je me dis, moi, tremblotant, les jambes molles, les oreilles bourdonnent quand j'entends ces mots dans ma tête, disant qu'ils sont devenus fous, et, quoi ? de l'autre côté ils reviennent d'où, et, merde, merde ! arrêtez ! arrêtez ! arrêtez-vous ! qu'est-ce que c'est ? Ils déboulent par centaines, les uns sur les autres. Je voudrais parler et dire arrêtez-vous, expliquez-moi mais non, c'est là, devant, ça grossit encore – tout à coup je comprends que je n'ai rien vu. Le pire est à venir, impossible, impensable. Et toujours cette violence qui dévaste jusqu'à la possibilité de trouver les mots pour la dire,

ces fronts, ces mains levées, une femme qui sort en courant et moi qui veut l'aider – ce type avec sa veste de survêtement rouge dont le rouge se confond avec celui sur les cheveux parce que c'est le même rouge que sur la moitié de son visage, ce sang qui dégouline et cette bouche ouverte, la main sur les cheveux – il avance vers moi – je ne veux pas – je ne peux pas. Et les voix des enfants et des femmes, ces cris particuliers aux enfants mais surtout ce sont des hommes qui arrivent en hurlant comme ils n'ont pas pleuré ni crié depuis leur naissance, et c'est comme si la tribune allait les cracher les uns après les autres, alors ils vont avec les yeux fous et au-dedans des yeux leur regard est revenu de plus loin que la peur, les yeux n'ont plus aucune couleur – des Anglais trouvent qu'on tarde à jouer le match,

We want football ! We want football !

Des chants comme des chants de guerre qui reviennent d'où, de quelles guerres – quels carnages – non, même pas. Ils n'ont rien compris. Là-dedans il y a trop de monde. Tout le monde n'a pas vu. Ne sait pas. Les gens dans le stade ne savent pas. Pas compris. Pas encore. Ils sont à leur joie et la joie des Italiens sombre dans les pleurs, la terreur, les ongles accrochés aux rebords métalliques et glaciaux des brancards. Des cris, non,

non,

presque plus de cris.

les voix gémissent et sur la gauche, seul, un vieux grogne parce qu'il ne retrouve pas sa femme. Et l'autre qui se tient contre une femme et elle qui le regarde et lui caresse le front, lui tend un mouchoir ; cette odeur de sueur et de poussière ; ces relents de pisse et de sang avec les couvertures marron qu'on déroule ; des hommes qui débarquent avec les brancards, les roulements métalliques et les voix qui gémissent pendant que de l'autre côté du stade,

et moi je cherche Francesco, je ne vois pas Francesco. J'ai vu Tonino et Jeff un peu derrière, parce qu'ils ont couru et ils étaient un peu plus haut : le regard de Jeff, sa bouche tombante et les lèvres épaisses et lourdes qui tombent comme une chair molle entre les joues couleur de cendre. Et Tonino au contraire, l'arcade pissant un liquide rouge vif, brillant, les yeux pleins de rage et les mains refermées en poings, son visage crispé, tendu, les muscles bandés et ses lèvres au contraire qui gueulent, menacent, et sa furie qui éclate, il ne me voit pas, il regarde les Anglais, ils cherchent les Anglais ; et cette fois il dit qu'il va les tuer.

We want football ! We want football !

Et puis de derrière on entend le vacarme d'une armée. Des chiens qui gueulent, il y a une jeune femme avec un chien-loup. Les chevaux piétinent. Les flics veulent entrer, des flics, des militaires, ils déboulent de partout et encerclent le stade sous la confusion et les cris, poussez-vous ! dégagez ! de la place, il faut de la place ! Des brancards par dizaines, les hélicos soulèvent le sable et les vêtements, les cheveux. Devant la tribune principale on installe des tentes, trois tentes blanches, le sigle de la Croix-Rouge,

la délégation européenne, je les ai vus, tous, oui, tous les officiels, le président de la commission est sorti le premier il n'était pas vingt heures, et j'étais encore devant l'une des portes et j'ai vu les hommes en costume noir, ils sont sortis, j'ai reconnu le visage du président européen, et autour de lui il y avait des gens en noir, en gris, ils sont partis, le président était devant et les gardes du corps tentaient de le suivre et puis des journalistes, j'ai entendu, des morts, on dit, on avance maintenant le chiffre effarant de vingt-quatre morts – il y aurait au moins, vous entendez on dit au moins vingt-quatre morts – ce qui serait pour la coupe – et lui, le président était tellement choqué que c'était comme s'il n'avait rien entendu

Des couvertures qu'on étale et les premiers blessés qu'on va coucher dessus. Des voitures, des ambulanciers. Et le premier mouvement d'un va-et-vient qui va durer des heures. Les

hélicoptères et la fureur des pales qui s'acharnent sur les cheveux et les écharpes des supporters. Même la peau des joues
remue et claque comme les fanions rouges et or, et blancs, et
noirs, et derrière les regards éperdus on entend quelqu'un qui
dit

Il paraît qu'il y a au moins dix morts

Non, j'ai entendu – c'est vingt qu'ils ont dit, vingt,

Mais ta voix,

tu ne peux pas mourir, Francesco, pas *maintenant*, pas *ici*,
on ne meurt pas pendant son voyage de noces, on ne meurt
pas au stade, pas comme ça, écrasé, les muscles tendus dans
un effort impossible à tenir. Et maintenir la tête suffisamment
relevée pour pouvoir respirer et ne pas s'écraser contre les
corps, tous ces corps, tous ces poids qui s'écrasent et ne sont
plus des hommes et des femmes et des enfants mais des ten-
sions, des cris, des souffles ; dans mon dos je sens ton souffle
– est-ce que c'est bien toi, dis ? Est-ce ton poids, ton corps,
est-ce ton cri et ta voix,

Cours, cours Tana ! Il faut t'enfuir !

Il faut

Ta voix, il faut tenir, Francesco, pas maintenant, pourquoi
restes-tu ici à vouloir me protéger ? Arrête avec ton idiotie de
virilité, arrête, il faut que tu viennes avec moi et pense à ce
voyage de noces qu'ils nous ont offert et l'odeur de fleur
d'oranger et les pétales de rose devant la porte ; ton visage,
ton sourire et tes promesses ; pense à tes promesses et à tout
ce que tu m'as juré et les projets que nous réaliserons ensemble, tout ce qui rend ta mort et la mienne impossibles parce
que nous ne nous sommes jamais menti, pas vrai ? Depuis le
temps que de l'un à l'autre nous tenons nos promesses, dis,
tu sais, la vie pour nous ce doit être comme dans les poèmes,

je te l'ai dit, dans les romans, une vie d'amour, tu m'as promis cette vie d'amour, toi,

Protège-toi ! Penche-toi,

Tana, cours,

Tana

Est-ce que c'est ma voix qui chante avec eux ? Est-ce que c'est moi que j'entends avec mes frères, qui cours et gueule *Here we go ! Here we go !* Est-ce que je suis vraiment en train de faire *ça* ?

Alors ne meurs pas, Francesco, tiens bon, Francesco, nous continuons à descendre, moi devant, tu es derrière moi, juste derrière, j'ai lâché ta main mais tu es tout près de moi, je le sais, je t'entends, j'entends tout, ton souffle, ton corps, ton cœur qui bat si vite et les muscles sous ta peau, le sang et les battements qui claquent, les veines qui tapent dans la tête, les idées qui se bousculent et s'annulent sous la peur, à quoi penses-tu ? Est-ce que tu penses à autre chose qu'à me sauver ? Moi qui suis juste devant toi, le corps arqué, en avant, les mains plaquées sur les oreilles.

Je ne veux pas entendre les cris, mais devant nous il y a trop de monde, ça n'avance plus, ça ne bouge plus, ils se sont arrêtés et retournés – pris au piège d'un mur, d'une grille et de l'autre côté, vers le haut, c'est la horde, la meute qui dégringole sur nous ; les Anglais ; les visages cachés sous les bandanas, ils ont des barres de fer dans les mains et des couteaux ; des cris qui percent presque autant et les pieds qu'ils jettent pour empêcher la foule de remonter vers le haut de la tribune et ta voix qui me hurle,

Cours, n'arrête pas ! N'arrête pas !

L'espoir tout à coup c'est la pelouse du stade,
Francesco,
les grains de riz à la volée et les tulipes rouges sur le papier
glacé de la couverture du guide touristique, des champs près
d'Amsterdam, reviens, nous allons les voir, bientôt, te souviens-tu des chiures de mouches qui baissent l'intensité de
l'ampoule, chez ta mère, au-dessus de l'évier ? Et Gavino et
Roberta et Leandra et toutes tes nièces à Noël, qui se chamail-
lent et jouent avec les vieux osselets en bois que tu gardes
précieusement ? Dis, tu voudrais ne plus revoir cette vie ? Ni
les clapiers à lapins ni les petits œillets brodés sur les rideaux
à la fenêtre ; et le tablier de ta mère, ses mains et ses ongles
noircis par les mûres ; le tiramisu de ta mère,

ce morceau de pelouse qui s'étale devant nous, trop loin, si
loin, inaccessible derrière les barrières et la foule qui s'agglutine
devant et puis derrière toujours la même poussée des Anglais,
alors que devant nous, le stade est une fourmilière géante et
des drapeaux, des fanions jaunes, rouges, or, des damiers noirs
et blancs, des chants étrangement lents et calmes, comme on
entend les chants graves et menaçants, tellement sûrs d'eux,
de la force qu'ils dégagent et des chants militaires avant l'heure
du combat – comme si les chants savaient qu'après la mort
tout le temps nous est donné de se croire immortels, simplement d'avoir survécu. Et ça continue. Ces voix et ces chants
derrière nos souffles, malgré nos cris, malgré les yeux exorbités
et la folie qui hurle au fond du crâne, de sa petite voix furieuse :
vivre, vivre à n'importe quel prix et toi que je n'entends plus
– je ne te vois plus – tu n'es pas derrière moi – tu n'es plus
derrière moi – où es-tu ? Où es-tu, Francesco ?

Est-ce que moi aussi j'ai menacé des gens avec un pavé de
ciment ou un bloc de béton – prélevé où ? quelle dalle des-

cellée, par qui, pour quoi faire, est-ce que c'est possible, est-ce que moi aussi je cours avec Soapy et Doug en chargeant, est-ce moi qui cours avec eux, ma bouche sèche, non, Doug, il ne faut pas – Doug qui frappe, un, deux, cet homme qui se protège des coups avec du papier journal, je ne peux pas,

Et eux, là-bas, là-bas, à Liverpool, est-ce qu'ils voient ça ? Est-ce qu'ils nous voient dans tout ça, cet air saturé, ces signes de victoire que brandissent les ultras, les Italiens qui se cachent dans leurs écharpes pour frapper, est-ce qu'à Liverpool Elsie voit ce photographe qui reçoit une pierre sur la tête pendant qu'il court pour échapper à qui, à quoi,

Derrière moi Francesco c'est des corps qui roulent et rampent les uns sur les autres, ma tête dépasse encore mais pour combien de temps – combien de temps je résisterai ? –, je plie, je tombe, je pleure ; il va falloir que je meure et se dire que plus jamais je ne te reverrai ni dans ta marinière ni avec cet air si touchant et mal à l'aise dans le costume un peu trop grand pour toi, les ourlets trop lâches du pantalon, c'est impensable, ne pas te revoir comme sur la photographie,

Cours ! Cours Tana !

Et tout à coup je penche, je plie, le sol se rapproche de ma tête, c'est sombre comme dans un trou et il y a des pieds, des mains, des journaux et aussi ce visage et les yeux sans couleurs, le rouge des joues, les dents, la langue et la bave et l'écume comme sur la photographie près de la lagune de Comacchio avec la peinture rouge de la barque, les filets et les paniers, les nuages et ton sourire, Francesco, ta peau presque brune et les bandes blanches et bleues de la marinière – mais ici, l'écume c'est la salive poisseuse qui pend et coule d'une bouche, d'un visage qui a roulé près de ma tête. La salive lamentable pour étouffer des cris, pendant qu'autour c'est le désastre des corps qui s'écrasent et des voix arrachées, jetées par-dessus bord dans l'espoir d'une issue :

La pelouse !

Se dire – non, ne pas oser se dire que la vraie chance aura été de se faire voler les billets. Et un instant j'ai envie d'appeler à la maison, de dire à Virginie que je ne peux pas partir, pas comme ça, sans avoir aidé, en restant planté alors qu'il faudrait au moins proposer, secourir, réconforter mais voilà, je reste là, immobile et figé dans le sol, comme si mes pieds ne savaient plus marcher, comme si,

ces bruits d'ossements et ces craquements et ces voix qui s'exaspèrent, et mon front où viennent se briser des éclats minuscules de gravier – je ne vois rien, je ferme les yeux. Oh, Francesco, tiens-moi la main, tiens-moi fort et ne te laisse pas écraser ni plier par ceux-là qui tombent et nous recouvrent. J'entends les souffles. C'est comme dans un trou. Qu'est-ce qui rétrécit autour de nous ? Où es-tu ? Je n'entends plus ta voix. Et les rugissements, tu les entends ? C'est comme des rugissements dans les oreilles mais cette fois non, je ne peux plus mettre mes mains sur les oreilles pour ne plus entendre ni sentir les odeurs de savon et les lotions mêlées de crasse et de sueur, il faut lutter pour tenir. Tenir. Ne pas casser en deux. Faire rouler la colonne vertébrale. Ça plie, ça ploie, ne pas casser et faire comme les roseaux et le vent, je me souviens de la canne avec laquelle mon grand-père allait pêcher des poissons monstrueux et des roseaux que ma grand-mère peignait au fond des assiettes qu'elle réservait pour les *antipasti,* mais aussi de l'histoire des roseaux dans lesquels on fait des flûtes de pan ; ne pas casser, ne pas céder et au contraire arrondir le dos et laisser un espace suffisamment large entre soi et le sol, regarder par terre, fléchir la nuque et surtout rester comme ça ; tout le contraire du roseau puisqu'il faut que les bras ne fléchissent pas et que les coudes soient droits, tendus, les bras tendus, les mains bien à plat. De toutes les forces de mon corps il faut protéger cette bulle d'air sous moi et crier pour trouver la force de rester tendue malgré le poids d'un corps qui me casse les reins, mais si seulement c'était toi, est-ce que c'est ton corps ? Est-ce que c'est toi, Francesco ?

Dis-moi que c'est toi,

Adrienne et Benoît me rejoignent et, avec eux, la stupéfaction, cette expression que je ne connais pas sur leurs visages, le speaker dit quelque chose, on dirait une liste, une liste de noms, des noms italiens et des messages personnels,

on dirait des noms lâchés dans le stade,

Quelqu'un suffoque, quelqu'un supplie, quelqu'un pousse sur ma tête. Ma queue-de-cheval s'est défaite et j'ai vu le nœud qui me tenait les cheveux à quelques centimètres et c'est là que je comprends que mon visage est si près de la dalle de béton ; il faut se tenir sur les mains, sur les coudes, et appuyer plus fort contre le mouvement qui veut m'écraser contre le béton, j'ai mal aux genoux, la brûlure des frottements du béton contre les rotules à nu, même si la force me revient – parce qu'elle me revient toujours quand j'entends ta voix,

Ne plie pas

Tana ! Tana ! Tends les bras !

comme si ta voix venait jusqu'à moi pour me dire ce qu'il fallait faire. Et toi, Francesco : n'abandonne pas ! Tu ne vas pas mourir ici, tu ne peux pas, tu sais, rien de ce qui nous arrive ici n'est vrai et c'est impossible – ça ne peut pas arriver – parce que ce sont des histoires pour la télévision ou pour un film ridicule et méchant, mais ce n'est pas vrai, ces cris, cette folie n'est pas vraie et nous en rirons bientôt, je te promets, dans le canapé de notre appartement quand nous regarderons les photos, bientôt – mais, tant pis, il n'y aura pas de photos, l'appareil a volé en éclats quand on m'a poussée et je suis tombée – j'ai vu le petit Kodak qui a roulé et explosé en mille morceaux minuscules comme de la poussière et des paillettes de verre, elles ont brillé sur les marches de béton, la pellicule comme un long serpentin, alors nous ne verrons pas les photos sur le canapé, mais pour l'instant il faut vivre et pour ça, pense, imagine le musée Van-Gogh, pense au musée Rembrandt, à Leandra et à sa collection de cartes postales et aux pièces étrangères que tu lui as promises ; et puis, rappelle-toi la réservation dans l'hôtel sur la péniche ; le grès jaune et les champs de tulipes, l'idée d'avoir des vacances, enfin, pour nous deux ; une semaine sans penser à ton camion ni aux jours de pluie où tu dois presque crier dans la cabine téléphonique pour que j'entende ce que tu dis, à cause des bourrasques et des éclaboussures des camions, des klaxons ; pense au canari, qui va donner à manger au canari ? Qui, pour me faire vivre les images idiotes et rêvées d'un bonheur de magazine – qui me fera des enfants et me tiendra par la taille, quand nous remonterons la rue pour aller chez ma mère, entre les lauriers-roses et les odeurs de marjolaine et de macis ? Pourquoi je n'entends plus ta voix qui me dit,

Tana

Mais maintenant je suis là, avec Adrienne et Benoît. Avec les voix qui viennent de partout, devant, derrière, les brancardiers et les policiers qui veulent de la place pour entrer et sortir du stade,

et les voix de cette femme, de cet homme, et les sanglots et les murmures, tête baissée, visage perdu, le regard dans le vide, toutes ces voix et les plaintes ne couvrent pas les chants qui remontent et restent suspendus, *England ! England !* Le son grave et profond du chant qui avale sur son passage les visages ; maintenant c'est la nuit ; la nuit se fait et le temps se dilate en elle, les pales des hélicoptères, les pas en cadence des militaires, nous on voudrait aider mais tout va trop vite et mon corps se fait si lourd que mes lèvres restent collées quand je voudrais dire à Benoît de se taire, lui qui parle tout le temps,

Ta voix,

Tana ! Tana !

Ni ton souffle derrière moi, Francesco, où es-tu ? Je n'entends plus rien tout est brouillé,

Si tu plies, ta tête va être broyée,

Ils vont broyer ta tête.

Alors je ne plierai pas. Alors je tiendrai et tant pis si on marche sur mes mains et si cette main écrase ma tête, si on me donne des coups de pied ; je tiendrai puisque tu me le demandes, puisque tu sais ce qu'il faut faire et que tu as toujours su ce qu'il fallait faire – pourquoi sommes-nous ici ? Pourquoi je vais mourir ici ? Comme ça ? Écrasée, pilée ? Non, je tiendrai. Et il faut que tu tiennes aussi, Francesco,

Tana ! Tana !

Tu ne vas pas mourir, tu ne peux pas mourir ici,

Tana !

Et ta voix et la mienne qui s'éloignent et se cherchent ; ta main et la mienne qui s'éloignent, se cherchent et ne trouvent que des grains de poussière de béton sous les ongles,

Tana, je vais mourir,

Non, Francesco, tu ne vas pas mourir, regarde, non, ne regarde pas ; ils ont piétiné mes mains et mes mains sont en sang, j'ai mal, j'ai froid soudain, tellement froid entre les cuisses oh Francesco ne regarde pas, je n'ai pas pu me retenir, c'est comme si sous la pression la vessie n'avait pas pu tenir, ni moi, sous la peur, c'est à cause de la peur, je pleure, Francesco, me voilà avec les bouquets de jasmin et les roses, la nappe blanche, souviens-toi, ne me laisse pas encombrée de toutes ces images, Francesco, je sens des larmes tièdes et salées de celles que ma mère léchait sur mes joues quand j'étais toute petite pour me faire rire et le rire venait, qui coulait comme les larmes, qui coulent tranquillement, sans panique, sur mes joues et sur moi cette odeur et ce froid entre mes cuisses,

Tana ! Tana ! J'étouffe, je

relève la tête, Francesco, il faut relever la tête, soulève-toi, tant pis, prends appui sur n'importe quoi, n'importe quelle épaule qui implore que tu la laisses eh bien non, n'écoute plus rien que toi et ton envie de vivre jusqu'à la rage et la méchanceté de vivre comme un fou qui te soufflerait à l'oreille qu'il te faut de l'air, à tout prix, Francesco, va, prends l'air où il est, écrase-les s'ils t'empêchent, écrase-moi si je t'empêche, il faut vivre, il faut, mais tu ne peux pas me laisser, pas maintenant, pas ici, je me relève, je sens que la pression sur moi est moins forte, et, alors, il y a cette bulle sous moi, sous l'arrondi de mon dos – cette bulle, et toi qui n'es plus là, je n'entends plus rien du tout, ça bourdonne,

Francesco,

Ta voix ne vient plus vers moi, rien, il n'y a plus rien que le corps qui tremble encore et les muscles dans mes épaules, ce muscle qui tire dans le bras gauche, – ce corps, c'est le mien, enfermé, écrasé, est-ce que c'est possible, dans la rue, d'imaginer que tous ces gens, tous ces corps, ces bras qu'on ne voit pas, ces gens avec qui on rit et qu'on croise ou qu'on ignore, est-ce que c'est possible d'imaginer que quand ils se referment et s'écrasent entre eux, ils forment cette cage, ce trou, cette chose,

nous sommes dehors, je veux dire, à l'extérieur du stade, les reflets orange sur l'Inox des brancards. et puis derrière des barrières qu'on a posées, soudain Virginie est là. Elle me regarde sans rien dire, sans oser un geste de la main, son image est orange, alternativement bleue. Elle se confond avec les couleurs des voitures. Nous ne pouvons rien. Il faut que j'aille vers elle mais c'est elle qui arrive, elle est là, je la prends dans mes bras et elle me dit qu'elle a entendu à la radio, qu'elle a vu les images à la télévision ; je passe ma main dans ses cheveux, je ne parle pas, ma main reste dans ses cheveux, je reconnais l'odeur de pomme du shampooing.

Et les blessés continuent d'affluer et de sortir du tunnel, titubant, traînant des carcasses courbées et fragiles. Ils lèvent les yeux vers nous mais leurs yeux ne voient rien.

Oh maintenant Francesco toutes ces lumières, ces taches dans mes yeux, du sang sur mes mains, la douleur dans la poitrine et le froid, la tache sur la jupe et entre mes cuisses et pourtant j'ai fait comme tu as dit, je suis restée tendue et je ne sais pas comment j'ai fait pour sortir de cette chose et cette forme et ces visages qui surgissent et se perdent vers le bas – des bras tendus, des photographes, des hommes qui viennent et tirent sur un bras et provoquent des cris, on supplie, on crie, des pleurs, des pleurs, du sang, des yeux tellement perdus et plantés si loin au fond des crânes et toi, Francesco, toi, je ne te vois plus, je ne vois que la masse qui s'effondre encore et qui a fini de rouler jusque sur la pelouse. Quelque chose s'est effondré qui a fait comme un appel. Et la masse alors a suivi le mouvement et s'est engouffrée. Il y a eu comme un cri. Un souffle retenu. Et les policiers, devant, ne comprenaient pas, ils n'ont pas vu venir sur eux les corps écrasés, roulés,

continue à marcher, continue à courir, cours contre le vent, cours contre la pluie, après la tempête il y a un ciel doré,

On dit que c'est parce qu'ils frappent des Anglais qu'il faut passer de l'autre côté, qu'il faut déchirer la limite qui nous sépare des Italiens, on dit que les Italiens frappent les gens, Doug dit qu'il faut aller défendre les Anglais,

Francesco des ballons de baudruche dans un ciel bleu et calme comme du papier peint. Et ils volent, ils dansent et tombent jusque sur la pelouse. Francesco, je vois la danse qu'ils font dans l'air mais toi je ne te vois plus, je te cherche partout, Francesco, dans la foule ; mais sur la tête des gens on voit l'ombre des ballons qui flottent au-dessus du stade ; et les ballons, tu te souviens, le claquement sec des carabines quand tu tires dans les fêtes foraines, les jours de repos ?

Francesco, où es-tu ?

La travée isolée par des cordons de policiers qui tiennent comme ils peuvent les Anglais et les Italiens, de part et d'autre de ce grand trou, là, au milieu. Et moi, j'ai mal aux mains et au dos mais je cherche pour te trouver, au milieu de tous ces gens. Et tu te rends compte, dis, les choses ridicules que je suis obligée de regarder : les cravates noires et les chemises blanches des cavaliers. Mais toi je ne te vois pas, Francesco, Francesco, j'ai peur et j'ai tellement froid et, en marchant depuis tout à l'heure, quelle heure ? depuis combien de temps ? en marchant, j'ai vu les mains courantes sur toute la

119

hauteur de la tribune, les drapeaux qui flottent encore de l'autre côté avec la figure de la coupe sur un drapeau, une tête de mort avec son bandeau de pirate sur l'œil et la mort non je ne pense pas à la mort. Tu es quelque part. Tu vas revenir. Et alors maintenant je vais courir pour te trouver, et descendre encore, et marcher sur la pelouse ; et tant pis si j'ai compris qu'une partie de la grille du virage où nous étions a cédé sous la pression – il n'y a plus de civières, les haut-parleurs à ras du sol nous demandent en italien de regagner nos places, mais moi, ma place est avec toi,

C'est lui ! Lui ! Il est là-bas ! – cette voix de Benoît qui arrête de crier dès qu'il est près de moi, qu'il pose sa main sur mon épaule pour me chuchoter à l'oreille : là-bas, regarde, de l'autre côté de la grille, à l'entrée du tunnel, tu le reconnais ? Mais je ne reconnais personne. Comment peut-il encore penser à ça ? Et Adrienne qui s'est mêlée à la foule et que je vois accroupie près d'un monsieur rondouillard qui essuie ses lunettes et pleure, en tapant ses cuisses avec les paumes de ses mains, il parle et sa bouche tremble comme celle d'un vieillard alors qu'elle lui frotte le dos ; elle lui soutient le bras et regarde de tous les côtés, comme si elle voulait intervenir partout en même temps. Mais nous qui restons là. Virginie et moi. Parce que Benoît aussi se décide à aider des ambulanciers. Et je reste attentif à seulement reconnaître ce bruit étrange du match quand il a commencé, puisqu'on fait commencer le match et que dehors on entend les voix et les cris, et puis le sifflet et la foule qui soulève un grand cri et des applaudissements en rafales, dans l'enceinte. Oui. Hors de l'enceinte on entend le match. Dans la rue on entend le match. Les applaudissements. Les cris et les hourras qui caressent et fouettent l'avenue Houba-de-Strooper, le parc des expositions, jusqu'au centre de la ville, peut-être, jusqu'au fond des yeux de ceux qui sont là et attendent qu'on les délivre du cauchemar qu'ils sont en train de vivre, eux dont les os vibrent aux échos des chants, des voix, des haut-parleurs du stade. Et, maintenant, c'est le bruit d'un match sur la ville pendant que, dehors, tous les gens n'osent pas encore se dire qu'on va jouer le match, *ce match*, quand même, le match du siècle, qu'ils vont louper, eux qui étaient là, installés devant la pelouse, venus pour ça, qui n'imaginaient pas qu'ils allaient connaître ça, cette chose,

ma place est à côté de toi.

Ma place, je suis mariée, je suis ta femme. C'est à côté de son mari qu'une femme a sa place alors je cherche, je commence à regarder parmi les gens qu'on évacue, il faut sortir, peut-être que tu es sorti ? Qu'on t'a poussé à sortir ? Et toi, Francesco, si tu étais là tu me dirais comment s'appelle ce joueur, le numéro trois qui vient vers nous pour dire quoi ? Pour nous expliquer quoi ? Et tous les joueurs arrivent. Je reconnais Platini et Boniek. La foule n'a rien compris quand elle applaudit parce qu'elle voit les joueurs arriver, et que, pour les saluer, elle lève les bras et moi je veux crier, personne ne voit rien, on dirait que personne ne voit rien ! Les joueurs qu'on embrasse pendant qu'eux ils crient, regagnez vos places ! Regagner vos places ! mais les gens ne comprennent pas et hurlent de joie, les bras levés toujours plus haut, ils veulent embrasser les joueurs, les toucher. Ils n'entendent pas le speaker qui demande aux gens de retourner à leur place, ni les joueurs qui sont venus, ils sont là, regagnez vos places ! regagnez vos places ! et moi je suis là. Personne ne voit que je suis là. Je te cherche, toi, Francesco, et mes yeux qui errent oh oui Francesco, où es-tu ? Regagnez vos places ! ces voix qui disent : vos places ! et moi je voudrais tant regagner ma place, être à côté de toi et regagner ma place – est-ce que c'est moi qui crie comme ça, Francesco, devant ce camp improvisé et les gens qui pleurent ?

Et ce policier qui me tient par le bras, il veut me soutenir parce que je titube et que les gens marchent et courent autour de moi ; et ces femmes, cet enfant, ces corps allongés sur les couvertures – j'entends dans ma tête ma voix qui murmure, on peut mourir ici, à Bruxelles, ce soir, pendant un match de football. Francesco, tu te rends compte, il est possible de mourir aussi jeune que toi, de venir comme toi pour son voyage de noces,

et de mourir, *maintenant,*

Benoît me secoue le bras, sa voix enfin remonte jusqu'à moi, Gabriel, regarde, là, au fond, sur la droite, c'est lui, c'est lui, viens, on y va, on ne va quand même pas le laisser tout seul, je me dis que c'est impossible et puis pourtant, la main de Virginie prend la mienne, viens, ne reste pas ici, me dit-elle. Virginie marche devant moi. Nous marchons entre les gens qui sont là, comme si nous étions dans une forêt épaisse au milieu de la nuit Virginie me tient la main et me guide, elle passe par la gauche, elle avance, et moi, derrière, j'entends les rumeurs et la nuit qui tombe m'emplit de sa noirceur, et qu'est-ce que j'y peux si au-dessus de moi les étoiles ne brillent que pour marquer la distance qui nous en éloigne, qu'est-ce que je peux,

Mais moi je ne veux pas y aller.

Pour quoi faire, pour qui, pourquoi jouer maintenant la mesquinerie, alors qu'au contraire ce qu'on veut c'est aider, faire quelque chose, mais je ne sais plus rien faire, je ne sais plus rien, et puis, soudain, cette voix, ce cri qui s'étouffe à côté de moi, elle est là, cette fille, je reste près de cette fille que je ne reconnais pas tout de suite. Comme un con je ne peux rien quand elle me regarde et que son regard supplie, ça y est, je la reconnais, la jupe rouge, les pois blancs. Elle parle, quelques mots en italien, et je ne comprends pas ce qu'elle dit. Elle me regarde mais elle ne voit rien, ses larmes noient les yeux, elle rit, elle rougit, elle pleure. Et des larmes sur son visage ravagé charrient le maquillage, les traînées noires que ça fait sur les joues pâles, sur les taches de rousseur. Les cheveux blonds sont détachés, elle n'a plus de nœud dans les cheveux mais je reconnais que c'est elle qui était avec Tonino et Jeff, j'en suis sûr, son blouson noir, la jupe rouge, les pois blancs dessus.

La nappe blanche, le jasmin, l'odeur forte de la boue et la vase des canaux qui nous attendent, tu ne peux pas mourir et moi avec mes genoux qui vacillent j'ai crié, je sais que j'ai crié si fort que je me suis mordu la lèvre et qu'à cause des larmes trop grosses, trop lourdes, mes yeux ont cru que le monde devant moi était en train de s'effacer. Et seul durait ce ridicule de ne pas arriver à remettre mon élastique et refaire ma queue-de-cheval, pendant que je voyais les inscriptions sur les barrières en béton.

Adrienne qui aide quelqu'un. Benoît et Virginie, tous les deux, entourant le grand corps maladroit qui tient debout contre le mur du tunnel. Lui, il reste là, les yeux ouverts, fixes, devant lui. Et moi, je vois ces infirmiers qui entourent l'autre d'une couverture, je m'approche. Je demande comment il va, on me dit qu'il est évanoui, mais que ça ira. J'ai vu le sang sur l'arcade, des bleus dans le cou, la chemise hawaïenne déchirée et ensanglantée. Je regarde vers Virginie et les autres.

Je vois la main qu'on a ramenée sur le buste, l'autre main pend sur le bord du brancard, on va l'emmener tout de suite, il attend pour l'hôpital. Oh oui, ma tristesse et la colère si grande quand je remonte la manche du Teddy et que, avec ma langue, je mouille mon pouce – je fais ça en regardant Virginie. Elle parle avec les autres, j'appuie très fort sur le revers de la main et je mouille encore le pouce et puis je recommence, plus fort, sur le revers de la main, plus fort, jusqu'à ce que, cette fois, définitivement, l'encre noire du numéro de téléphone soit complètement effacée.

Francesco, c'était des drapeaux si grands qu'on aurait dit des draps ou même des voiles comme du linge étendu entre nos fenêtres, chez nous. Et les slogans comme des devises sous les ballons de baudruche qui ont continué à danser au-dessus des publicités pour des marques de cigarettes et des chaînes hi-fi, les publicités de Sony et Canon, toutes les marques et les choses, tous les objets qu'on aimerait bien avoir chez soi. Et moi, je suis là, je vois ces noms et autour il y a des cris, des hommes en blanc et d'autres en vert pâle. Ils ont avec eux des valises énormes, comme les policiers portent des boucliers transparents barrés d'une rayure blanche. Je vois ça. Les ballons de baudruche aux couleurs des équipes. La nuit qui tombe lentement, très lentement ; un homme vient vers moi, un policier. Il veut m'aider et me parle lentement, en français. Je comprends mal, il me demande si je vais bien, ce que je veux. Alors je regarde les publicités, je réfléchis encore un peu, je voudrais une cigarette pour crever les ballons qui dansent et voir tomber le jour et puis, oui, Francesco, monsieur, je ne sais pas où est Francesco.

5

Est-ce que j'ai couru avec eux ? Est-ce moi ? Est-ce le troisième fils de Susan et Ray Andrewson ? À Liverpool, mon père est assis dans son fauteuil en skaï marron. Il mâchonne sa dent creuse et en s'inquiétant, n'y croyant pas, il envoie rouler d'un coup de pied le chien crasseux qui ne comprend pas pourquoi, alors que d'habitude, sous les cris et la ferveur de la télévision, il bénéficie d'une sereine indifférence, il reçoit ce coup dans ces vieilles côtes. Pellet roule ses yeux gris pâle vers ma mère qui le regarde à peine, rampant alors vers sa couverture puant la poussière et le poil de chien. Et ma mère reste dans l'encoignure de la porte, debout, sans prendre le temps de poser son épaule sur le chambranle.

Et puis elle avance. Sur le dossier du fauteuil elle pose sa main humide, à peine essuyée du torchon qu'elle tient encore de l'autre main. Il reste des bulles très fines de liquide vaisselle et l'odeur de citron sur ses doigts blanchis. Elle regarde la télévision avec lui et ils voient tous les deux, sans rien dire, des visages qui cadrent mal avec la voix du journaliste qui raconte. Alors ils se demandent, où sont-ils, nos fils ? Est-ce qu'ils sont impliqués ? Que font-ils ? J'entends mon père gueulant dans la maison, se relevant et se rasseyant alternativement, piaffant en tirant sur son vieux mégot, le rallumant toutes les secondes sans se douter qu'il ne s'est pas éteint une seule fois depuis qu'il voit les images.

Et ces fils qu'ils veulent défendre tous les deux. Même si c'est lui qui dit les premiers mots. Tout de suite. Qui doit dire que les Italiens ont commencé. Des sales ritals. Comme tous les étrangers, pareil, c'est la même merde (et ma mère, peut-être, essayant de marmonner trois mots pour tempérer les propos de mon père, simplement parce qu'elle pense qu'il y a des choses qu'on ne doit pas dire, des mots qui la feraient presque rougir plutôt que la scandaliser). Et cette fois, je les vois tous les deux collés à l'écran, comme si lui contenait mieux sa rage en étant proche de l'image. Il n'a pas vu Doug ni les deux autres. Mais ce sont des parents. Ils connaissent leurs garçons. Ils connaissent leurs défauts mieux que personne. Bien mieux que leurs femmes, même, puisqu'elles, elles ne les ont pas vus enfants et n'ont jamais entendu comment les voix ont mué au fil des années, ni, non plus, comment ils sont devenus les hommes qu'ils sont aujourd'hui. Elles ignorent tout de cette adolescence qu'ils ont eue, tous les trois, avec Doug pour aîné, en chef de bande – il est là, oui : c'est bien ce garçon boutonneux et torse nu, violent, qui passe des après-midi avec un bocal dans une main et une vieille tapette tachée par la bouillie des ventres et des têtes de mouches écrabouillées dans l'autre. C'est ce garçon qui écrase les mouches et les jette dans son bocal. Il fait ça. Il rit. Il crie. On voit ses dents, les chicots noirâtres du vieillard abruti qui gueule déjà à travers lui, à travers ce corps. Le torse nu d'un adolescent aux cheveux hirsutes et sales.

Pas de doute. Il est de ceux qui courent. Il est de ceux qui frappent. Même s'il n'est plus l'adolescent qui essuyait les Docs Martens sur les tapis du salon, avec sa mère qui ne gueulait même plus tant était acquis pour elle qu'elle n'en finirait pas de voir partir sous la boue des godillots et des brodequins de ses fils et de leurs amis le bleu si bleu, turquoise, si fin, d'un tapis de laine récupéré... depuis quand déjà ? Et puis d'où ? Peu importe. Elle sait en voyant les images que ses enfants sont là-bas, et qu'ils font partie de ceux qui hurlent. Elle croit entendre leurs voix.

Est-ce que j'ai couru avec eux ? Est-ce moi qui cours avec eux ?

Elle passe et repasse cent fois ses mains dans son torchon. Elle va chercher de la bière pour mon père et lui aussi il sait. Il ne voit pas ses fils sur les images. Il n'a pas vraiment besoin. Il ne comprend pas qu'on parle de honte pour le pays. Ou peut-être qu'il a honte. Qu'il ne sait pas ce qu'il faut penser et qu'il n'arrive plus à penser à cause de la bière, et par notre faute à nous aussi, puisqu'il s'imagine forcément que nous sommes dans la horde, que nous sommes la horde. Et, alors, il voit ces images et les bandanas qui masquent les visages, les bras levés et des tatouages, l'Union-Jack. Des chants. Des cris. La télévision ne montre pas tout. Elle n'a pas montré la charge et pourtant, quand soudain il voit, lui, mon père, les corps, les gravats, les papiers journaux et le stade dévasté, sa première idée c'est de penser, quelle bande de cons, à cause d'eux il n'y aura pas de match. Et ma mère qui reste plantée là, interdite, qui s'inquiète et espère qu'aucun Anglais n'est blessé et surtout aucun de ses fils, aucun des voisins. Aucuns des gens de Liverpool. Personne. Non, personne de ceux qu'elle connaît.

Et elle secoue la tête quand l'idée lui vient qu'au contraire ils sont en forme, en très grande forme. Ils hurlent encore, elle le sait. Elle fait semblant de ne pas y croire et de s'inquiéter pour eux, alors qu'elle sait que c'est d'eux qu'elle doit s'inquiéter, à cause d'eux, je veux dire à cause d'eux, par eux, ses fils. Parce qu'elle connaît les tatouages et le couteau sur l'avant-bras de Doug, qui descend jusque dans la paume de la main, et son goût des bagarres et de l'alcool. Plus jeune, il y avait aussi les joints et les filles. Les ratonnades qu'il organisait avec des copains à lui, quand ils allaient à la sortie des boîtes *casser du pédé*, comme ils disaient en s'en vantant ; et aussi, parfois, ramasser des filles seules dans les rues, la nuit. Pour jouer, disaient-ils, ils glissaient une canette de bière dans leur pantalon pour donner l'impression d'un sexe énorme, qu'ils caressaient en obligeant les filles à regarder. Elle sait ça. Elle n'a jamais rien dit. Elle croit que les garçons sont comme ça. C'est pour ça que la journée elle fait attention aux poupées de porcelaine qui sont sur l'étagère de sa chambre. Pour ça qu'elle aime leurs robes en dentelle et les masques vénitiens sur les murs. Leurs visages si blancs qu'on dirait de la crème ou du lait. Les pourtours des yeux maquillés d'un rose si pâle qu'on dirait que les masques sont malades à force d'être lunaires – et c'est pour ça que, la nuit, ma mère regarde par la fenêtre l'angle de la rue, sans entendre le train de nuit, ni, derrière elle, les ronflements qui secouent la bedaine de mon père et donnent à ses joues le gonflement d'un vieux joueur de trompette.

Des couloirs et des couloirs, les chaises orange et le café au lait dans un gobelet, en attendant de revoir le visage de Tonino. La cuillère en plastique que je tourne et retourne dans le fond du gobelet, pour ne pas fixer les yeux de Gabriel. Et pourtant il n'y a pas de colère sur son visage. Gabriel est là – il n'a même pas pensé à faire semblant de me mépriser ou jouer à celui qui attend mais n'oublie pas pourquoi il est venu. Non. Je l'avais regardé, d'abord, malgré tout le temps pour réagir à sa présence, quand j'avais vu qu'il était près de Tonino, avant que celui-ci soit transporté vers l'hôpital. Je sais pourquoi j'avais réagi à sa présence à lui alors qu'il était loin de moi et qu'au contraire, à celles de Virginie et de Benoît, si proches, je ne réagissais pas. C'est que lui, d'où j'étais, je l'avais vu faire cette chose à laquelle il était impossible de penser, lui, penché sur la main de Tonino (c'est même à ce geste que j'avais compris qu'il s'agissait de Tonino, là, allongé), sa main si molle, les pans de la chemise déchirée, l'image qui revient toujours du pouce que Gabriel avait humidifié à ses lèvres et, qu'ensuite, avec une infinie lenteur – il m'avait semblé –, avec lenteur et précision, il était venu frotter contre la main de Tonino pour effacer le numéro de téléphone – alors qu'autour c'était tous ces bruits, les gyrophares, les cris d'une femme qui cherchait son fils et les brancards, les civières et ce bordel des roulettes des brancards avec les grésillements des talkies-walkies et les voix qui crachent des ordres et des mots qu'on dirait sans queue ni tête. Je voyais ce pouce et ce geste et autour de nous les dossards des photographes accrédités pour le match, penchés sur ceux qui étaient allongés, ça mitraillait à tout va, comme déjà dans l'enceinte du stade, juste avant, ils avaient mitraillé sous les regards de ceux qui tendaient les mains pour qu'on les tire de là.

Et dans cette salle d'attente où maintenant il faut rester et regarder le gobelet qu'on m'a tendu, avec ce café au lait lyophilisé et la cuillère en plastique, ce café et la tiédeur au travers du gobelet mou, sur mes mains, est-ce qu'elle est vraie, cette tiédeur qui réchauffe à peine mes doigts ? Est-ce que c'est vrai que je suis là, dans cette salle d'attente, et que c'est Virginie qui m'a tendu ce café ? Ma voix qui a dit merci. Ma main qui a saisi le gobelet, et ma voix pour demander comment je suis venu ici, qui m'a emmené ici, pourquoi sont-ils là, eux aussi, si pâles sous les lumières de l'hôpital ? Et toutes ces voix qui se bousculent et résonnent avec les chariots. Les bruits métalliques et les sonneries d'ascenseur, quand la porte s'ouvre et se ferme. Nous sommes là à attendre que Tonino ressorte avec quelqu'un pour nous dire que ça va aller, puisqu'on nous a dit que tout allait bien, rien de grave, des bleus, quelques bosses, on fait des radios et puis, tout devrait aller. On va s'en aller bientôt.

La voix au-dessus de ma tête, cette voix de Virginie qui parle doucement et me dit, allez, viens marcher un peu, rassure-toi, viens fumer une cigarette avec moi, on va aller dans la cour juste devant, prendre l'air, dis, tu veux ? Et moi, capable de rien, je la suis sans répondre. Je sais que dehors il fait assez froid, et que ce froid va m'aider à sortir de cette torpeur. La nuit est bien là, avec cette lune comme un clou planté en plein milieu du ciel depuis l'après-midi.

Personne n'a parlé. Il y a ce moment où pourtant nous aurions pu, après l'étonnement de nous retrouver devant le stade et l'infirmerie improvisée. Eux auraient d'abord pu me dire, Jeff, vous nous avez volé nos billets, vous nous avez trompés. Et moi j'aurais pu dire, mais qu'est-ce que vous foutez ici et puis, au lieu de ça, nous nous sommes regardés ; ils m'ont regardé et autour de nous il y avait ce monde impossible, ces images impossibles et cette envie si forte d'échapper à la furie des hélicoptères au-dessus de nos têtes, aux moteurs d'ambulances et à la fumée des pots d'échappement, à l'odeur des gaz d'échappement et cette odeur d'alcool et de produits pour désinfecter les plaies. Et puis ces visages hagards, quoi dire, plus rien à dire devant l'odeur de poussière des couvertures marron, des taches de lumières des gyrophares. Soudain il n'y a plus rien. Simplement voir que nous sommes là et qu'il faut accompagner Tonino à l'hôpital. Pas un mot sur les billets. Comme si maintenant il valait mieux ne plus rien savoir de ça, et que c'était un passé qu'il n'y avait plus à raconter.

On m'a demandé comment ça allait, ce qui s'était passé. Moi, j'ai dit les choses en tremblant, comme si c'était un souvenir d'une autre vie. Comme si on me demandait de raconter ce que c'était de prendre un bain dans le baquet en fer dans la cour, quand ma mère nous arrosait avec le jet d'eau en été, ou bien la colique d'avoir mangé trop de rhubarbe, ou de dire ce que c'est que la confiture qui dégouline du sandwich et colle sur le carrelage comme collaient les fausses cicatrices qu'on se faisait sur les poignets, avec une bande de colle liquide et la peau qu'on pliait des deux côtés, en tenant très fort, jusqu'à ce que ça tienne. C'est comme ça que j'ai parlé. Comme ça que j'ai pu. Un peu. Seulement un peu. Parce qu'alors en même temps que les mots venaient je m'efforçais de chasser les images, car les images sont plus méchantes que tout parce qu'elles volent votre imagination. Alors, j'ai parlé comme j'ai toujours parlé, comme toujours on m'a laissé la parole, c'est-à-dire que c'est comme si on m'avait demandé, comment se fait-il que tu sois toujours vivant ? Hein, mon vieux Jeff, dis ? Comment as-tu fait ça ? Comment fais-tu pour parler encore et comment oses-tu, tu fais bien, ça oui, drôlement bien de cacher tes mains sous le gobelet tiédasse, et de regarder le fond de café au lait que tu touilles encore pour voir si le siphon au milieu ira jusqu'à t'engloutir, en écoutant ta petite voix cahoteuse qui raconte, qui suffoque et s'étouffe de trop d'efforts, comme si dire pour elle c'était se plier à revivre des cauchemars alors que non, vas-y, raconte-nous, toi, puisque c'est par ça que tu t'étonnes encore d'être vivant.

131

Est-ce que j'ai couru avec eux ? Est-ce moi qui cours avec eux ? Est-ce la même bière qui me tourne le ventre et donne à mon haleine son odeur si forte ? La douleur d'Elsie et ses mains qui se cramponnent à un mouchoir de papier, en lambeaux depuis déjà le début d'après-midi. Ma mère qui s'était maquillée. Le restaurant chinois à l'angle de la rue, *Madame Kyon* qui avait sorti les couleurs sur la vitrine. God save the Queen.

Mon père dans le salon doit menacer l'amphore en plâtre sur la télé, et même la photographie des petits-enfants dans le cadre en coquillages roses et jaunes. Ma mère doit rester sans rien dire, les doigts tordus dans le torchon. Mais elle devra pourtant parler, puisque le téléphone va sonner et que mon père ne bougera pas pour répondre. Alors elle va aller répondre. Ce sera la femme de Doug. Non. La femme de Hughie ; d'abord, la femme de Hughie. Parce qu'à la question de savoir si les trois fils Andrewson font partie de la horde, Faith saura qu'il faut dire oui, puisque Doug est là, puisque Hughie ne sait que suivre Doug et que le petit dernier fera ce qu'il peut, c'est-à-dire pas grand-chose.

Je l'imagine, cachant ses enfants et leur interdisant de sortir de leur chambre pendant qu'elle découvre et dévore les images à la télévision. Traquant les visages. Cherchant scrupuleusement dans la foule, derrière les bandanas et les plans larges qui balaient une tribune où, par endroits, ne reste que le vent pour circuler entre deux feuilles de journaux ; une godasse, un briquet, des jeans et des baskets au-dessous des chants qui continuent à saccager le stade, avec ce calme affolant des refrains et des slogans.

Est-ce ma voix qui chante avec eux ? Est-ce que moi aussi je chante avec eux ?

La femme de Hughie, avec ses mèches blondes et son rouge à lèvres orange pour ressembler à Kim Wilde et avoir l'air aussi sauvage et aguicheuse, le cheveu ébouriffé derrière le comptoir pour voir débarquer dans la boutique des dames et des messieurs qui cherchent des chaussures, toujours des chaussures, toute la journée – et Faith s'étonne qu'on puisse ne pas vouloir faire ce qu'elle fait, simplement parce qu'elle ne pense pas que dans la vie on puisse rêver mieux que cet idéal : un métier qui ne salit pas les mains. Alors je l'imagine au téléphone, exsudant ses effluves de patchouli et de mimosa, écrasant rageusement une cigarette au menthol dans le cendrier à côté du téléphone, et jetant un œil furieux du côté du couloir, où, derrière les portes de leur chambre, les enfants doivent s'entretuer en hurlant leurs cris de Sioux et d'extra-terrestres enragés, échangeant la Terre contre trois chewing-gums aux Soviétiques ou aux Chinois. Et puis, elle cherche derrière l'image un peu floue de l'écran. Et, surtout, elle écoute les commentaires et la respiration de ma mère, au téléphone, qui ne dit rien. Ou qui dit qu'il faudrait libérer la ligne ; peut-être qu'ils vont appeler. Peut-être. Sans doute qu'ils vont téléphoner pour nous dire qu'ils sont hors de danger ? Faith doit laisser parler ma mère et puis l'interrompre en disant, de toutes les manières je me doutais,

Non.

de toutes les manières avec Doug, comment voulez-vous ?
Non.

je vous dis que de toutes les manières quand on connaît ses amis,

133

Non, non, non, ce n'est pas vrai. Ce n'est pas si vrai. La voix de ma mère qui essaie de défendre des idées auxquelles elle non plus ne croit pas. Mais elle sait être une mère comme on lui a dit d'être une mère et une femme : défendre ses petits comme une louve, baiser comme une chienne, travailler comme un bœuf et se taire comme une carpe, tout ça pour si peu, pour qu'il n'y ait rien pour elle que la piètre consolation de se révolter en étant ni chienne au lit, ni carpe dans sa cuisine. Se révolter et être douce en même temps. Comme quand elle essaie de se faire belle et que, les jours où son visage suinte et transpire, elle le sèche avec un pinceau et de la poudre. Aujourd'hui elle a dû mettre du bleu à ses paupières. Elle a une verrue sur l'aile gauche de son nez. Elle a dû ranger les cartons dans l'entrée. Puis elle a dû regarder son mari tout l'après-midi, et des reportages sur les nuées de sauterelles et sur les carangues bleues, le corail, les fonds sous-marins. Et maintenant s'acharner à défendre ses fils et dire que non, ils n'y sont pas. Ils ne peuvent pas y être. S'acharner en fronçant les sourcils. Et répondre à la femme de Hughie qui déjà attaque Doug et défend son mari en disant, vous savez, Hughie n'est pas bon à changer une fenêtre, il reste étendu les week-ends et il regarde les matches à la télévision, je ne le vois pas courir comme un fou, comme son fou de frère Doug peut faire.

Et elle insiste sur Doug. Si quelque chose vient c'est de Doug. Elle scrute la télé en même temps qu'elle parle au téléphone. Elles se rongent les ongles, toutes les deux, chacune de son côté de la ligne téléphonique. Elles cherchent à travers les images et le match quand il a commencé. Rien. Il n'y a rien. Elles ont bien vu que les joueurs italiens sont venus sur la pelouse pour calmer les tifosi. Oui, ça, elles ont vu. Tout le monde a vu. Mon père a vu les tifosi. Il a vu Boniek et les autres sur la pelouse, venant parler aux Italiens. L'Angleterre entière a vu, l'Europe entière a vu. Et la femme de Doug aussi a vu. Peut-être qu'elle en a pleuré de peur ? Qu'elle a ordonné à ses enfants de ranger leur chambre et de jouer dehors ? Peut-être qu'elle a pensé qu'il n'y était pour rien et que nous étions tous les trois à l'autre bout du stade ? Est-ce qu'elle a pensé ça ?

Peut-être qu'Elsie aussi a pensé ça ? Ou qu'elle a préféré arranger sur le bureau de service le bouquet d'œillets en plastique et resserrer la ceinture de sa blouse blanche ? Peut-être que lorsqu'elle a vu les joueurs italiens sur le terrain, elle a cru que je ne pouvais pas être mêlé à tout ça et qu'elle non plus n'était pas mêlée à tout ça, qu'elle n'était pas en train de vivre la même histoire que moi, à plusieurs centaines de kilomètres de moi.

Des couloirs et des couloirs, des voix qui m'entourent d'une sollicitude dont je ne veux pas. Ce que je voudrais, c'est qu'on me laisse voir Tonino et comprendre ce qui s'est passé. Qu'on me dise ce qui s'est réellement passé juste avant, plutôt que d'entendre encore les quatre autres me dire de la même voix éteinte que tout va bien, que Tonino va revenir. Ils me disent ça comme si nous n'avions pas volé leurs billets. Comme s'ils faisaient semblant de ne pas savoir. Et moi je suis là, devant eux, et je vais faire comme si je n'avais pas vu Gabriel devant le stade, cherchant du regard, par brefs coups d'œil, à voir si personne n'était en train de remarquer ce geste qu'il faisait, lui, quand, en prétextant une caresse de réconfort sur la main de Tonino, il ne faisait que s'acharner à effacer les chiffres d'un numéro de téléphone.

Et moi qui savais l'histoire. Moi, pour faire comme lui, Gabriel, semblant de n'avoir rien vu, de n'avoir rien à dire. Mais peut-être que je n'avais rien vu et que désormais je n'ai plus rien à dire, comme lui non plus n'avait rien à dire au moment où, sidéré devant la surprise de lire ce numéro de téléphone qu'il avait dû voir par hasard, et lire sans plus y prêter attention, presque par réflexe, et puis s'étonnant de reconnaître les chiffres et le numéro qu'ils composaient, il avait fallu se contenter de s'étonner et ne pas se laisser gagner par la rage, en appliquant seulement ce geste de réparation, calme, définitif, en guise de représailles : effacer le signe de la trahison puis l'oublier aussitôt. Pour le reste, une nouvelle fois, faire comme si. Et maintenant il doit s'étonner autant que moi de nous trouver réunis ici, dans la salle d'attente d'un hôpital du centre-ville, déjà aussi tard dans la soirée.

Mais tout à coup il y a le battement de cette porte,

Et tous les regards – mais ici pas de silence, pas d'effets d'annonce, pas de John Wayne ni retour du héros, ici, rien que Tonino, pâle, quelques taches de sang autour du sourcil et ce fin pansement sur l'arcade, la chemise hawaïenne débraillée sous le blouson ouvert, avec ses pans maculés et déchirés de haut en bas à partir de l'abdomen, et laissant apparaître près du cœur un triangle de peau qu'il ne cherche même pas à recouvrir en fermant la fermeture Éclair du Teddy, mais au contraire, arborant déjà la déchirure et le sang mêlé aux fleurs orange et jaunes de la chemise comme une preuve de sa résistance. Tonino avance vers nous, vers moi, il ne réagit pas. Et c'est Gabriel qui bouge le premier. Qui avance et puis, tout à coup, cette impression qu'il ne peut plus rien arriver, que tout est arrivé et que nous avons gagné, Tonino et moi, une sorte de respect étrange, un silence autour de nous. Il n'y a pas une allusion aux billets. Il n'y a, d'ailleurs, pas une allusion à quoi que ce soit. Rien. Il n'y a rien, seulement cette présence de Tonino et moi. Nous nous embrassons en nous disant, ça va ? Ça va ? Répétant les mêmes mots et nous étonnant de nous voir face à face, le vérifiant par mes mains sur ses bras, ses mains sur ma nuque. Et nous nous regardons longtemps, ahuris, sans comprendre la chemise déchirée de Tonino, pas plus que le pansement sur l'arcade ou le sang avait coulé, qui avait fini par sécher en ne laissant qu'une légère croûte presque brune.

Et puis son air furieux dès qu'il parle, Tonino, comme au moment de courir quand les Anglais ont chargé, quand nous étions tous les quatre avec le couple d'Italiens, en haut de la tribune et qu'il y avait eu d'abord, sous nos yeux, le spectacle d'un stade rempli à ras bord. La force qu'on éprouve à ce moment-là, le miracle de savoir que là, dans ce stade, sous les soixante mille regards qui se tournent vers un morceau de pelouse va se jouer la finale du siècle. Ces chants qui reviennent et les voix des Italiens, la roue du parc des expositions, juste en face de la tribune, de l'autre côté du stade ; je la vois qui tourne et tourne dans ma tête, cette image et l'écran avec les lettres qui défilent, géantes, orange ou vertes, je ne sais plus. Un frisson, quelque chose à cause des chants lents et lourds qui en soulevant l'air et l'espace font danser les fanions, les couleurs, ce rouge, cet or qui se mêlent au bleu du ciel et à la lune, au-dessus. Juste derrière le stade, dans le parc des expositions, la grande roue tourne lentement et nous, en face, nous parlons d'elle et de son mouvement dans le ciel ; nous ne bougeons pas, et c'est comme si les premiers cris derrière nous ne nous concernaient pas.

Des gens furieux. Tout le monde était furieux. Et les chevaux sur la piste des coureurs, avec les couloirs délimités par des tracés blancs – est-ce qu'ils ont vu les chevaux qui foulent et piétinent la terre rouge et les sabots qui effacent les lignes blanches ? Les flics en uniformes et le calme des militaires quand ils sont entrés dans le stade et qu'après ils ont empli les travées. Lentement. En file indienne. Ils se sont postés entre la pelouse et les gradins, face au public, casques baissés, les matraques à la main et les boucliers devant. Non. Ce n'est pas de savoir si à Liverpool on a vu tout ça, ni même si on a regardé jusqu'au bout. Ce n'est pas ce qui m'inquiète. Ni même de savoir si on a tenu sans honte et sans l'envie de crier, sans pleurer, quand ils ont vu, de chez eux, dans leurs salons, tout entourés de leurs papiers peints et des bibelots dans la vitrine du buffet, les gradins vides et les gravats, des chaussures aux lacets arrachés, abandonnées, et les emballages de chewing-gum, les feuilles des journaux, des tickets de métro par milliers comme des confettis ; est-ce que de chez eux ils ont vu tout ça ? Non, ce n'est pas ce qui m'inquiète.

Pas vraiment. Mais c'est de penser à ce désordre qu'Elsie a dû vouloir conjurer ou nier, ou annuler seulement en tournant la tête et en replaçant soigneusement dans leur pot en verre les œillets en plastique ; puis se moucher encore, les mains tremblantes et molles, pour finir par resserrer la ceinture de sa blouse ; oui, je la vois. Elle s'est relevée parce qu'elle ne peut pas rester assise et voir cette violence sans bouger ni rien faire, alors qu'elle est de garde et qu'à côté d'elle, dans les chambres, il doit y avoir quelqu'un qui a besoin d'elle. Il faut que quelqu'un ait besoin d'elle. Que la sonnette pousse son sifflet aigu de jouet pour chien. Que la petite ampoule orange au-dessus du bureau se mette à clignoter. Qu'un numéro de chambre apparaisse pour la sortir de là. Voilà ce qu'elle veut au plus fort d'elle-même, au moment où elle découvre les images, Elsie, de ce lieu où elle m'imagine.

La douleur d'Elsie et ses mains cramponnées à son mouchoir en lambeaux depuis déjà l'après-midi, parce qu'au fond, c'est ça, jamais elle n'a eu cette naïveté que j'ai de croire que tout va s'arranger. Elle me dit : tu veux croire qu'on t'aimera en faisant comme ils font. Mais ils ne t'aimeront jamais pour toi. Parce que tu es leur frère, oui, à eux-mêmes ils se font croire qu'ils t'aiment ; c'est ce qu'on leur a appris, ce devoir d'aimer sa famille. C'est simple, me dit-elle. Parce que tu leur ressembles. Ton nez. Tes yeux. Ça oui, pour eux, ça vaut quelque chose. Tu es comme une miette d'eux-mêmes et ça te rend attachant à leurs yeux. Mais pour toi, avec ton angoisse à espérer depuis l'enfance ne plus entendre les murs qui tremblent quand Doug écrase une mouche et racle le mur sanglant, après, avec son rire méchant qui t'as rendu fou depuis l'enfance, tu en as eu peur. Voilà ce qu'elle me dit. Et de ton père avec sa bière, dans le fauteuil marron, tu as eu peur aussi, depuis longtemps, ne mens pas, depuis toujours ; déjà dans l'enfance, quand il a connu cette période de chômage et qu'il noyait sa misère dans la bière qu'il achetait chez *Madame Kyon* à l'angle de la rue, avec l'argent qu'il volait à ta mère. Et les cris de ta mère. Ose me dire que tu n'avais pas peur aussi de ta mère et de ses cris, et des pleurs encore plus. Et Hughie, peut-être plus imbécile encore de n'avoir même pas le courage d'être méchant. Si mou. Si lent derrière son frère et ses posters de hard rock et de voitures de sport, et aussi son goût pour rien, puisque rien ne l'intéressait que de suivre son frère. Alors toi, Geoff, pourquoi voudrais-tu qu'ils t'aiment comme on aime un frère ou un ami, comme on aime quelqu'un simplement parce qu'il est bien ? Tu pourras faire ce que tu veux. Tu ne seras jamais rien pour eux qu'une copie, un fantôme, le même nez et la même peau. Tu es de leur blancheur, ce n'est pas si mal, de cette peau presque grise qu'ont les hommes qui ont peur.

Et pourquoi, alors, m'a dit Tonino, la première image qui est revenue quand je me suis réveillé dans l'hôpital, c'est ce drapeau jaune où flottaient, en grosses lettres noires, les mots *mamma sono qui* ? Je n'ai pas répondu. Puis nous sommes sortis fumer, suivis par Gabriel en premier, et les trois autres derrière lui.

Dans la cour de l'hôpital, les doigts de Tonino tremblent, agrippés à cette cigarette sur laquelle il lui faut aspirer tant qu'il peut, de toutes ses forces. Et les autres, je les vois autour de lui, tous les quatre, inquiets, presque à l'affût de ce qu'il pourrait dire, comme s'ils étaient personnellement menacés par les mots qu'il pourrait lancer : et puis sa voix tremble et ne dit rien, ses yeux regardent les mains suspendues au mégot, déjà, alors que sa voix s'ouvre grand. Et il parle en me regardant fixement, des choses que j'ai vues aussi et que j'aurais pu dire moi aussi, comme ce sentiment du ridicule, cette certitude qu'il est infiniment dérisoire de voir les panneaux publicitaires autour de la pelouse et ce vert si tendre de la pelouse ; le panneau lumineux où on lisait *l'UEFA vous souhaite la bienvenue* pendant qu'on voyait un flic et trois hommes en civil, genoux fléchis et dos penchés, qui portaient, chacun aux angles d'une couverture transformée en civière, puisqu'il n'y

140

avait plus de civières ni de brancards, un corps comme une boule ronde et lourde, muette, infiniment pesante ; tous ces gens qu'il faudrait porter ainsi, en vrac, comme des choses, des chiens morts sur le bord de la route ; avec toujours l'image des supporters presque joyeux qui ne voient pas et ne devinent rien de ce qui se passe, de l'importance de la poussée et de cette violence, pendant qu'au-dessous on peut voir un ou deux bataillons de cavalerie sur la piste d'athlétisme, et les photographes sur le terrain, avec les bras et les mains qui tiennent les appareils au-dessus des têtes et des cris.

Les Anglais qui déboulent. Et alors il faut raconter comment Tonino n'a pas voulu courir et comment il s'est dressé face à eux, qu'il a voulu frapper vite quand il a vu venir un grand type avec une barre de fer. Non. C'était une hampe brisée. Il balayait devant lui et autour il y avait deux ou trois types qui remontaient leurs bandanas pour cacher leurs visages. Ils savaient ce qu'ils faisaient en remontant le bandeau jusqu'aux yeux, pour ne pas être reconnus pendant que les lames des couteaux qu'ils tenaient dans les mains fendaient l'air et l'espace en arc de cercle, devant eux, avec juste le temps de courir et de faire un pas en arrière pour ne pas être blessé. Et pourtant, Tonino a dit, ce sang sur ma chemise, ce n'est pas le mien. Pas tout de suite. D'abord ils ont blessé quelqu'un, un homme à côté de moi qui hurle et tient devant eux avec l'envie d'en découdre, de ne pas se laisser faire et il veut frapper à coups de poing mais son poignet frappe et la lame tranche dans le poignet, et le sang c'est son sang à lui qui gicle, et Tonino reprenant une cigarette, il parle et regarde ses pieds. Ses mains maintenant dessinent des arabesques, il veut mimer les mouvements des types avec les couteaux. Il raconte tout. Comment pour lui c'est simple, impossible de ne pas bondir.

Alors il se jette devant un groupe de quatre ou cinq anglais ; il raconte comment, les yeux presque fermés, il se lance en hurlant et en jetant à la volée les mots les plus orduriers qu'il connaît, les poings fermés et les ongles plantés si profond dans la paume qu'il s'en déchire la peau. Il frappe dans le vide et c'est l'air qu'il bouscule, l'air qu'il déchire de cette douceur fétide du pollen. Bientôt il sent des visages sous son poing, des corps sous les coups de pieds qu'il jette comme eux balancent autour de lui des pierres, des barres, des canettes. C'est là qu'un coup de poing déchire l'arcade. Il ne s'en rend pas compte tout de suite, non. Il faut d'abord que sa rage soit vaincue. Qu'il ait lui-même fini avec son envie de jeter ses bras et ses mains, ses pieds sur les corps qui passent à sa portée. Maintenant il voudrait boire et sortir de l'hôpital, en finir avec ça. Oui, partons. Je veux qu'on parte d'ici, je voudrais boire un verre, un cognac, un truc fort. Il faut ça pour oublier et parler de ce qu'on a vu – et puis il dit, il faut retourner là-bas pour Francesco et Tana. Où sont-ils ? Ils étaient avec nous. J'espère que

Et Liverpool pour me regarder courir avec eux.

Ne pas me voir, moi, courant, haletant et fonçant tête baissée avec eux. Ne pas entendre mes propres cris dans cette foule que je vois devant moi. Il y a eu le soir dans Bruxelles. Ce soir étrange et noir, silencieux dans la chambre d'hôtel. Et dans ce lit aux draps trop blancs pour moi, trop lisses, sans aspérité, je n'ai pas dormi, alors que mes frères dormaient, eux dont les souffles lourds, apaisés, se fracassaient au silence et aux sirènes dans la ville, qui me faisaient sursauter et trembler. Parce que, pour moi, ça ne change rien à ce qui reste : les images et les bruits. Le fracas des voix et des images qui reviennent. Cette coupe que les Italiens ont tenue à la fin du match. Et nous qui n'avions pas compris. J'ai vu le sang et je n'ai rien dit. J'ai vu Soapy et Gordon devenir fous furieux, tous les deux. Comme étaient fous et furieux ces yeux, ces visages – est-ce que j'ai vraiment vu le sang ? Et elle, cette fille, après, sur la pelouse, qui était restée seule et dont j'ai vu qu'elle attendait. Qu'elle ne comprenait pas. Elle était là, hagarde. Elle essayait de remettre un élastique dans ses cheveux. Elle voulait refaire une queue-de-cheval et elle n'y arrivait pas. Elle répondait par un sourire à ceux qui lui parlaient. Elle ne les voyait pas, elle ne voyait personne. Puis la police s'est occupée d'elle.

Comme tombent sur les blés les nuées de sauterelles ; les carangues bleues que ma mère regarde à la télévision les après-midi. Comme si on était des animaux, un reportage sur les animaux ? Est-ce que j'ai vraiment couru avec eux ? Est-ce que moi aussi j'ai couru, comme ça, en hurlant ces chants-là ?

Dans la nuit, j'ai essayé de me repasser la soirée et la journée d'avant pour comprendre. Les voix et les images qui me crevaient d'autant plus les yeux d'une vérité impossible (pourquoi les mégots que nous avions jetés dans le sillage des voitures au moment de traverser la quatre-voies dans l'après-midi ? Pourquoi les capsules de bières et leur bruit sur le pavé ? Le regard des gens et nos rires pour leur répondre, nos visages tout rouges ? L'air insouciant et la lame du couteau dans la paume de Doug ?), que j'avais la sensation de buter contre elle. Le visage qu'Elsie détourne un peu pour ne pas voir la télévision. J'ai crié et chanté les mêmes chansons en regardant les Farns, Doug, Hughie. Et Gordon aussi.

Je n'ai pas appelé à la maison. Je n'ai pas appelé Elsie. Que va-t-il se passer, maintenant, quand il faudra dire que je n'ai pas voulu l'appeler, elle, pour répéter encore, est-ce moi, vraiment, celui qui a couru avec eux ? Est-ce moi qui ai chanté et bu avec eux, et qui sont-ils, eux ? Est-il vrai que ma peau est aussi blanche que la leur et que mon visage n'est qu'une copie du leur ? Dis, Elsie, tu me l'as dit un jour, oui, que je voulais être comme eux parce que je n'étais pas comme eux, et que si je voulais l'être c'était par mensonge. Il faudra m'aider à me taire si tu ne veux pas que tout explose. Pourvu que tu ne me demandes rien. Et j'ai regardé le plafond de la chambre d'hôtel en suppliant que demain, quand tu seras devant moi, tu auras le courage de ne pas vouloir savoir. Elsie, si tu savais l'envie si forte de pleurer et de croire que je vais me réveiller. Que je n'ai pas crié. Pas couru. J'ai vu tomber des gens et on dit que des gens sont morts. On dit que la grille a égorgé des gens. On dit que des gens sont morts étouffés. On dit que des gens,

et mes frères qui dorment dans la nuit et la nuit qui vient quand même, comme si de rien n'était. Et ces regards, demain, qui se poseront sur nous, sur lesquels il faudra s'appliquer à ne pas voir les questions qui les tourmenteront. Ma mère et la femme de Hughie qui vont hurler, ah, mon Dieu, pourquoi n'avez-vous pas téléphoné hier soir, on a eu si peur, si peur ! Et moi je serai révolté de les entendre dire – comme si ce n'était vrai que pour elles –, ici, nous n'avons pas dormi de la nuit.

II

6

Toute la nuit j'écouterai Tonino et Jeff, je resterai avec eux.
Je regarderai comment, après que Tonino se sera lavé le visage
d'un simple jet d'eau froide du robinet des toilettes, il reviendra à lui-même. Comme c'est à lui désormais que revient
d'ouvrir les yeux sur Virginie et de lui parler, peut-être, mais
seulement s'il le décide, puisque la regarder sans rien avoir à
dire est suffisant. Et aussi la dévisager et me laisser seul avec
la gêne de supporter ce regard indirect, oblique, cette trouée
qu'ils creusent ensemble dans ma vie depuis que nous sommes
arrivés dans le bar – pas celui d'hier soir, non, mais cette fois
au cœur de la ville, dans le jaunâtre et vieux bruincafé où
j'allais plus jeune, quand je ne connaissais pas encore Virginie.
Nous sommes venus ici, puisque Tonino a voulu boire,
puisqu'il a dit : il faut boire un truc fort, un cognac, après
nous réfléchirons ; nous irons voir à l'hôtel de Tana et Francesco comment ils vont, ce qu'ils font.

Jeff est là, les bras écartés et les coudes éloignés l'un de
l'autre, le dos tellement voûté que le menton est à quelques
centimètres de toucher le zinc. Il a cette façon dédaigneuse et
presque hautaine de tenir son verre de bière, d'y accrocher
ses doigts secs et blancs, ses ongles noirs, sans regarder autour
de lui. Moi, je vais aller aux toilettes pour réfléchir et ne plus
sentir ni le faro ni les brûlures d'estomac. Le cor au pied me
fait toujours aussi mal mais, assis sur la cuvette des toilettes,

je peux enfin retirer ma chaussure et me masser le pied ; je remets et renoue le lacet de la chaussure en tâtant le cuir neuf, trop dur encore, comme si en le caressant je pouvais l'assouplir. Quand je reviens au comptoir, il faut les voir ensemble, tous les cinq au milieu des quelques buveurs de bière qui traînent encore.

Les gens parlent de ce qu'ils ont entendu et de ce qu'ils projettent. Ils parlent des victimes et des têtes qui tomberont dans les ministères, mais aussi de ce que le match a été joué quand même. Qui sait ce qui se serait passé si le match n'avait pas eu lieu ? Sans doute il avait fallu le jouer, ce match (et moi, repensant soudain à ceux que j'avais entendus devant l'entrée du stade, qui parlaient de la superstition des Italiens à cause des maillots noir et blanc qui leur portaient malheur), oui, sans doute, sinon tout aurait pu être pire. Et nous ne serions pas là tous les six, mais ce serait partout dans la ville la même peur des skinheads, cette angoisse que la ville bascule dans une violence définitive, irrémédiable. Mais les Anglais sont partis. La police et l'armée ont rempli les autobus et maintenant la tranquillité va revenir. Je vois dans le bar les visages qui s'échangent des questions, sans mots, sans autre geste que cet étonnement dans le regard, qui s'éternise un peu. Et puis, enfin les mots fusent ; des attaques, des procès qu'on jette entre deux gorgées de bière. On parle de la honte d'avoir vécu ça ici, à Bruxelles. On entend que non, non, ce n'est pas possible que ce soit ici, que ce soit maintenant ; comme pour moi il est impossible de me dire que les deux types qui sont là étaient à *ma* place : Tonino qui respire si fort en buvant son cognac – oui, il en faut un autre, dit-il. Il tente de se concentrer pour réfléchir. Et Jeff à côté de lui, qui a refusé de s'asseoir et masse parfois sa nuque trop raide et penche la tête en arrière ; il a repris un verre aussi et c'est à peine s'il ose nous regarder, s'il voit Adrienne et Benoît qui discutent sur la gauche du comptoir, avec un type qui vient d'entrer. Virginie se joint à eux, et le barman s'immisce à son tour, un verre à la main et une bouteille de Perrier dans l'autre.

J'entends les brouhahas et les voix qui se noient dans la musique du juke-box au fond de la salle. L'écran de télévision est éteint parce que, ça suffit a dit le barman, ce qui s'est passé est trop dur, dit-il, hésitant et butant sur le mot, évidemment trop faible, comme ils le sont tous. Alors, à ce moment-là, qu'est-ce que j'aurais pu dire ? Ou plutôt, quand j'ai vu qu'à nouveau Tonino et Virginie se regardaient sans rien se dire, et qu'il me semblait pourtant, à moi, que quelque chose se disait entre eux, une évidence impalpable et tenace comme une odeur qui s'imprègne, avec la persistance de cette certitude : ça parlait entre eux et je n'y pouvais rien. Je me racontais que ce que je craignais le plus, ce n'était pas tant que je puisse perdre Virginie, mais que je ne puisse pas supporter ma peur d'être incapable de la garder, en n'ayant pour riposte que la haine et le ressentiment, ou peut-être le vague espoir que ce que je voyais n'était rien, une idée, un délire. Mais les délires et les idées valent bien qu'on s'en méfie. Et c'est comme si la voix de Tonino venait me chercher de si loin que je peinais à remonter et à l'entendre, à faire venir au cerveau l'image de son visage. Et pourtant il est là. Devant moi. Le mouvement de ses lèvres, comme des bruits de pas. Non. Ce ne sont pas des bruits de pas.

Quoi ? Qu'est-ce que tu dis ?

Ma voix qui s'emballe pour sortir de cette torpeur où l'alcool et la fatigue – la peur aussi – enlisent mes jambes et mes bras, ou même tout mon corps, quand seule la tête essaie de tenir droite, et que c'est par des mots qu'elle ne s'entend même pas débiter qu'elle résiste à tout ce qui s'est passé depuis la veille.

Quoi, qu'est-ce que tu dis ?

Ah, bien sûr. L'avenue de la Toison-d'Or. Oui, derrière les galeries Saint-Hubert. C'est à deux pas, enfin, exactement, c'est à deux pas de la Grand-place. Comment tu dis, quel hôtel ? Je lui fais encore répéter une fois, deux fois. Il vide son verre et moi, en le voyant qui claque le verre sur le zinc, j'ai l'impression d'une force extraordinaire, comme si un retour de colère lui permettait de revenir parmi nous. Tonino voudrait partir maintenant, il dit qu'il est inquiet. J'ai hoché la tête mais d'un mouvement si peu sûr de lui-même, avec tellement de retenue que je ne sais même pas s'il a été visible. Jeff finit son verre d'une grande rasade. Il tousse, rougit. Tonino me regarde, et moi je ne sais même pas quoi lui dire, ni comment improviser. Alors, je dis juste qu'il faut y aller maintenant. Qu'il suffit de partir vers l'hôtel qui après tout n'est pas si loin ; j'en demande confirmation autour de moi, sans demander le nom de l'hôtel parce que je sais que l'autochtone est toujours le moins bien renseigné sur des hôtels dont il n'a pas à avoir l'usage. Mais sur les galeries Saint-Hubert, ça oui, tout le monde peut parler. Nous voilà partis, tous, car ni Adrienne ni Benoît n'ont voulu nous laisser.

On y va, sous la fraîcheur de la nuit qui vire au froid, avec ce silence qui s'installe et les deux chiens noirs qu'on croise à l'angle de la rue Grétry, en descendant vers la Grand-place. Les deux chiens se reniflent sur le trottoir, à peine dérangés par nos pas et les sirènes dans la nuit – ambulances, police, le sentiment que rien ne finit vraiment et que l'écho de la soirée, son onde de choc se poursuit encore dans les rues. Et l'on se dit que la haine des Anglais pourchassera toute la nuit la haine des Italiens, sans Italiens ni Anglais, malgré le silence des tables que les restaurants et les appartements vont camoufler sous les fonds sonores des chansons de Jacques Brel et des airs d'opéra.

Nous marchons en remontant vers les galeries Saint-Hubert et vers l'avenue de la Toison-d'Or, puisque c'est ce que le couple d'Italiens avait dit à Tonino, l'hôtel Bellevue, en précisant que c'était un hôtel Art nouveau. Ils avaient raconté ça, mais surtout ils avaient parlé des deux gardiens à l'accueil, qui les avaient beaucoup amusés par leur aspect un peu incongru : deux jumeaux à l'air très hiératique, l'un assis, l'autre debout derrière le premier. Deux énormes molosses à l'accent russe et aux visages rondouillards de deux grands gamins jamais séparés depuis l'enfance. Peut-être que c'est bien le nom qu'ils avaient dit, l'hôtel Bellevue ? Derrière les galeries Saint-Hubert, c'est possible ? Ça existe, ça, les galeries Saint-Hubert ? a redemandé Tonino. Et moi, les galeries, oui, mais le nom de l'hôtel ne me dit rien du tout. Ce n'est pas grave.

Tonino et moi sommes devant les autres, nous marchons et il parle, il parle, il se met à parler si fort et de manière si décousue, des phrases qui se perdent et se retrouvent sur des axes inattendus, il revient sur le nom de l'hôtel, il dit que le nom importe peu parce que ce qui compte c'est qu'il s'agit d'un hôtel Art nouveau, que c'est le cadeau de mariage qu'ils ont reçu, un voyage qu'ils n'ont pas demandé mais qu'ils ont reçu quand même. Il pense que c'est facile à trouver et je lui dis que oui, sans doute on va trouver facilement. Il faut trouver un comptoir en bois avec deux grands types à l'air endormi et portrait l'un de l'autre. Et puis, dans le hall, des lourdeurs emphatiques et des moulures, des formes voluptueuses et des lignes serpentines et agiles comme des algues remontant aux chevilles et aux cuisses de nymphes dans les sous-bois, des entrelacs, des spirales et des tentures de fleurs aux couleurs tendres, irisées, des tons pastel d'un bleu pâle et d'un rose fané, tout le bataclan des effets Art nouveau.

151

Les deux gardiens sont bien comme on les attendait, étrangement souriants, un peu hagards, le premier assis derrière le comptoir en bois massif et lustré, le second derrière lui, debout, une main sur la hanche, qui regarde sur le côté un poste de télévision – on entend les suffocations d'une voix qui parle de la réaction des Anglais et dit que peut-être la trentième coupe d'Europe sera la dernière. Je suis entré le premier, suivi de Tonino et de Jeff. Les autres sont restés dehors et quand ils nous voient revenir vers eux, ils comprennent tout de suite.

Personne ? m'a demandé Virginie. Et je ne réponds pas, me contentant d'une grimace pour dire non. On décide d'aller dans un bar où l'on pourra manger quelque chose en attendant, et l'on se retrouve ici. Maintenant je regarde Tonino face à moi, qui guette pour voir si dans la rue, de l'autre côté, il ne voit pas le couple qui viendrait vers l'hôtel. Il dit que si jamais il ne vient pas, si tout à l'heure il n'est toujours pas rentré à l'hôtel, alors il faudra aller dans les hôpitaux et demander où il peut être. Je dis qu'il faudrait son nom. Leur nom. Tonino me dit oui, c'est vrai, et puis retourne à son assiette et se met à manger lentement, comme s'il devait mâcher du verre et non des boulettes de bœuf et des scorsonères sous la sauce tomate. Quelques voix dans une salle du fond viennent jusqu'à nous. On entend des Hollandais et un homme qui hurle parce que les rollmops ne viennent pas, alors que les moules sont déjà là. Et en entendant ça, nous ne disons rien, il y a l'étonnement d'être ensemble, d'entendre cet homme qui réclame des rollmops alors que nous sommes venus ici parce qu'un jeune couple doit être seul quelque part dans la ville, et puis parce qu'il y a eu cette chose qui est arrivée, cette chose que l'Europe entière a vue en croyant ne pas la voir.

Alors nous, avec nos assiettes d'un bleu translucide et ce pain humide, mou, brûlé, qu'on nous a servi pour accompagner les tristes ballekes et les choesels au madère qui ne nous font même pas envie, nous voudrions avoir fini. Nous voudrions comprendre, malgré cette certitude que le temps ne nous est pas donné de saisir l'événement ni même pourquoi nous sommes ici tous les six, invraisemblables, inutiles comme un frigo sur la banquise avec nos bouches qui mastiquent, et derrière les voix les verres qui se choquent dans l'arrière-salle, sous les rires et les jurons ; nous qui ne nous épions même plus, comme hier soir encore on pouvait le faire. Tonino mange difficilement, les morceaux de bœuf en roulant dans sa bouche lui donnent un air idiot et triste. On boit de la bière en s'étonnant de la mousse épaisse et blanche. Adrienne demande l'heure à Virginie. Benoît est parti aux toilettes et moi je suis en face d'eux : Jeff mange sans me regarder et, soudain, Tonino regarde le revers de sa main gauche. Il me regarde aussitôt. Et puis il veut sourire, il cherche au fond de lui, derrière la fatigue et l'alcool, derrière le poids de la journée, l'esquisse de ce sourire qui ne vient pas – et c'est sa voix qui vient, doucement, avec une précaution et une douceur inattendue,

Gabriel, dit-il. Je crois que tous les deux, il faudrait qu'on parle.

Francesco,
je n'entends même pas mon cœur qui bat ni mon pouls ni mon sang ni les sanglots dans ma gorge, ces sanglots que je veux taire et calmer pour entendre ma voix qui me dit, ne soit pas idiote, arrête de renifler comme ça et mouche-toi. Puis

153

lave-toi les mains. Continue à te laver les mains. Encore. Frotte. Elles sont sales. L'eau me fait mal aux mains ; le sang ne coule plus ; la peau et les petits lambeaux comme des miettes de peau rougie par le sang. J'ai mal aux mains, il faut que je les lave encore et puis que je me mouche – ça va aller, ça va aller, calme-toi, qu'est-ce qu'ils ont dit ? Le médecin, qu'est-ce qu'il a dit ?

Non, ce n'était pas un médecin, lui, l'homme en blouse, le jeune homme frisotté avec son visage mélancolique et les yeux globuleux. Il a désinfecté les marques sur mes mains avec un coton imbibé d'alcool. Il faisait ça lentement. Nous étions assis l'un en face de l'autre, et pendant qu'il jetait les cotons salis et qu'il en prenait un autre et puis un autre encore pour nettoyer sur mes mains les taches de sang et les marques de terre, les griffures des grains de béton, il a répété deux ou trois fois les mêmes mots, obligé de répéter parce que je lui disais que je n'entendais rien. À la fin, j'ai fait comme si j'avais entendu et j'ai hoché la tête, mais la vérité c'est que je n'ai rien entendu. Il a voulu articuler et il parlait lentement, c'est vrai, mais ses gestes étaient lents ; il me tenait les mains et à chaque fois il devait recommencer à expliquer.

Moi, je regardais ses gestes et ne voyais rien d'autre. Je n'entendais rien que le coton qui glissait sur le revers de mes mains, qui accrochait aux égratignures, j'essayais de comprendre et de sentir à nouveau mes mains et le mouvement de mes poignets, de mes doigts, sauf que tout allait trop vite. Tout. Trop vite. Ces cris, cette nuit, les lumières bleues et les chiens policiers qui aboient et les autobus devant le stade. Même les arbres me font peur. Le bruit du vent dans les arbres, j'ai peur, qu'est-ce qu'il a dit ? Je ne me souviens plus. Les papiers. Qu'est-ce que j'ai signé ? J'ai signé des choses, des papiers, on m'a dit de passer à l'ambassade le plus tôt possible demain matin et quelqu'un – je crois que c'était une femme – m'a donné une adresse qu'elle a écrite sur un papier blanc très fin et presque transparent. Alors je l'ai plié en deux et puis en quatre, et puis en huit, et finalement je n'ai rien écouté de ce qu'elle m'a dit sur des horaires de bureau, peut-être, je ne sais pas. Après, le jeune homme aux yeux bleus globuleux m'a fait boire de l'eau trop fraîche dans un gobelet. Il m'a donné une petite capsule avec des calmants dedans, me disant que ça m'aiderait à dormir un peu, cette nuit, et que pour l'instant ça me détendrait. J'ai laissé fondre un cachet sous la langue pour me calmer. Je ne me souviens pas très bien, je sais qu'après plusieurs minutes, j'ai compris que les ongles de mes doigts ne rentraient plus obstinément dans la paume, et que la main a enfin accepté de s'ouvrir. C'est à ce moment-là qu'on m'a fait signer des papiers – non, non, ça, c'était avant, à ce moment-là j'ai juste dit au jeune homme qu'il fallait que je téléphone en Italie. Il m'a accompagnée jusqu'à une cabine dans le couloir, mais toutes les cabines étaient prises, alors j'ai attendu. Il est resté un peu avec moi, et puis c'est là que j'ai dit que je voulais aller aux toilettes. Il m'a accompagnée devant la porte en me soutenant par le bras,

Francesco,

Et maintenant des mots, tout ça c'est des mots et du bla-bla et moi je transpire et j'ai froid en même temps, vite, de l'eau sur ma bouche, mes lèvres sont gercées à force d'avoir murmuré ton nom et m'être écorchée encore à penser que ce n'était pas possible de te voir, de voir la forme de ton corps sous la couverture marron et les liens pour que tu ne tombes pas, et moi, derrière, la nuque tendue, les genoux cassés, le dos en avant et la bouche et les yeux qui voulaient, qui étaient là, alors que toi tu ne répondais pas à mes cris. Et que va-t-il se passer ? Il faut que tu reviennes. Il le faut. Je vais finir de me

155

laver les mains. Je vais passer de l'eau dans mes cheveux et puis j'enlèverai l'élastique que j'ai passé autour de mon poignet. Je referai ma queue-de-cheval et après j'essuierai mes mains, j'arrangerai mon col, je ne pleurerai plus. Je regretterai de n'avoir pas de quoi me maquiller (cette fois je voudrais sentir cette odeur de femme, cette poudre sur les joues et ce gras du rouge à lèvres, ce fard sur les paupières pour cacher la noirceur du regard et les cernes sous les yeux). Et puis la porte va s'ouvrir, tu seras devant moi et je me jetterai dans tes bras en éclatant de rire. Des larmes qui viendront bousiller mon maquillage. Tes mains chiffonneront mon col bien remis et tes doigts dans mes cheveux arracheront l'élastique qui tombera à mes pieds et puis, oui, je vais boire un peu, comme le chat buvait dans mon enfance. Je vais faire comme il faisait à laper le filet d'eau qu'on laissait couler doucement du robinet. Et aussi je vais écouter battre mon cœur jusqu'à ce qu'il se calme, qu'il se raisonne et cesse de s'étourdir de sa propre peur ; qu'il réfléchisse au rythme qu'il donne à mon sang parce que tout ça tourbillonne dans la tête. Je sens comme du feu dans mes joues et dans mes doigts, dans mes jambes aussi. Mais pourtant je suis pâle, tellement. C'est là que je me dis que le noir que j'avais à mes yeux a coulé avec les larmes et que le rouge s'est enfui avec les cris – tiens, j'ai perdu le bandana que je portais autour du cou.

Alors, c'est ça, il faudrait que je me maquille et puis que tu arrives et que nous partions d'ici, que je sorte de ces toilettes, que nous quittions l'hôpital et que je dise au revoir au jeune homme aux yeux globuleux et au regard si triste. Que nous aspirions fort l'air froid de la nuit et que nous prenions le taxi pour aller vers l'hôtel, que tout finisse entre toi et moi au lit, étourdis par l'odeur de poivre de ton parfum et celle un peu rance du vieux papier peint de la chambre, sous le regard des fleurs de pâte de verre qui forment les lampes de chevet vertes et jaunes. Maintenant je suis folle, je suis complètement cinglée oui complètement ravagée à ce point que je pourrais rire aux éclats et rire de mon image monstrueuse et minable, défaite, lamentable, dans ce miroir trop propre, sans coulure ni jet de dentifrice comme en ont les vrais miroirs dans les vraies salles de bains. Maintenant il faut que je me calme. Que je reprenne mes esprits. Que je comprenne et refasse dans ma tête tout le chemin à l'envers, pour entendre ta voix et comprendre ce qui m'amène ici, dans les toilettes d'un grand hôpital à Bruxelles, comment j'ai pu arriver ici. Je suis Tana. Je suis ta femme. J'ai vingt-trois ans. Blonde, des reflets roux dans les cheveux, jeune mariée. Et toi, tu es Francesco et tu me tenais la main. Nous sommes partis de chez nous en train et sommes arrivés à Bruxelles, où nous avons vu notre hôtel et les grandes fleurs rouges dans la chambre, les moulures et les arabesques en bois aux pieds du lit. Et puis on a rencontré dans le métro Tonino et l'autre, comment s'appelle-t-il, oui, Jeff, qui dormait et sa tête sur son épaule dansait et sautait comme l'un des ballons de baudruche qu'après j'ai vu dansant dans le stade : les tribunes, les gens qui se bousculent et puis le cauchemar, tout va trop vite, trop fort, ta main, ta voix, j'étouffe sous les autres, on me pousse et toi je ne te vois plus, Francesco, c'est ça qui s'est passé. On me dira que c'est ce qui s'est passé.

Mais moi je sais que non. Faut-il croire qu'après nous étions dehors ? Je veux dire, est-ce qu'il faudra croire qu'après tous ces cris et cette panique nous étions au-dehors du stade et puis quelques heures après dans cette salle de la morgue de l'hôpital où tu étais allongé comme un mort, à côté des gens qui étaient là, eux aussi allongés comme des morts, comme s'ils étaient vraiment abandonnés par la vie et morts comme dans les images vues et revues à la télévision, comme les cada-

vres au journal télévisé, qui imitent si bien les morts hollywoo-
diens dans les postures de cadavre, avec leurs visages de ce
blanc de cadavre, ou noir, boursouflé. La nuit, et les cris d'un
match que nous ne verrons jamais. Faut-il que je croie ce que
je vois, ce que j'ai vu ? Non. Non. Certainement pas. Non.
Plutôt croire que les Russes ont balancé la bombe ou que les
Martiens, ou que Reagan joue son meilleur rôle, plutôt croire
que je ne suis jamais née et que toi non plus tu n'existes pas ;
ma mère est une jeune fille qui lit des magazines pour jeunes
filles et elle rêve qu'un jour à son tour elle aura une fille.

Je ne suis qu'un rêve, je ne suis pas là, je ne suis pas dans ces
toilettes, à Bruxelles, je ne finis pas de sécher mes mains avec
ces lingettes que je jette et qui s'accumulent dans la poubelle
sous le lavabo. Et mon reflet dans le miroir, les pas et les
annonces que j'entends, c'est dehors, dans le couloir, tous ces
gens et cette tension qui n'en finit pas. Tu vas venir. Il faut que
tu viennes. C'est incroyable, j'ai mal encore, dans le dos, dans
les mains, tu ne peux pas être mort, c'est impossible,

Vous étiez là-bas ?

Quoi ? Là-bas ? Moi ? Oui, nous étions là-bas et maintenant
je, j'attends, je ne sais pas.

Francesco,

Cette fille qui reste debout devant le lavabo, à côté de celui
où je me tiens le dos cassé, les bras et les jambes tremblantes.
Elle ne dit rien d'autre. Elle se regarde dans la glace et accomplit les mêmes gestes que moi – enfin, c'est-à-dire, les gestes
que moi aussi j'ai accomplis sans faire attention, mécanique-
ment : se pencher pour boire de l'eau, respirer fort et inonder
son visage d'eau et la répandre sur les joues, sur le front, et
puis se laver les mains et attendre que cessent les tremblements
le long des jambes. Je la regarde et lui demande si elle aussi
elle y était. Elle me dit, non, j'ai un ami qui était là-bas, mais

ça va, juste des coups sur la tête, ça a beaucoup saigné, mais il n'a rien, quelques points de sutures, j'ai eu si peur. Et vous ?

Nous.

Francesco, nous, nous étions là-bas et maintenant j'attends qu'on me dise quelque chose de toi. Alors ici, j'attends d'écraser en moi ce qui me tient droite et raide. Et comme je vois la fille qui sort de son sac des affaires pour se maquiller, je lui demande de me prêter sa poudre, son rouge, de quoi noircir les yeux. D'abord, les yeux. Prendre le temps des yeux. Se pencher devant la glace et tenir ferme, ne plus respirer. Je n'ai jamais très bien su me maquiller, mais je crois que c'est parce que je n'aime pas tellement ça ; je porte des jupes et des queues-de-cheval et je ne me maquille presque pas, très rarement. Aujourd'hui, j'avais mis du rouge à lèvres et du rimmel, parce que c'est notre voyage de noces, alors, c'est exceptionnel, mais sinon je me maquille très peu, seulement de temps en temps. Je porte un Perfecto, je n'aime pas la présence des filles et je déteste qu'on m'offre des fleurs, des iris ou des roses, je déteste les iris et les roses mais bordel de merde qu'est-ce que je raconte-là, ma main tremble, la fille me parle et moi je ne réponds pas. J'entends sa voix qui vient vers moi, de loin, elle parle trop vite. Je ne comprends pas le français quand on parle trop vite, je le lui dis. Elle dit qu'elle est d'accord pour parler plus lentement, mais elle continue à parler aussi vite.

Et moi je continue à noircir mes cils avec son rimmel, ma main tremble de plus en plus. Le calmant avait un goût de farine ou d'hostie, et depuis il s'est dilué sous la langue – et j'ai l'impression que c'était il y a déjà longtemps, ça me laisse un goût pâteux dans la bouche, une lourdeur qui colle la langue et la salive mais ne calme plus l'agitation des mains ni le sentiment de panique, dont le reflux, par vagues, s'accompagne de nausées qui me font vaciller. Alors je dois arrêter de

159

me maquiller, m'accrocher au rebord du lavabo et puis attendre un peu, en soufflant. Non. Mon cœur bat si fort maintenant, Francesco. Et puis, quand je tends le rimmel à la fille, elle me regarde et, souriante, sans doute pour me réconforter, elle me dit que c'est bien mieux comme ça. Elle fouille dans son grand sac à main et pendant qu'elle me dit ne jamais rien retrouver, jamais rien ! répète-t-elle, elle sort une brosse pour ses cheveux (ils sont très longs, très épais) et puis, enfin, un poudrier de couleur ocre qu'elle me tend aussitôt. Maintenant j'ouvre le poudrier, et, l'éponge circulaire entre les doigts, je commence le mouvement sur mes joues. Je veux prendre mon temps. Il faut que le geste soit comme une caresse pour que l'éponge tachée de poudre, presque orange, découvre le visage et le dessine, comme si elle l'inventait, qu'elle le sorte d'un improbable magma qui n'attendait que lui, ce geste, cette douceur pour connaître son propre dessin. Et sur mon visage la couleur réveille ma peau, elle invente une fraîcheur qui n'existe pas. Mais l'important, c'est que la pâleur disparaisse et que tout soit possible, que tout soit annulé, que tu viennes, que tu regardes ma peau et la pâleur qui s'efface. La peur s'évanouit, l'expression de douleur disparaît, Francesco, Francesco, ma peau, je sens ma peau sous les gestes, et le sang, et les yeux qui suivent le mouvement. J'entends la fille qui parle encore et bredouille des mots que je ne comprends pas, parce qu'elle fait une grimace à cause du rouge à lèvres qu'elle applique en parlant.

Maintenant elle m'a prêté son rouge à lèvres. Et moi aussi je veux m'appliquer et regarder mes gestes dans la glace, sans faire attention à la lumière trop crue au-dessus de ma tête, sans écouter ce qu'elle dit, cette fille qui reste devant le miroir en attendant que je finisse. Mais je ne veux pas aller vite. Je ne sais pas aller vite. L'envie de pleurer remonte si fort parfois qu'il faut que je me penche très près de la glace, que je fasse bien le geste, avec douceur, de suivre le contour de mes lèvres ; d'abord la forme du V sous le nez et retenir le gras rougeâtre qu'un geste trop fort, une pression trop lourde, maladroite, pourrait écraser et répandre sur la bouche, en petits tas compacts. Il faut faire attention et ne penser qu'à ce travail. Ne rien écouter de ce qui vient à moi, ni les bruits du dehors, dans le couloir, ni ceux des gens qui entrent et sortent des toilettes, comme, non plus, la voix de celle à mes côtés qui me dit la peur qu'elle a eue, et commence à parler de la folie de l'époque et toutes les conneries habituelles ; mais ce qu'il ne faut surtout pas écouter, ce sont mes mains qui tremblent. Il va falloir sortir de l'hôpital et retourner à l'hôtel, seule, et comprendre que tu ne reviendras pas. Il faudra téléphoner chez tes parents et chez ma mère.

Mais non, non, pas trop vite,

pas tout de suite.

D'abord remercier la fille en lui rendant son rouge. Puis respirer fort. Prendre une lingette et la glisser entre les lèvres pour supprimer le surplus de maquillage. Regarder dans la glace et ensuite seulement les traces de rouge sur la lingette blanche qui peluche un peu ; puis la froisser, jeter le bout de papier. Oui, il faut suivre la fille – j'ai entendu la fermeture de son sac, les talons quand elle s'est dirigée vers la porte et cette fois la porte s'ouvre et pour moi aussi il faut sortir et rejoindre le hall de l'hôpital. La fille est devant moi. Tout à coup elle s'arrête et se retourne.

Je peux vous aider ?

Je voudrais sourire encore, mais sourire me fait mal.

On peut peut-être vous déposer quelque part ?

Moi, inerte, je dois entendre ce qu'on me dit. Je dois dire oui, emmenez-moi d'ici, je vais retourner à l'hôtel et puis je vais dormir. Et demain... mais non, non, demain, je ne partirai pas d'ici. Je ne vais pas partir comme ça, pas sans lui, où est-il ? Qu'est-ce qu'on m'a fait signer, la déclaration, quelle déclaration, une déclaration de perte, j'ai perdu l'homme que j'aime comme on perd un trousseau de clés et qu'on ne peut plus rentrer chez soi, c'est ridicule et impossible ou bien c'est pour mes soins à moi, pour mes mains en sang ? Et la police qui est là, dans le hall. Et tous ces gens qui sont là, hagards, ils parlent tous en italien, j'en oublie presque que je ne suis pas en Italie. L'homme en survêtement, assis sur la chaise, le visage tombé dans les mains. Une jeune femme qui joue avec un élastique autour de son poignet, et celle qui mâche un che-wing-gum comme si elle mastiquait une viande trop cuite. Et moi, j'attends que le jeune homme revienne. Il a dit qu'il reviendrait. Devant moi la fille a rejoint l'homme dont elle m'a parlé. Il a un bandeau sur la tête, un pansement et une épingle qui retient la gaze sur le crâne.

Mais... toi,
Francesco.
Et le jeune homme en blouse.

Je ne veux pas partir comme ça, je ne veux pas partir sans toi. Alors je vais me préparer à attendre longtemps. Déjà, je fouille dans mes poches et je sors les cigarettes pour fumer et fumer encore, jusqu'à ce que tu reviennes. Il faudra tenir droite devant la porte de l'hôpital, devant l'entrée, comme ça, et fumer cigarette sur cigarette jusqu'à ce que tu me rejoignes dehors. Qu'on me dise que tu n'es pas mort. Qu'ici c'est un hôpital et pas la morgue. Et non pas écouter cette voix qui me dit que les hôpitaux possèdent leur propre morgue, qu'ici c'est un hôpital militaire – alors, c'est l'envie de vomir qui recommence, les joues et les veines qui explosent, ça fourmille de partout sur mes joues, je veux crier, je sens que je vais crier

162

encore, mais non, ça retombe. J'ai réussi à mordre la lèvre et le gras du rouge, cette texture que je n'aime pas. Dorénavant les larmes tombent sans que j'ai à pleurer. Je me vide par elles de tout ce que j'ai vu, de ton corps, de ton nom, de ces cris et l'on me bouscule encore, des gens qui se retrouvent là, dehors, devant l'entrée, sans comprendre pourquoi ils sont ici. Il y a des pompiers, des gens de la Croix-Rouge.

Moi je suis là, idiote, vide. Je regarde dans le hall et je sais que je guette ta silhouette au bout du couloir, en me disant : tu vas revenir. Tu vas revenir avec le jeune homme aux yeux bleus et nous le remercierons, parce qu'il faudra le remercier vraiment pour sa gentillesse et son attention. Et puis, nous partirons tous les deux, ton bras autour de mon cou. Alors je n'aurai plus mal aux mâchoires comme maintenant, à force de serrer les dents depuis si longtemps. Ma salive ne sera plus épaisse et collante comme de la farine, et nous pourrons enfin partir.

Je sais que c'est dérisoire, mais je veux faire attention, tout compte, il faut être scrupuleux, c'est ce que je me dis : il ne faut pas pleurer pour ne pas salir le visage. Je vais faire attention de retenir ces larmes même si c'est difficile, elles tombent comme les mèches qui reviennent dans les yeux, collantes sur le front humide d'une sueur déjà grasse. J'écrase le mégot sous mon pied. Il faut que je retourne dans le hall, je vais téléphoner en Italie. Il faut que j'appelle chez ma mère. Il faut que j'appelle chez les parents de Francesco. Là-bas, on doit encore trouver des grains de riz entre les marches. Et moi, moi je vais leur annoncer de la voix la plus claire possible que maintenant c'est fini. Il doit rester les papiers des cadeaux repliés et rangés dans le buffet pour resservir à Noël. Je pense à la mère de Francesco, je l'entends qui me hurle dans les oreilles qu'il fallait se marier à l'église et que maintenant, voilà, l'église il faudra y aller, qu'on le veuille ou non. Que nous n'avions pas voulu entrer à l'église pour le mariage et pour Dieu et que Dieu maintenant voulait récupérer ce dont on avait cru pouvoir le priver. Et mon envie de rire en pensant qu'elle dirait ça à son mari, parce que finalement elle n'oserait peut-être pas me le dire en face. Et lui, ne l'écoutant pas, je l'imagine qui relève la tête pour vérifier s'il a bien fini de polir la planche de chêne ou d'érable avec laquelle il doit être en train de confectionner un coffre à jouets pour des petits-enfants qu'il n'aura jamais, en tout cas pas de nous, jamais, et il n'écoutera pas sa femme, je le sais, il regardera les copeaux sur le béton. Le dérisoire des objets, je le sais aussi, ça. Et celui des graines à planter dans notre jardinet. Les objets neufs. Les photos à peine tirées d'un mariage déjà vieux, mort, ruiné.

Et j'imagine dans la chaufferie le papier crépon bleu et rose de l'angelot, gros comme un gamin de cinq ans, qui s'étiole en silence, bancal sur l'armoire où sont rangées les affaires qui traînent là depuis la nuit des temps. Ils vont ressortir les costumes et les cravates. Ils auront des bouffées de pleurs quand, en balayant, ils tomberont sur des grains de riz et qu'ils regretteront de ne pas avoir fait bouillir tout de suite la nappe blanche pour faire disparaître les taches de vin. Et les bouteilles vides qu'ils auront laissées trop longtemps dans le garage, à côté des poubelles et des bicyclettes. Pourquoi je pense à ça ? Pourquoi je vois déjà les affaires qui m'attendent à l'hôtel et que soudain deviennent effrayantes une brosse à dents et une paire de chaussures ? Je ne veux pas me retrouver seule là-bas. Je ne veux pas te laisser seul ici. Non. Je ne veux pas tout ça. Ces gens, ce bruit, et la fille qui revient vers moi,

Ne restez pas dehors, vous êtes glacée, il faut rentrer.

Et ses mains, ses bras autour de mes épaules pour me guider vers le hall, où le jeune homme nous a rejoints. Il me regarde et lui aussi doit baisser les yeux pour parler. Puis il regarde la fille et lui dit que c'est très gentil de sa part. Elle répond que c'est normal. Le jeune homme s'éloigne, il a tenté de me sourire. Alors la fille et l'homme au bandeau me prennent par les bras, ils ne disent rien d'abord – nous sortons de l'hôpital et chaque pas qui m'éloigne de toi m'oblige à l'effort considérable de m'approcher de toi par les images que je me fais. Ils me prennent pas les épaules et par le bras. Ils veulent me dire des choses douces que je n'entends pas, ton absence fait du bruit, le bruit métallique d'un brancard, d'une attache de ceinture autour du brancard, une couverture marron, ce vacarme. Et soudain la portière et eux qui me demandent où il faut aller.

Je ne sais pas.

Si. Dans le centre, l'hôtel Bellevue. J'ai peur. Je voudrais dire que j'ai peur. Je me force à le dire, c'est un effort incroyable, je n'aurais jamais cru qu'il faille faire un effort pareil, mais personne ne m'entend. C'est comme de se faire piétiner le cœur quand j'entends le nom de cet hôtel, quelque chose de terrifiant, l'espace des fleurs rouges sur les murs et dans la salle de bains la trousse défaite – comme si on n'avait rien fait de plus insurmontable que l'existence de deux brosses à dents et d'un gobelet en plastique, rien de plus cruel que le néon et la robinetterie d'une salle de bains.

Encore cette exaspération et le briquet qui slalome entre les doigts courts et trapus de Tonino. Le briquet que Tonino regarde quand les ongles et les doigts arrêtent de tapoter sur la table, ou bien de compter une nouvelle fois les secondes de

165

silence et d'impatience. Ce sont bientôt des minutes entières qui passent sans rien dire. Lui qui avait lancé en l'air je ne sais quelle proposition de parole, eh bien non, il se tait. Sa tête oscille, alternativement penchée sur les doigts entre lesquels danse le briquet, et puis soudain, redressée, vive, dès qu'un bruit survient du dehors, elle regarde de l'autre côté de la salle, derrière l'épaule de Gabriel, vers la rue.

Et moi, je ne dis rien. Je regarde Tonino et Gabriel, l'un en face de l'autre. Tonino regarde, sur le briquet, l'image de la vahiné entre ses doigts. D'un côté on voit la fille de dos, mais surtout son déhanchement et le monokini orange, puis, accessoirement, qu'elle regarde l'atoll à l'ombre des palmiers, les bras écartés et relevés haut, les mains dans l'épaisse chevelure noire tandis que sur l'autre face elle montre ses seins nus, le visage relevé, la bouche entrouverte et les yeux mi-clos. Tonino regarde les deux images successivement, amusé peut-être, surpris en tout cas, comme si le briquet était le corps de la fille. Alors il s'imagine sans doute qu'elle danse autour de lui, mais, en attendant, ce sont ses doigts à lui qui font passer au-dessus et au-dessous la vahiné et les palmiers, comme un bâton de majorette, pendant que Gabriel se rapproche de la table. Les pieds en Inox grincent contre le carrelage gris sale, au moment où d'un mouvement sec, brutal, il tire la chaise vers la table en se soulevant et en se rasseyant bruyamment, manquant de renverser le verre devant lui, qu'il rattrape sans regarder, d'un geste trop nerveux et sans douceur, exécuté par pur réflexe. Et cette façon de poser les mains sur la table comme de dégainer ou de vider son sac, ou de dire à Tonino, en bon joueur de poker, oui, allons ! maintenant il faut jouer cartes sur table.

Mais sur la table c'est seulement le grabuge et le désordre familiers d'un repas, avec ses reliquats de miettes et de serviettes en papier déchirées, des taches de vin et de bière. Et toujours les rires qui viennent de l'autre salle, celle du fond. Des voix lourdes et rieuses comme nos voix à nous sont pâles et effacées, presque insignifiantes ; nous, ceux qui n'ont peut-être rien à dire : Virginie, Adrienne, Benoît et moi qui restons là à, disons, *papoter*, pour tenir le coup et supporter d'entendre ce qui se passe autour de nous, c'est-à-dire le silence qui écrase notre tablée mais aussi cette crainte du moment où le premier mot va venir, l'un de ces mots qui ne sont pas de grossiers cache-misère comme ceux que nous employons si lâchement, ici, pour supporter d'attendre ce qui tourne autour de nous, ou au-dessus, pas très loin, dans l'atmosphère enfumée des cigarettes et sous l'œil jaune des néons – mais ça va surgir, c'est sûr, tôt ou tard, puisque quelque chose, une parole, des phrases – des insultes ? – le devait déjà, dès que Tonino avait proposé à Gabriel de parler.

Le serveur débarrasse la table. Et pendant qu'il prend nos assiettes et retire la panière en osier, pendant que ses bras se chargent d'assiettes sales, de couverts, et qu'il continue ainsi son travail, indifférent à nos mains accrochées aux cigarettes ou aux yeux qui suivent les volutes de fumée jusqu'au-dessus des têtes, il faut voir et entendre Gabriel, parce que c'est lui qui commence à parler et à dire comment ils étaient rentrés chez eux la veille, Virginie et lui, comment ils avaient constaté la disparition des billets.

Entre nous tous, ce vide si soudain ; ce silence et les mains du serveur qui dansent encore entre nous. Ce bruit des assiettes, indifférent à la voix de Gabriel qui se met à monter et à prendre une assurance qu'elle n'avait pas au début, au contraire, puisqu'elle était presque étouffée au moment où Tonino avait dit qu'il fallait parler, sans qu'il ait songé à préciser de quoi, lui, il voulait parler. Et moi, à côté de Tonino, j'ai regardé ses mains et le jeu qu'elles avaient entrepris avec

167

le briquet, dès que Gabriel a dit les premiers mots. Et maintenant je vois comment Tonino ne soutient pas ce regard, il penche la tête sur le briquet et continue à jouer avec lui en le faisant passer entre ses doigts. Il s'interrompt parfois, le temps d'allumer une cigarette ou même pour rien, par petits coups secs, quand il fait rouler la molette en glissant le doigt dessus et en la frottant lentement, puis en accélérant jusqu'à ce qu'une flamme se produise. Je regarde ça et ce que je vois d'abord, c'est le revers de sa main tourné et retourné pendant qu'il tripote ce briquet qui semble n'appartenir à personne, peut-être oublié sur la table par quelqu'un qui était là avant nous. Et Gabriel face à lui, retournant l'idée que Tonino avait bien dû s'apercevoir que le numéro de téléphone n'était plus écrit sur sa main. Mais peut-être Tonino imagine-t-il que c'est normal que l'encre soit effacée, après tout ce qui s'est passé ? Ou peut-être qu'au contraire, il a eu conscience de tout, il a vu, il n'était pas évanoui au moment où Gabriel avait cru qu'il pouvait effacer l'encre sur sa peau ?

Je fais semblant de rire à n'importe quelle blague que j'improvise. Comme hier soir. Des blagues pour se changer les idées, incapables de laminer cette tension ressentie par tous, non, on ne peut pas, on ne va pas rester comme ça. Il faut dire quelque chose. On ne peut pas continuer avec Adrienne et Benoît qui regardent du côté de Tonino comme si c'était lui qui allait crever l'abcès, l'histoire des billets. Virginie a rougi en regardant fixement Gabriel quand celui-ci a commencé à raconter le retour chez eux – elle est à côté de moi, sur ma gauche, je la sens qui s'agite ; elle s'impatiente et tire sur sa cigarette avec un tel acharnement, elle respire vite et fort, elle boit beaucoup aussi, par petites gorgées, un vin rouge pas fameux dont la couleur presque grenat tache les langues et les dents, le rebord des lèvres. Et je revois l'image de Gabriel devant le stade – il s'acharne et trouve le moyen de penser à faire ça, ce geste-là, patient, méticuleux, de s'acharner sur le revers de la main de Tonino, comme si la terre avait pu lui glisser sous les pieds. Comme si la seule chose à faire c'était d'effacer ce numéro et non de s'affoler encore de ce qui venait de se produire autour de lui. Sa voix raconte le retour du bar et ne fait allusion à rien qu'à la stupeur d'avoir perdu les billets. Il parle vite. Il décrit les cheveux mouillés de Virginie qui pendent comme des tiges sur ses épaules, le bruit des clés sur le verre de la table basse, rien, pas de billets ; vous imaginez, dit-il, tout ce qui nous est passé par la tête, et la colère qui nous a pris et le reste, faites un effort, je vous dis d'imaginer bon dieu imaginez oui imaginez les mains qui écartent les poches du portefeuille, les papiers, les tickets de métro et les tickets orange de cinéma, le pressing, la colère, il dit, Gabriel, devant notre silence à nous, Tonino et moi d'abord, mais aussi devant le silence des autres, d'Adrienne et Benoît. Et le mutisme de Virginie surtout ; son regard baissé.

Et alors tu aurais préféré y être ? C'est ça ?

La voix de Virginie qui lui lâche tout à coup qu'elle ne veut plus l'entendre parler. On entend les bruits des verres, des bières qu'on nous a resservies. Benoît a recommandé des verres et il voudrait qu'on trinque, dit-il, allez, pour faire la paix, il faut se calmer, il le faut. Et Gabriel se redresse sur sa chaise, il est le premier à prendre sa bière, d'un mouvement vif, le regard planté dans celui de Virginie. Il dit, oui, je sais, je suis fatigué, j'ai tellement eu peur. Et c'est lui le premier qui dit, putain, c'est incroyable ce qui s'est passé.

Incroyable.

Impensable. Inimaginable.

Terrifiant. Monstrueux. Dégueulasse et puis après ce sera au tour d'atroce, d'abominable et les larmes dans les yeux de

Tonino, comme ça, à cause de tout ce qu'on peut dégueuler d'adjectifs qui ne diront jamais rien, puisque les mots sont comme des gamelles creuses dont le fer ne fait résonner que du vide. Rien pour pallier l'effroi qui reste sur les visages et dans les têtes. Tonino avait voulu parler et n'avait rien pu dire. Et c'était quoi, ce à quoi il avait pensé en disant à Gabriel qu'il voulait parler ? Les billets, le numéro de téléphone ? Je ne sais pas. Je sais que Virginie avait regardé Gabriel à ce moment-là.

Sur le briquet, l'image de la fille, c'est une feuille de plastique. Tonino commence à en déchirer le haut, doucement. Il regarde ses doigts travaillant à ce geste de déchirer le haut du plastique et, pendant ce temps, Gabriel continue de parler – cette fois, sa voix est douce et le visage de Virginie est tendu vers lui, vers les mots qu'il va dire. Virginie ne bouge pas et c'est comme dans les romans policiers que ma mère lit le soir, dans son fauteuil vert râpé, une Gitane se consumant dans le cendrier en terre cuite ; je sais qu'il y a là-dedans tout un arsenal de mots pour dire ces choses : des regards de marbre, l'œil noir, les lèvres mordues pour dire ce que je vois, là, quand Virginie semble capable d'interdire ou de censurer tout ce que Gabriel pourrait ou voudrait raconter ou laisser éclater, comme cette colère dans laquelle il aimerait se jeter pour hurler sa jalousie quand celle-ci crie de partout, sa façon de rougir, sa chemise et son col bien repassés, sa chaînette en or et la gourmette autour du poignet trop maigre.

Comment tout ça a-t-il pu arriver ? Hein, vous n'avez rien vu venir ? Mais comment ça se fait que les grilles n'aient pas tenu et puis, quoi, les policiers ? Il n'y avait pas assez de policiers ? Pourtant on disait à la radio qu'il y aurait plus de trois mille policiers dans la ville, et on aurait oublié d'en mettre dans le stade ? C'est ça ? Comment tout ça a-t-il pu arriver et aussi, comment nous avons perdu les billets et vous, oui, vous deux, comment vous avez pu faire pour vous retrouver là-dedans et vous échapper ? Et maintenant être ici, comment est-ce qu'il se peut que nous soyons tous ici, c'est possible ? Dis-moi ? Comment c'est possible, Tonino, puisqu'il est vrai qu'il faut qu'on parle, comme tu dis, tous les deux ?

Maintenant, les mots qu'il dit ne sont pas des mots de colère. Il dit qu'il nous a cherchés dans l'après-midi, aux abords du stade. Qu'il nous a aperçus et que nous marchions près de l'église, sur l'avenue Houba-de-Strooper, avec un couple. Oui, c'est ça. Cette fille. L'Italienne. Blonde, l'élastique rouge dans les cheveux. C'est peut-être – c'est sûrement – la même fille que celle qu'il a vue après, lui aussi, quand quelques heures plus tard, sur le parking ravagé du stade, il a été rejoint par Virginie et qu'il nous a vus. Enfin, qu'il m'a vu, moi, debout et inerte dans l'entrée du tunnel, l'épaule contre le mur de béton pendant qu'on avait déjà couché Tonino, évanoui, sur un brancard. Et il dit, Gabriel, comment il s'était finalement précipité vers Tonino en ne pensant à rien, en n'imaginant rien, mais aussi ne disant pas aux autres, à Virginie, que c'était Tonino qu'il avait reconnu sur le brancard, grâce aux pans de la chemise hawaïenne et à ses motifs très voyants de fleurs colorées. Il n'a pas parlé du dos de la main. Ni du numéro, de ce qu'il a fait tout de suite, sans réfléchir. Il n'a pas parlé de ça et il arrête de parler, alors même que Tonino continue, lentement, du bout des ongles, à déchirer l'image de plastique sur le briquet.

Déjà le haut est nu, blanc. C'est comme si Tonino pelait une orange, que la peau formait autour de sa main un bracelet ou une guirlande. C'est ça. La fille n'a plus de tête, l'image n'a plus ni ciel ni atoll à l'horizon, et se resserre sur le corps amputé de la fille.

Comment ça va ?

Bah... *borracho.*

Oui, comme les Espagnols qu'on voyait dans le bar de la rue de Lille, jusque sur le trottoir, puisque le bar était toujours bondé. Et j'aurais voulu dire à Tonino, allez, viens, partons d'ici, je n'en peux plus, partons. Rentrons. À la gare Bruxelles-Midi il y aura cette odeur de chocolat chaud, tu sais, cette odeur presque écœurante, au sortir de la gare, de cacao et de viennoiseries. Et puis surtout on pourra dormir dans un train. Il fera chaud, nous oublierons tout. Ma douleur dans la nuque qui prend l'épaule et descend tout le long du dos, maintenant, comme si déjà le muscle se tordait et que, peut-être, il crie tout ce que moi je refuse de crier quand je les regarde tous, les uns après les autres, et que je devine ces mots qui circulent, mauvais, qui menacent.

Pas comme les mots que je lis sur les murs des toilettes (il y a aussi cette affiche de la généalogie des rois belges), après que je décide d'y aller, histoire de bouger et de ne pas laisser mes jambes s'engourdir à cause de l'alcool et de la fatigue. Je regarde mes mains et je tremble. J'essaie de revoir ce que j'ai vu, les corps, les hélicos, tous ces gens. J'essaie de les revoir parce que je me dis que tout est faux, que je n'ai pas vu tout ça, que ce n'est pas possible. Voilà, je me regarde dans le miroir et je regarde longtemps l'image de mon visage. Ce visage ; cette fatigue, ma fatigue. Et puis je me dis que le silence est une bonne chose pour tenter de ressaisir des bouts de réalité, quand elle va trop vite. Oui, cette sensation de répit qu'apporte le silence. Mais il faut sortir de ces chiottes humides où l'eau du robinet est trop froide, le torchon trempé et trop lourd de cette eau dont il ne peut plus s'imbiber.

172

Voilà, je sors, les mains encore mouillées que j'essuie comme ça, sans faire attention, sur les poches arrière de mon pantalon. Et j'entends les rires si proches des gens dans l'arrière-salle, cet accent flamand qui me ramène là où je suis, ce soir. J'avance. J'arrive et devant moi la table est vide, il n'y a plus personne. Les chaises sont tirées, les vestes et les blousons sont là, sur les dossiers en Formica gris bleu. Les verres de bière à moitié pleins, les verres de vin aussi et la bouteille, et puis les cigarettes sur la table. Devant la place de Tonino, le briquet est blanc, entièrement, et à côté le plastique est déchiré et chiffonné – j'aperçois ce bleu saturé d'un ciel de carte postale et la peau orangée de la fille, mais fripée, froissée. Et puis, je regarde devant moi les garçons derrière le comptoir ; ils regardent dehors. Alors à mon tour j'entends ce qui se passe, d'abord les larmes, des voix, et enfin, à la porte, Benoît et Adrienne, Virginie et Gabriel. Plus bas, vers le milieu de la rue, alors qu'ils vont rentrer les uns après les autres et que déjà ils ouvrent la porte et reviennent dans la salle, voilà, ils laissent un instant l'espace s'ouvrir derrière eux, je vois alors très nettement la rue avec, au milieu, comme une boule chiffonnée, froissée : le corps de Tana dans les bras de Tonino.

7

Alors imaginez ce que sera le silence à la gare Victoria, tôt le matin dans Londres, avec les têtes basses des premiers supporters quand ils arriveront de Bruxelles, leurs banderoles et les drapeaux repliés, sans aucun chant sur les lèvres mais seulement l'envie de se disperser au plus vite dans le grand hall de la gare, n'ouvrant des yeux endoloris, cernés, que pour tenter d'éviter les micros et les caméras des journalistes.

Et ce train pour Liverpool où, dans chaque wagon, il n'y aura que le silence épais et cotonneux des réveils difficiles. Cette gueule de bois et la mauvaise haleine dans la bouche pour accompagner le balancement du train sur les rails. Mais aussi ce mouvement lénifiant qu'il faudra s'infliger encore, des saccades pour se bercer et ne pas redouter déjà le vacarme à venir, avec la lumière crayeuse, trop blanche, au-dessus de moutons indolents comme des figurines de Noël, envahissant l'espace de la fenêtre. Les prés. Les cottages arrachés aux quadrichromies de calendrier et de prospectus, avant les usines et la brique rouge des cités ouvrières qui apparaîtront presque en contrepoint, pour donner un air de réel à tout ça.

Alors, imaginez Gordon, avec cette façon bien à lui de disparaître et de se dissoudre dans le silence, bouche cousue comme avant toutes les pintes qu'il aurait encore à boire pour retrouver l'usage des mots. Imaginez Gale et Peter Farns retournant timidement vers le port de commerce, peut-être même piteusement, sans se retourner ni parler non plus à personne. Imaginez-les, eux. Et puis tous les autres dans la gare, cherchant à se fondre dans la grisaille, tombant dans les bras qui de femmes ou d'amis, de parents qui viendront sur les quais attendre, et puis vite courir se calfeutrer à l'ombre des rideaux de grand-mère et des posters de vieux navires de commerce. Car il y aura pour nous attendre des mots écrits noirs sur blanc : *les brutes de Liverpool, le bain de sang.* Et chez nous, placardée en lettres grasses sur les murs des marchands de journaux, cette page du *Liverpool Echo* qui nous demandera, à nous, à peine sortis du train, *combien de morts vaut un match de football ?* Sans parler de tous les visages qu'il faudra affronter quand la ville entière refusera de porter un chapeau trop grand pour elle seule.

Alors pour nous accabler la ville balancera dans le vent, toute de silence et de honte. De l'intérieur même de la ville on entendra l'eau de mer fouettant le port. Et, du haut de leurs dômes, les Liver Birds seront prêts à fondre sur nous pour conjurer cette douleur palpable jusque dans l'eau de la Mersey. Cette ville. Notre ville. À laquelle nous ne pourrons rien dire pour nous défendre. Parce qu'il faudra bien essayer de se défendre. Et moi, Geoff, je regarderai mes frères, j'écouterai les voix de Doug et de Hughie dire, putain, évidemment, c'est toujours nous qu'on va accuser alors qu'on sait bien que les jeunes qui ont fait ça n'étaient pas nombreux, ils l'ont dit à la radio.

On l'a entendu, nous aussi on l'a entendu dire, confirmeraient Madge et Faith. Madge et Faith. Toutes les deux unies et dressées comme jamais pour dire que le scandale n'est pas là où l'on croit, à toujours vouloir culpabiliser les gens de Liverpool. Et Faith, son odeur entêtante de patchouli et ses lèvres peintes à grandes couches de brillant, les yeux noyés

175

sous les traits épais de son bleu *évasion*, sa voix si sûre d'elle pour affirmer ce qu'elle dira avoir entendu à la radio, qu'il suffisait de gratter pour se retrouver avec des morceaux de pierre dans les mains. Voilà comment était le sol, dira-t-elle. Et elle prendra fermement la main de Hughie pour bien montrer son soutien et cette façon de résoudre les questions qui pourtant seront tombées, presque innocemment, des lèvres de ma mère ou de celles de mon père après que, tous réunis dans le salon et autour de la table, les sacs à peine posés dans l'entrée, nous commencerons à parler. Des doutes, l'inquiétude peut-être – surtout – dont ils voudront être débarrassés, comme toute la journée on cherche à se débarrasser de l'impression nauséeuse que laisse un mauvais rêve.

Dites-nous que vous n'y êtes pour rien.

Voilà ce que chacun voudra savoir et qu'aucun ne prendra sur lui de demander. Comme si l'on pouvait douter. Bien sûr que non ils n'y sont pour rien. Vous n'y êtes pour rien. On a bien vu à la télé, aux informations de la BBC, diront-ils, les jeunes aux crânes rasés, toujours eux. Des chômeurs. Des voyous. Mais vous, vous n'êtes pas comme ça, vous ne connaissez aucun de ces gens-là. Voilà ce qu'il faudra entendre. Et moi je ne dirai rien. Je regarderai avec fatigue ce pauvre chien qui n'en finit pas de traîner sa vieillesse et ses vieux poils pouilleux, avec, au-dessous, sa peau grisâtre et toute molle, attendant encore de crachoter un à un des éclats d'os mal digérés. Je le regarderai pour penser comme lui ; pour être avec lui ; pour être un chien aussi vieux et rabougri que lui est flasque, afin de regarder les autres tout autour de la table, du plus loin possible, à ras de couverture, avec mes tiques et mes puces pour bestiaire et compagnons. Je verrai du dessous, sur le tapis d'un bleu turquoise lessivé et usé comme le seront ma carcasse et ma bonne humeur, les jambes et les pieds des uns et des autres. J'entendrai les voix et je regarderai les pieds pour deviner les mensonges, quand d'une jambe ils gratteront l'autre, qu'ils feront danser un pied frénétiquement au moment où ils prétendront n'y être pour rien, en marmottant que, d'ailleurs, ils n'étaient pas si proches de là où les choses se sont passées.

Je serai paisible. Parfois, ça s'étouffera dans ma gorge. Et alors je serai obligé de recracher mes croquettes, malgré ce goût poussiéreux de poisson chimique auquel je me serai habitué et que j'aurai fini par aimer. Je serai obligé de fermer mes yeux pour ne pas être obligé d'entendre ni de voir les deux parents en train de s'arranger avec eux-mêmes, histoire de ne pas avoir peur de leurs enfants. Oui. Je pourrai regarder et entendre sans me sentir blêmir, sans avoir à me mentir. Je me sentirai libre et heureux, bien tranquille à hauteur de gamelle et des doigts de pieds noueux de mes parents. Ma couverture vaste comme l'Europe et mon univers peuplé de pâtées, de viandes sans os – parce que je détesterai les os – je pourrai regarder le monde sans avoir à quitter mon territoire ni mon silence. J'aurai tout le temps de regretter de voir s'agiter et mentir Doug et Hughie, quand l'un après l'autre ils prétendront n'être pour rien à cette histoire, en disant qu'eux n'ont jamais connu aucun de ces jeunes aux crânes rasés.

Je regarderai mes parents et mon cœur sera bouleversé. Lui, mastiquant sa dent creuse et passant les mains sur son crâne toutes les cinq secondes, essayant de dire entre deux bouffées de cigarette, oui, j'ai vu à la télé, ils ont parlé de cet Italien vêtu d'une veste verte, qui menaçait les Anglais avec un revolver. Et il insistera sur cette image, soutenant que les Italiens n'ont rien à envier aux Anglais question violence, hein, n'est-ce pas ? Et ses petits yeux ronds et brillants d'un bleu de flamme de gazinière, qui chercheront sur les visages des trois fils de quoi se rassurer pendant que sa femme, la voix aussi fluette que la sienne sera molle et sans conviction, elle, tentera d'accuser la police belge en répétant des détails entendus et lus dans la presse, en accentuant seulement certains aspects. Pour une fois, elle verra ces deux brus la soutenir en hochant la tête comme des petites filles modèles.

Mes parents seront l'un et l'autre comme des enfants qui ne comprennent pas les rites et les conversations d'un groupe d'adolescents, ou, plutôt, comme des vieux un peu pantelants et tremblants, tout gringalets, sur des chaises en rotin qui craquent autant que leurs os ou les idées qu'ils se font pour soutenir un monde qu'ils ne comprennent plus. Et moi je les regarderai avec ce sentiment de partager avec eux la désolation d'une époque qui s'enorgueillit de sa bêtise et de son sens du spectacle. J'aurai la calme commisération qu'éprouve vis à vis de la faiblesse celui qui voit les rouages entraîner dans leurs mouvements des gens qui ne peuvent ou ne savent pas lutter, des gens nus comme des papillons qu'on épingle sur un tableau au-dessus d'un nom savant qu'ils ne servent qu'à illustrer, eux, avec leurs cœurs de chair et de sang, tout leur corps, de leurs yeux mouillés à leurs mains crispées, et les mines effarées derrière lesquelles ils rabâchent quelques idées pour se bricoler une vie.

La fumée des cigarettes mentholées de Faith, les odeurs de vaporisateur dans toute la pièce (parfums mêlés de muguet, de rose et de lilas), tout ça me tournera le cœur. Moins que les enfants de Hughie qui se courront après et auxquels personne ne dira rien – surtout pas leurs parents. Je devrais dire surtout pas Hughie, qui se contentera, tout à l'heure, quand il sera excédé ou qu'il comprendra que Doug l'est plus que lui, de faire ronfler sa voix de mâle pour que Faith s'occupe de ses enfants. Elle le regardera d'un air méprisant, fera comme s'il n'avait rien dit, et lui reprendra une gorgée de bière en raclant sa gorge.

Vous vous rendez compte qu'ils ont joué le match ? Ils ont exhibé la coupe ! Vous vous rendez compte qu'il y avait dans les tribunes tous ces tifosi qui avaient des barres de fer et qui couraient sur la pelouse et menaçaient des gens ; on les a vus à la télé, les images de ces tifosi, vous vous rendez compte ? Et ainsi chacun autour de la table y allant de son petit couplet, avec Ray, le père, plus entêté que les autres à faire comme si rien ne s'était passé, d'abord, puis à ramener tout ça à la sombre histoire d'un match perdu. Et mal perdu, dira-t-il, tout s'est joué sur un coup de pied arrêté et un penalty qui n'a jamais existé, jamais ! – hein, Doug ? Pas vrai ?

Et le fils aîné qui s'enflammera à son tour, suivi de Hughie, tous tellement heureux que les mots reviennent vers le football, vers le penalty imaginaire qui a profité à Turin. Et ils parleront tous en même temps. Les voix se mélangeront les unes aux autres, celles des hommes dominant et écrasant les voix de Madge et de Faith, pourtant pas en reste, ces deux-là, quand il s'agira de crier à ma mère des mots auxquels elle ne répondra rien, puisqu'elle se contentera d'écouter et de rester hébétée, perdue. Mais jusqu'au bout elle écoutera les deux filles qui lui parleront et continueront sans se soucier de ce que parler en même temps produira un bordel où personne n'entendra personne ; sans se soucier non plus de ce que les hommes parleront entre eux, les deux fils aînés et le père, oui, d'un autre scandale, ce penalty sifflé à la cinquante-sixième minute parce qu'on avait décidé que les Italiens devaient gagner... Voilà la vérité ! diront-ils. La vérité c'est que Neal n'a pas commis la faute dans la surface de réparation, mais hors de la surface ! et donc il aurait dû y avoir un coup franc indirect, mais pas ce putain de penalty ! Et leurs voix s'échaufferont. L'assurance

179

en eux reviendra et montera soudain pour dire que tout était truqué, peut-être même joué d'avance contre les Anglais. Toujours le même scénario. Nous n'y sommes pour rien. Et elles, mes deux belles-sœurs, elles seront solidaires comme jamais elles n'ont été et ne le seront plus, pour dire et rappeler encore que ce qui est arrivé ce n'est le fait que d'une dizaine de jeunes aux crânes rasés, mais que, comme toujours, à cause d'eux et de tous ceux qui ne foutent rien, voilà, c'est encore les gens qui travaillent, oui, encore ceux qui doivent se lever tous les matins qui vont en pâtir et qu'on va montrer du doigt... alors que les paresseux et les chômeurs...

Pour moi, ce sera le temps de me répéter encore, une fraction de seconde, que je ne comprends pas pourquoi Hughie s'est marié avec Faith. Je jetterai sur lui un œil presque impassible, seulement étonné de voir et comprendre que toute ma vie je devrai composer avec ce fait extraordinaire d'avoir pour frère cet homme que je ne connais pas. Qu'on nomme Hughie Andrewson et dont je partage le nom, après avoir si longtemps côtoyé la vie. Oui, lui, si soumis dans son enfance à la terreur de son frère aîné. Et aussi bruyant et frustre que sa volonté de plaire et de se soumettre aient été, l'une et l'autre, sans aucune mesure avec sa faiblesse et son admiration pour Doug. Et voir aujourd'hui comment il répondra avec la même soumission, content de son sort et de son impuissance à s'en extraire, presque jubilant quand Faith, en digne successeur de Doug, l'humilie et le raille devant sa propre famille.

Mais bon, puisqu'il aime ça. Puisque ça ne choque personne. Puisque c'est comme ça. Comme il est normal, finalement, pour Doug, d'avoir cette femme si fière de lui qu'elle le suivrait en enfer le sourire aux lèvres. Sans questions. Sans rien. Et même, j'en suis certain, sans amour. Mais avec l'absolue certitude qu'il vaut mieux garder cette habitude de jouer les idiotes pour ne pas avoir un jour à regarder en face sa propre soumission. Pauvre Madge, elle me fait penser à maman. Même silence obstiné, même regard fuyant, même désir de fuir et même obstination à rester près d'un homme qui les effraie. Enfin, c'est ce que je me dis. Parce qu'il y a ça aussi qu'elle défendra toujours Doug, et même quand elle va mentir, bientôt, tout à l'heure, puisque chacun a vu les billets. Aucun de nous ne pourrait prétendre ne pas savoir que nos places étaient bien situées dans le virage où les choses se sont passées. Les événements, puisque c'est comme ça que bientôt il conviendra de parler. Mais pour l'instant c'est le moment de se faire croire que personne ne se souvient de ça – que personne n'aura lu que nos places étaient au bloc Y ; personne pour demander où étaient nos places, puisque tout le monde le savait.

Et elle va bientôt mentir, Madge, pour accuser encore des crânes rasés dont elle dira qu'ils sont forcément londoniens ou, même s'ils sont d'ici, que ce ne sont pas des gens qu'on voit dans les pubs, de ceux dont Doug pourrait avoir fait connaissance, lui, le samedi soir, quand il sort retrouver ses amis et qu'il rentre si tard dans la nuit. Non. Elle ne le dira pas. Comme elle ne dira pas non plus les litres de larmes qu'elle a dû ravaler les premiers samedis où elle avait compris qu'il sortirait sans elle, et que désormais ce serait comme ça tous les samedis soirs. Elle penserait bien que son métier est difficile – là-haut, par n'importe quel temps, sur les échafaudages et les charpentes, avec ces milliers d'échardes plantées dans les mains. Alors, elle aura fini par se dire qu'il est bien normal que son mari sorte sans elle et retrouve ses amis le samedi soir. Normal qu'il rentre soûl et réveille toute la maison à cinq heures du matin. Pas si illogique non plus, qu'à son retour, puant la bière et le tabac froid, il ait besoin de faire l'amour

– si vite, si mal, et de s'endormir sur le flanc comme une bête abattue. Elle ne voudra pas dire de mal de son mari. Ni de ces soirées seul avec ces copains que jamais il ne lui présentera, parce qu'il ne faut pas mélanger les genres. Elle ne dira pas ce qui se passe. Que nous imaginons quand il a bu. Et bien sûr, elle ne parlera pas de ces traces si particulières que porte le corps de Doug.

Sauf qu'elle devrait s'avouer, si elle osait, que le premier soir où l'un et l'autre s'étaient retrouvés nus dans un lit, et qu'au lendemain matin elle avait fait un thé ou un café et que Doug, fumant près de la fenêtre, lui était apparu en jean mais sans tee-shirt, que si elle avait effectivement pu se souvenir de l'avoir trouvé beau, le ventre plat encore malgré la bière qu'il buvait en si grande quantité, et la peau assez bronzée à cause des après-midi sur les toits des pavillons, elle aurait dû aussi se rappeler le tatouage d'un couteau sur l'avant-bras et celui d'une bouteille, certes ; mais portait-il déjà ces blessures, ces balafres et ces marques héritées de batailles de rues, de tessons, de lames, de poings américains ? De ça, je me souviens, parce que je me souviens que j'avais déjà vu Doug torse nu, y compris sur des chantiers. Y compris au début de son mariage. Alors, il faudrait que moi aussi j'avoue ma surprise quand je l'avais vu torse nu dans l'hôtel, à l'improviste – je l'avais vu au moment où il sortait de la douche : et lui alors qui s'était juste contenté de me repousser de la salle d'eau en disant : eh ! la petite fiotte ! dehors ! Et puis il avait ri en me jetant un coup de serviette comme on fait pour faire déguerpir les moustiques ou les mouches. Les fameuses mouches. J'étais resté avec cette image de quelques entailles sur le torse, profondes, des bleus aussi, qu'il avait peut-être pris le soir même, mais pas de balafres si nombreuses, les entailles si profondes, pas les muscles longs et maigres, aussi saillants, presque une image d'écorché.

Alors imaginez ce que sera de se repasser les images et d'entendre exactement le contraire, là, à table, en famille. Imaginez comment ils partiront chacun chez eux, mes frères, ayant retrouvé le sourire et regrettant qu'on en soit arrivé à des choses comme ça – parce que maintenant les matches vont être interdits pour les supporters anglais. Dans toute l'Europe, les Anglais seront interdits à cause d'une histoire qui a mal tourné, diront-ils, mes deux frères, quand moi je resterai interdit, comme on dit rester interdit, stupéfait, bloqué sur place d'entendre Hughie quand il parlera des Italiens qui venaient provoquer sur la pelouse ; et puis des policiers belges et des chevaux et de cette folie et puis enfin du match, encore le match et les Italiens et des trois enfants qui brailleront au sujet d'un jouet en plastique à partager en trois.

Tout le monde restera comme ça dans le couloir, le temps de se dire au revoir au-dessous de la lampe de l'entrée. Doug prendra sa veste suspendue sur le haut de la porte du salon, comme il la pose là depuis toujours, et puis je le regarderai embrassant son père et sa mère – et, comme à chaque fois, je me demanderai comment leur différence de taille est possible, comment Doug doit se pencher sur eux, mes parents, si petits l'un et l'autre à côté de lui. Comment peut-il sortir de son ventre à elle ? Et puis, aussitôt après, je me demanderai : et eux, est-ce que ce n'est pas plus incroyable encore, l'effort que sans rien se dire ils ont à faire, l'un et l'autre, pour se tenir comme ils font devant la vérité ? – la vérité : ce qu'il faut taire, gommer ; ce qu'il faut faire semblant d'oublier pour continuer à vivre sans trop de soucis ni de complications. Ils sauront très bien faire. L'habitude ne manque pas. Oui, ils sauront, j'en suis sûr, puisqu'ils savent depuis le début qui sont leurs enfants et qui est Doug. Celui qui un jour avait jeté des pierres à un vieux clochard ivre mort, jusqu'à ce qu'il tombe sur le trottoir.

C'était mon père qui avait vu la scène et l'avait racontée à ma mère. Moi, après m'être relevé de mon lit d'où je ne trouvais pas le sommeil, je m'étais approché du mur qui jouxtait celui de la chambre de mes parents, et, comme il m'arrivait parfois de le faire pour épier une intimité qui m'inquiétait et me troublait, j'avais collé mon oreille contre le mur – ma bonne vieille méthode de Sioux ! – et j'avais entendu, moi, encore petit garçon, l'une de ces discussions que je cherchais à entendre parce que je savais que pour les parents le lit était le lieu des mots et des récits qui nous étaient interdits. Les mots que mon père avait murmurés à ma mère, ce soir-là, ces mots-là m'ont terrifié parce que, lui, mon père, était resté saisi et bouleversé de ce qu'il avait vu. Comme si son trouble était venu jusqu'à moi à travers la cloison. Qu'il ait été palpable dans la voix de mon père, dans le froissement même des plis de son chuchotement. Il a raconté lorsque le clochard avait été à terre. Doug était arrivé à sa hauteur, a-t-il raconté, et il était resté debout au-dessus du vieux, sans rien dire, se contentant d'approcher toujours plus du vieillard et de se baisser sur lui, le visage près du sien. Mon père disant qu'il avait cru que c'était pour écouter ce que le vieux avait à dire, mais que, non, parce que lui, mon père, lorsqu'il s'était approché et qu'il avait pu voir précisément et entendre ce qui se passait il avait vu ça : mon frère insultant d'une voix douceâtre le clochard, lui disant qu'il puait trop fort. Il avait dit que lorsque ça pue comme le vieux puait, il fallait se boucher le nez, et, se faisant, de son pouce et du majeur il avait pincé le nez du vieux qui essayait de se relever et n'y arrivait pas. Pendant que les yeux du vieux roulaient dans des orbites noirâtres, Doug avait rajouté de cette même voix sucrée qu'il faut se laver quand on pue si fort – et là, mon père avouant qu'il était parti en voyant la scène, qu'il avait rejoint la ville et ne s'était pas attardé du côté des pubs et des entrepôts où la scène se passait, tranquillement, sans personne d'autre que les regards et les cris d'une ou deux mouettes, ne trouvant pas la force de surgir, de frapper son fils, de l'arrêter mais au contraire ayant une seconde eu la sensation de ne pas avoir de fils, pas celui-ci, que ce qui se passait il valait mieux pour lui ne pas le voir, ne pas le dire – mais se taire, il n'avait pas pu complètement, et avait choisi de partager sa douleur avec sa femme. Et donc, il avait vu Doug penché sur le vieux. Les mains du vieux qui essayait de se relever et moulinaient au-dessus du trottoir humide, que ce jour de pluie avait laissé désert. En fin d'après-midi, il avait vu Doug qui pinçait les narines crasseuses du vieux et celui-ci, bientôt condamné à ouvrir la bouche pour respirer et lâcher l'air qui soulevait sa poitrine, ouvrant de plus en plus grand la bouche et l'autre, au-dessus, laissant alors filer de ses lèvres un long et épais paquet d'une salive mousseuse et blanche comme la neige, jusqu'à ce que le vieillard en pleure.

Mais maintenant, non, tout va bien. Au revoir, mes chéris. Rentrez bien. Pourquoi penser à ça ? Pourquoi je penserais à cette histoire si vieille et pourtant toujours aussi étrange, pour moi, pour ce qu'elle m'avait fait comprendre de ce que Doug n'était pas comme un enfant est à ses parents. La découverte. Cette découverte qu'il avait fallu faire de la peur de mon père – oui, de ce jour j'ai compris que la peur était partout chez nous, et que Doug en jouissait sans même vraiment le savoir, mais comme ça, avec une sorte de savoir intuitif qui lui donnait tous les droits, sans même qu'il ait jamais à les réclamer. Je comprenais mes parents et Hughie. Je comprenais ça depuis cette découverte. Mais là, il faudra comprendre autre chose. Il faudra aller plus loin dans l'acceptation, et réprimer cette envie de vomir et de partir en hurlant que je ne suis pas celui qui verra comme ça ses deux frères partir avec leurs femmes et les enfants – faudra-t-il entendre les portières qui claquent et regarder les enfants de Hughie se chamailler à l'arrière pendant que Doug et Madge partiront à leur suite ? Elle, le petit Bill dormant dans ses bras avec la petite bouche rose humidifiant les poils du pull-over angora. Faudra-t-il retenir sa respiration et entendre Pellet s'étrangler sur sa couverture, ou bâiller devant le spectacle de la table et des chaises tirées dans une pièce enfumée ? Et puis quoi ? Voir finalement mes parents aller d'un côté du couloir pour s'enfermer chacun dans une pièce pour ne pas avoir à se regarder ou parler avec moi, pour me demander la vérité ?

Et je devrais rester là, au milieu, dans le couloir ? M'avancer et dire à ma mère, maman, tu sais qu'il y a une tache sur ta chemise à pois ? Et demander à mon père s'il veut de la cannelle avec sa banane écrasée sur une tranche de pain ? Non, il voudra du beurre sur le pain et pas de cannelle. Je le sais déjà. J'entendrai le générique de l'émission sur les animaux d'Afrique, et la voix du commentateur, les cris des animaux de la jungle et ma mère qui allumera une cigarette. Mon père s'installera dans sa chambre et s'allongera sur son lit, jambes croisées, mains dans les poches. Il regardera les masques véni- tiens de ma mère et sûrement il trouvera ça ridicule. Et moi, il faudra que j'aille dans ma chambre et que je pense à Elsie, très vite, très fort, pour imaginer qu'on peut s'enfuir d'ici.

8

Ce rouge et ce noir qui tranchent et donnent au visage de Tana cette rugosité, la dureté d'avoir été taillé au couteau. Et ce visage de Tonino, juste avant que Tana arrive, quand j'ai compris que, ne m'écoutant plus, il s'était mis à regarder dehors, derrière mon épaule. Il s'était figé en attendant d'être sûr et certain que c'était bien elle qu'il voyait dans la rue. Et l'expression de son visage, à ce moment-là, où se durcissaient les traits pour marquer la concentration et le doute. Comme s'il devait planter son regard assez loin au-delà de mon épaule, derrière la porte vitrée, dans la rue, en restant muet quand je lui ai demandé ce qu'il avait, afin de ne plus avoir à se séparer de ce qu'il voyait.

Je me suis retourné sur ma chaise en cessant de parler, parce qu'il ne fallait désormais plus rien attendre. Et c'est là que j'ai vu comment Virginie, après avoir jeté un regard dehors, s'était retournée vers lui, mais à peine, d'un mouvement très bref, aussi rapide peut-être que ce coup d'œil sur moi, juste après (pour vérifier quoi ? que je n'avais rien vu ?), oui, c'est ça, à peine ce temps, une, deux secondes ? Son regard pour se cacher de moi. Et cette douleur, cette brûlure et la rage vite étouffée en moi – non, ce n'est rien, rien du tout, je n'ai rien vu, j'ai cru mais non. Et quand je me suis retourné pour voir ce que Tonino regardait dehors, c'est elle que j'ai vue : Tana. L'image de Tana et du couple avec elle. L'enseigne d'une bijouterie derrière eux, les lettres enlacées auxquelles manquait le premier S pour écrire Osiris.

Tana était entre un homme et une femme. Tous les trois marchaient non pas comme on aurait pu s'attendre à les voir, lents, lourds ou courbés mais au contraire, droits et alertes. Et elle, au milieu, je l'ai reconnue tout de suite, même si pourtant je l'avais à peine aperçue, avec le blouson noir, la jupe rouge et les pois blancs, les cheveux longs coiffés en queue-de-cheval. Ensuite il y a eu le bruit de la chaise de Tonino quand il a bondi, d'un seul mouvement, sans réfléchir, avec ce bruit du caoutchouc sur le carrelage, ce bruit des pieds qui vibraient et lui qui s'était levé d'un bond et n'avait attendu personne, pas même Jeff qui était aux toilettes. Et puis, tous nous nous sommes levés, hésitant d'abord, en nous demandant bien pourquoi nous serions sortis – et moi : pour quoi, pour qui, quelle attente j'avais de ça ? Adrienne me regardait mais ce n'est pas à moi qu'elle a dit d'attendre avant de se lever, non, c'est à Benoît que sa voix a ordonné d'attendre, disant, hé ! tu ne peux pas les laisser deux minutes ? Ils ne vont pas s'envoler ! Ça ne te regarde pas. Ou quelque chose de ces mots-là, qui s'adressaient à moi.

Dehors : l'image d'eux, au milieu de la rue éclairée par la lumière du bar-restaurant où nous sommes ; et les deux autres qui l'ont accompagnée, le couple, l'homme avec un bandeau sur la tête. Maintenant ils tendent les mains vers elle. Ils s'en vont et elle se retourne à peine vers eux, comme si elle ne comprenait pas leur présence. Et en rentrant, en revenant à l'intérieur, c'est Jeff que je vois venir vers moi. Il regarde dehors et ne bouge pas, attendant que je lui dise qu'elle est là, dehors, que Tonino est avec elle et que tous les deux parlent comme ils le font, en italien. Elle pleure peut-être, en tout cas elle s'agite et on entend très nettement les hoquets de sa voix qui se brise, jusqu'à l'intérieur du bar. D'ici, on voit la scène et les mains de Tana qui s'affolent au-devant d'elle. Car cette fois elle ne tient plus dans les bras de Tonino, où elle s'était réfugiée tout de suite après que, surprise, incrédule, elle l'avait vu jaillir du bar et lancer vers elle ce prénom – le sien – que tout d'abord elle avait semblé ne pas reconnaître et chercher loin en elle, comme le visage oublié d'une personne qu'on retrouve des années plus tard, et dont le nom ne revient à la mémoire qu'au fur et à mesure, par bribes.

Jeff voudrait sortir et les rejoindre mais je lui dis d'attendre, peut-être que ça vaut mieux. Ce regard de Jeff, comme si pour la première fois il me voyait. Comme s'il acceptait seulement maintenant que je parle. Mais nous restons là, encore, et avec nous Adrienne et Benoît, que j'ai vu prendre Adrienne par la taille alors qu'il cache cette relation parce qu'il en a honte, puisqu'à chaque fois il s'en défend devant ses amis, pendant qu'Adrienne leur téléphone pour dénoncer son hypocrisie et cette humiliation qu'elle dit supporter parce qu'il le faut bien. J'ai vu ce geste qu'il a fait. Cette main autour de la taille d'Adrienne et la tête qu'elle a relevée vers lui, ce moment où elle a souri, les yeux ravis, pleins d'étonnement.

Et aussitôt après je les vois, ils sont là, devant nous : Tana, Tonino. Et la voix de la fille quand ils franchissent la porte du bar, qu'ils entrent dans la salle. Elle parle sans nous voir. Elle ne voit pas Jeff non plus. Pourtant il est juste devant elle ; nous l'avons laissée passer et puis nous nous sommes tous écartés en retournant vers la table. J'ai repris une cigarette et, à son regard à elle, j'ai compris qu'elle n'a pas reconnu Jeff. Il reste un instant planté là, les jambes fichées au sol. Et c'est comme si elle ne le voyait pas quand pourtant il s'approche d'elle et l'embrasse, comme si elle n'entendait pas Tonino nous présenter les uns après les autres, et que son regard à elle reste droit et fixe, l'œil obstinément cloué au fond de la tête, cherchant à se fixer sur quelque chose mais n'y parvenant pas. Et nous qui voudrions qu'elle s'assoie, qu'elle se calme – on la voit tremblante, le maquillage trop lourd, cette pâleur sous la poudre –, parce que ses mains, son visage, tout tremble en elle. Tana regarde Tonino parce qu'elle ne peut pas rester sans le regarder, comme si elle ne tenait en vie que par ce regard sur Tonino. Et sa main tremble, la cigarette au bout de ses doigts comme des tiges prêtes à casser à force de se tordre autour de la cigarette, a-t-elle faim, soif ? Que pouvons-nous faire pour elle ? Tana, elle qui sans même faire attention à son geste retire l'élastique dans les cheveux et les laisse tomber sur ses épaules, puis laisse à nouveau les mains frénétiques courir sur le visage, sur le front, ramenant des mèches en arrière, qui ont remonté sur le front, collant à la sueur.

Et puis ce geste nerveux qu'elle continue alors qu'elle n'a plus de cheveux sur le front et qu'ils sont bien ramenés en arrière. Mais elle continue d'une main ce geste-là, et de l'autre, elle fume, elle tire sur sa cigarette et puis, par petites bouffées, laisse échapper des sanglots – non, elle ne veut pas manger, elle ne veut pas rester ici, elle veut sortir. Boire un verre, oui, peut-être, du vin. Le serveur se précipite pour lui servir un verre de vin et elle le boit d'un trait, sans se rendre vraiment compte ni de ce qu'elle fait ni de ce qu'elle dit, parlant en français mais sanglotant et jurant en italien, quand la voix se brise et qu'elle dit qu'elle veut retourner à l'hôpital, qu'elle doit s'accrocher pour essayer de comprendre et de refaire le chemin, la chronologie inversée de tout ce qui s'est passé. Et elle se bat comme ça dans le vide, sans voir personne quand elle parle avec les yeux qui fixent la table. Elle ment quand elle dit qu'elle n'a pas peur. Elle dit qu'elle ne peut pas imaginer rentrer toute seule à l'hôtel, que c'est impossible d'imaginer ce geste de prendre la clé et monter jusqu'au troisième étage avant de tourner sur la droite pour aller au fond de ce couloir, mettre la clé dans la serrure, ouvrir la porte et se retrouver dans cette chambre où elle trouvera, sur le lit, le sac de vêtements à peine défait et sur la tablette, à côté, une bouteille d'eau et la plaquette rose de pilules. Puis, dans la salle de bains il y aura la trousse de toilette, les brosses à dents, la mousse à raser et une lame usagée. Elle rit d'un rire convulsif et son rire est comme un cri lorsqu'elle dit que c'est impossible d'imaginer que les choses à l'hôtel n'ont pas bougé et sont restées exactement à la même place, qu'elles n'ont pas bougé d'un iota, pas d'un millimètre, à peine effleurées par la poussière dans l'air de la chambre.

Et son rire est pire encore que les larmes qu'il veut recouvrir. C'est à peine si les discussions et les rires de l'arrière-salle arrivent jusqu'à nous – comme s'ils pouvaient s'étendre et se répandre à l'infini, tranquillement, sans que jamais plus aucun des sons ne viennent nous sortir de notre isolement et nous ramener dans leur orbite. Mais elle rit. Oui, c'est ça, elle rit maintenant, d'être ici, d'être seule avec nous. Ça la fait rire, dit-elle, de n'avoir toujours pas appelé en Italie. Elle imagine la tête que les gens vont faire dans sa famille, mais surtout la tête outrée et furibarde de la mère de Francesco, ah, oui ! surtout la mère de Francesco, quand elle va apprendre que,

parce qu'il va falloir lui dire que,

reconnaître que,

alors non, elle dit que c'est impossible pour elle d'appeler maintenant, parce qu'il fallait d'abord commencer par rassembler ses idées et se concentrer mais que c'était impossible, à cause du tranquillisant qu'on lui avait donné à l'hôpital. Et elle dit, en pouffant de rire et en pleurant, agitant les mains devant les yeux qui cillent trop vite, que là, tout de suite, si on devait lui dire de raconter, bof, ce ne serait pas très intéressant ; elle dirait qu'elle se souvient des ballons de baudruche qui flottent au-dessus du stade, de la lune en plein après-midi et des cravates noires des cavaliers avec les hennissements des chevaux et les journaux qui volent au-dessus des têtes et des cris. Mais aussi il faudrait parler de l'image de l'élastique rouge quand elle l'a vu par terre. Et le sol très près d'elle. La sensation des corps. Mais sinon, elle ne revoit rien, dit-elle en riant si fort, presque s'excusant, haussant les épaules pour dire qu'elle est désolée ; mais vraiment, il n'y a que des cravates noires et des casques, peut-être les dossards des photographes. Et puis ce souvenir que les haut-parleurs demandaient aux gens de regagner leur place et qu'on lui demandait à elle de regagner sa place. Parce que, dit-elle, oui, ma place. Je ne sais plus. Comment je me suis retrouvée à l'hôpital, c'est très vague. Et puis le corps meurtri de Francesco. Pas son visage. Non. Seulement cette couverture marron, ce bruit de fer des brancards, c'est tout.

Et le sourire, la gentillesse des gens qui l'ont ramenée jusqu'ici, voilà ce dont elle peut encore parler. Les mots s'enchevêtrent, et, si elle regarde tout le monde, s'il semble qu'elle nous regarde les uns après les autres, on sait qu'elle ne nous voit pas, qu'elle n'aperçoit que des silhouettes. Si la voix de Tonino va jusqu'à elle, c'est seulement que Tonino lui parle en italien ; et leurs rires se confondent, étanches à tout réel. Elle répète qu'elle se souvient de Jeff, debout au fond (à ce moment-là, elle semble enfin le reconnaître, elle le regarde), peut-être des Anglais, et de Tonino hurlant qu'il va les tuer. Et puis plus rien, dit-elle. Cette fois elle a du mal à respirer, elle blêmit encore, le souffle court, elle halète, la langue sur les lèvres cherche à humidifier la bouche et c'est entre les lèvres qu'elle parle des Anglais et des hooligans, des chiens qui reniflent près d'elle, des chiens policiers, du voyage qu'ils ont à faire, Francesco et elle, et des tableaux de Rembrandt qu'elle rêve de voir depuis des années, peut-être plus encore que ceux de Van Gogh, les tramways, les canaux et les ciels lourds, mais aussi voir Ostende, dit-elle. C'est juste un murmure qui sort de sa bouche : oui, ce que je voudrais, c'est aller voir Ostende.

Et nous nous restons là, ne sachant que faire, s'il faut s'asseoir encore et attendre. Alors je me mets à parler d'Ostende et de la couleur de la mer. Je parle de ça, mais je n'écoute pas ce que je dis. Je la regarde et elle regarde Tonino. Elle a ce geste de tendre la main vers l'arcade de Tonino, à l'endroit où de sa blessure ne reste qu'une croûte de sang, une petite marque rougeâtre, presque brune déjà, que ne recouvre pas le petit pansement blanc. Non, Tonino n'a presque plus mal. Il dit qu'il va avoir un bleu, que ce n'est rien, une douleur comme quand enfant on lui mettait une pièce de cinq francs sur la bosse qu'il se faisait sur le front, et puis un pansement pour tenir la pièce. Il rit en disant ça, ce souvenir des doigts qui retiennent la pièce sur le front, avec l'espoir secret de la garder quand il faudra l'enlever. Elle a ri avec lui, et puis en le regardant, elle voit les pans de sa chemise, déchirés, maculés. Son visage se fige encore plus. Du rire qu'elle avait sur son visage trop dur, trop blanc, ne reste plus que ce masque sur un visage laiteux. Et ce silence que Virginie veut rompre, m'interpellant : Gabriel, on n'est pas loin de l'appartement, on va aller chez nous et tu vas donner une chemise propre à Tonino, dis, qu'est-ce que tu en dis ? Et moi, oui, bien sûr, et puis vous pourrez vous doucher si vous voulez, et peut-être vous détendre un peu.

Dans la nuit, c'est peut-être le froid qui nous pousse à marcher vite, je ne sais pas. Virginie est devant, c'est elle qui ouvre la marche. Elle a passé son bras autour des épaules de Tana, et je regarde cette main avec laquelle elle lui caresse et frictionne le dos et les cheveux. Elles ne se parlent pas. Elles marchent. On entend les pas et les talons qui résonnent sur les pavés. La nuit, tout autour, avec sa pâleur gris pâle ou bleutée. Peut-être que tout ça n'est pas possible. Que c'est la fatigue et que depuis deux jours il ne s'est rien passé – mais alors cette douleur dans la chaussure et cette violence qui remonte, quand je vois devant moi Virginie qui soutient Tana et parfois se retourne et cherche derrière elle, très vite, un regard. Ce n'est pas le mien que Virginie cherche, non, c'est celui de Tonino. Et moi, j'entends Jeff qui parle avec Benoît et Adrienne. Ils sont tous les trois un peu en retrait, derrière Tonino. Avec toujours ce regard de Virginie que je capte parfois, et qui rebondit jusqu'au cœur.

Francesco, tout cet espace et ces gens autour de moi. Ça me paraît si vaste, Francesco, puisque tu n'es pas là pour être cette ligne d'horizon vers laquelle tout entière je tends, même devant eux, parlant avec eux de ce que je ne comprends pas. Ce qu'on me dit, ce que j'entends et qui paraît tellement loin que l'effort pour entendre et voir se dilue dans la grisaille de la nuit – visages, voix, et même cette douleur que j'avais dans le dos et dans les mains. Même ça, maintenant, c'est fini. Et la fatigue aussi s'éloigne, qui me laisse vide, insensible.

Ce voyage qui était comme le début de notre vie ensemble, c'était le début de ma vie avec toi et cette fois il faudrait comprendre que tout s'est achevé parce que des types ont foncé sur nous et qu'il y a eu cette grille et les corps broyés, se dire que ça ne tenait qu'à un grillage et un mur de béton et notre vie écrabouillée, nos poumons éclatés, et avec nos corps tous les espoirs, les attentes ; se dire que tout est déjà avorté et que je n'aurai pas d'enfant de toi, jamais, que nous ne vivrons plus ensemble et ma vie, pourtant, ma vie, quand nous nous sommes mariés, c'était comme si elle en était seulement à son début.

Je n'ai plus mal comme tout à l'heure, je vois tout, je sens tout. La main de la fille qui me caresse le dos et le cou pour me détendre et me réconforter, croit-elle, de cette tension qui me tient raide et poreuse à l'air presque froid. Mais peut-être qu'il ne fait pas froid ? C'est comme si mes os devenaient creux, le vent souffle au travers, on dirait du bambou. À quoi je ressemble quand le fait même de respirer me paraît extraordinaire et si horrible, de savoir que tu n'es pas là et que pour moi tout fonctionne comme avant et que l'air entre et sort de mes poumons et de ma bouche, je respire comme avant, à peine plus vite, en suffoquant, non, même pas, à peine, peut-être qu'un essoufflement viendra enfin me libérer. C'est comme si je te trompais, là, simplement en respirant et en ouvrant les yeux devant moi ; la rue s'étale ; je respire et je suis avec des gens dans la rue ; on me parle ; je réponds et pourtant ce qui est vrai, ce dont je ne reviens pas c'est que toi,

toi tu n'es pas là.

Je t'ai laissé quelque part dans la ville et tu m'as laissée quelque part, là, dans la nuit. Nous sommes si loin l'un de l'autre, comment est-ce possible de rester si loin l'un de l'autre pendant un voyage de noces, dis, à quoi dois-je penser ? Que dois-je dire à cette voix que j'entends en moi et qui pleure, d'entendre mon souffle hésiter et tâtonner puis se reprendre, encore, toujours, sans avoir le courage ni la décence de faire silence, oui, une minute de silence. Mon souffle qui n'a même

pas la décence de s'étouffer de lui-même, de son obstination
à continuer et qui continue, inspirer, expirer, inspirer, expirer
en se moquant pas mal de savoir pour qui je pourrais m'étouffer et sangloter. Et vouloir avec rage faire taire cette machine,
inspirer, expirer, et les soubresauts, les frissons des muscles et
des nerfs, et moi là-dedans, tout à coup, inspirer, expirer, ce
corps qui est le mien et devient étranger, oui, je le vois comme
s'il n'était pas moi, ou alors je me sens comme une noyée
au-dedans, perdue, noyée,

aspirée,

si j'ai mal dans la poitrine c'est que la douleur de t'attendre
est plus forte que l'air que je respire, oh oui, Francesco, si mal
que le mal se dissout dans l'impossibilité de le dire, quand on
me demande si j'ai mal quelque part, puisqu'il semble que mes
épaules se creusent, que mon torse se plie. De l'extérieur on
doit voir que mon corps se rabougrit, que je me rétrécis ou
que je vieillis ou que je m'use si vite de cet air vide de toi.
Mais non. Je vois tout très bien. Tellement bien que c'est à
peine croyable pour moi de voir cette porte que la fille ouvre
avec la clé qu'elle a prise dans son sac à main. Je vois tout,
j'entends absolument tout : le bruit des doigts qui fouillent
dans le sac, les clés, le geste vers la serrure.

Et puis il y a ce couple, avec la fille qui nous dit qu'ils ne
vont pas monter avec nous. Ils vont nous laisser, dit-elle, parce
qu'ils doivent reprendre le travail le lendemain – et moi, ahurie
par ce que j'entends, qui avais oublié que c'était possible, ça,
de continuer à aller travailler alors que moi j'étais en vacances
ici. Et même, déjà en venant, tu sais bien, Francesco, cet
étonnement que nous avions eu dans le train, en voyant que
certains prenaient le train pour aller travailler et non comme
nous pour aller en vacances, avec les sourires et les yeux grands
ouverts et si loin, comme nous les avions tous les deux, nous,

en montant dans le compartiment qui nous a emmenés – et dans ma main je revois les billets et nos changements jusqu'à Amsterdam. Les dépliants des hôtels. Les guides touristiques et les croix au crayon devant les rubriques des choses incontournables. Les programmes qu'on avait préparés ensemble, avec les conseils des uns et des autres. Et cette idée impossible pour nous d'être les seuls à vivre ce bonheur-là d'un voyage de noces pendant une période où les vacances n'avaient commencé pour personne, chez nous.

Ne pas penser que ce moment où nous sommes montés dans le train avait été non pas seulement cette lune de miel que nous n'avions pas espérée, mais autre chose, disons, pour moi, quelque chose comme le début de cette vie que j'avais rêvée cent fois, comme depuis toujours j'avais rêvé de ce jour qui viendrait de partir avec l'homme que j'aurais choisi d'épouser. Oui, pourquoi ne pas le dire, même si c'est ridicule, grotesque, l'homme de mes rêves. Ma robe blanche. La dentelle. Les étoiles de mer et les paillettes dans des cheveux longs et bouclés. L'homme en smoking en Ken et moi en Barbie précieuse et poudrée : tout ça dont j'avais rêvé en suçotant mon pouce de petite fille, la nuit, dans cette chambre si obscure et humide au coin de la minuscule maison grise que nous habitions à l'époque. Elle était si terne malgré les persiennes vert pomme, notre maison, au-dessus du garage de l'oncle qui faisait ronfler les moteurs des Alfa Roméo et des Jaguar pour épater les filles Catalina, qui restaient des heures sur le muret en face, cigarette aux lèvres, les cheveux en pétard et le rouge vermillon aux ongles, qui m'impressionnaient beaucoup, sans même parler de la radio où elles écoutaient des chansons d'amour et les tubes qui passaient en boucle ; l'oncle faisait ronfler les moteurs des belles voitures, mais aussi des petites autos ridicules et grises comme était grise ma chambre, malgré les

197

affiches de chanteurs sur les murs, dont les couleurs acidulées étaient tout humides et noircies à cause des gaz d'échappement qui montaient par l'escalier, en vociférant, en gloussant. Alors on avait du mal à respirer et les vêtements étaient gras, souvent enduits d'une sorte de suie et d'une odeur écœurante d'huile de vidange. Et moi, je respire ici en pensant à cette petite idiote que j'étais et qui rêvait de son prince charmant quand on lui offrait à Noël des ménagères complètes, avec le fer à repasser en plastique fuchsia et sa table et le tablier ; et puis toutes ces saloperies qui me faisaient rêver de subir comme ma mère et maintenant non,

Francesco,

Francesco, j'enrage contre ce sort qu'on nous fait, cette violence qu'il faut se faire à soi-même pour commencer à tenir debout. Leurs histoires de mariage-comme-il-faut et ta mère qui va hurler et dire que je suis une salope ou une garce parce que nous avons refusé avec le mariage et Dieu et les chérubins. Voilà ce qui arrive, pensera-t-elle, trop heureuse de crier plutôt que de me prendre dans ses bras comme si j'étais sa fille. Mais non, elle ne fera même pas ça. Elle se contentera de harceler ton père dans son garage, pendant qu'il tripotera des planches ou qu'il comptera les copeaux de bois ou la limaille de fer sur l'établi. Mais toi, Francesco, tu ne seras pas là, et maintenant je suis seule dans cet escalier où il faut monter, et voir cette fille devant moi, entendre ce qu'ils disent, Gabriel et elle, du couple qui vient de partir.

Et quand j'entre dans l'appartement, juste après la fille, c'est là, à portée de main, disponible : le téléphone. Il est devant la porte, à côté du grand portemanteau, sur une petite table bondée de cahiers et d'annuaires. Je préfère garder mon Perfecto sur moi. Je ne veux pas l'enlever, parce que je veux être prête à partir. Et puis je ne veux ni me mettre à l'aise ni retirer mon blouson ou pourquoi pas prendre du temps et m'installer tranquillement dans le canapé, pendant que quelqu'un mettra de la musique, avant de me demander si c'est la première fois que je viens en Belgique. C'est ça ?

Ça non, non,

je ne me mettrai pas à l'aise car je ne suis pas à l'aise, je ne veux pas être à l'aise. Mais je pense au téléphone. Je me dis que je ne vais pas demander si je peux appeler, alors que c'est ce que je devrais faire, appeler en Italie. Appeler et leur dire, à tous, ce qui s'est passé. Ils doivent s'inquiéter, maman est toujours inquiète alors là, je l'imagine, qu'est-ce qu'elle doit dire, ils auront vu à la télévision et bien sûr, ils se diront qu'après tout, sur soixante mille personnes, il y a peu de risque que ça nous soit tombé dessus, n'est-ce pas, dis, Francesco ?

Francesco,

si peu de risques, oh oui si peu sur soixante mille personnes que ça nous arrive à nous – ça ne pouvait pas nous arriver, pas à nous, ici, ce soir. Toi qui m'as laissée seule et moi qui regarde l'appartement des gens, de ces deux-là ; le canapé-lit sur lequel je suis assise, le parquet peint en blanc et la lampe halogène qui bourdonne et fume comme si des mouches étaient en train de rôtir au-dessus de la grille de protection. Et les murs bleu pâle, le buffet sombre et la table ronde au milieu de la pièce. Puis la table basse en face de moi, avec son plateau en verre fumé. Et eux qui s'agitent. Il y a un vieux chauffage au fuel qui ressemble à celui qu'on avait dans le salon, au-dessus de chez l'oncle, et qui doit bien prendre un tiers de la pièce, avec ce tuyau énorme qui s'enfonce dans le mur et doit faire un vacarme du diable quand il marche. Mais là il fait bon, pas besoin de chauffage. Pas besoin de musique, pas besoin de café, non, juste un verre d'eau. Et puis si, un café, puisque les autres veulent un café. Virginie va dans la cuisine qui est juste face à l'entrée, derrière la cloison contre laquelle je suis assise. Je l'entends déjà qui remue des choses et les choses vibrent contre le mur et maintenant c'est la cloison qui résonne contre le canapé. Les trois garçons sont passés dans la chambre qui est à côté, sur la gauche. La porte ne tient pas ouverte et s'est refermée toute seule, rabattue sur le chambranle. Et du mince espace qui reste pour qu'elle ne soit pas fermée complètement, j'entends la voix de Gabriel qui distribue des serviettes et une chemise à Tonino. Puis je n'entends presque plus les voix, sans doute qu'elles proviennent désormais de la salle d'eau. Jeff revient avec Gabriel. Dans quelques secondes on entendra de loin l'eau de la douche et ce sera comme pour étouffer le grésillement de l'halogène et de l'eau chauffant dans la casserole, parce que Gabriel s'est mis à expliquer qu'ils n'avaient pas de cafetière mais qu'il fallait d'abord faire bouillir de l'eau, et puis la répandre doucement, très lentement, sur le filtre au-dessus d'une théière bleu marine dont le bec est en forme de trompe d'éléphant. Mais rien de grave, dit-il, c'est du café quand même. Il essaie de détendre l'atmosphère et au contraire nos rires se crispent, si minces, si faux. Et l'étonnement de nos corps qui paraissent plus gros et vrais, plus lourds que dans la rue parce qu'ici le plafond est assez bas et que la pièce n'est pas très grande. Oui, l'impression d'être dans une boîte. Et ton absence qui percute et m'écrase parce que le mot boîte m'a prise à la gorge, Francesco,

   Francesco,

   je n'ai rien à faire ici, avec ces gens qui ne savent pas comment me parler ni quoi dire entre eux. Ils se regardent. Virginie est assise face à moi, de l'autre côté de la table, dos au chauffage. Elle me sourit et m'invite à les rejoindre et à m'asseoir sur une chaise autour de la table. On reste là, comme ça. Au milieu, il y a le sucre dans sa boîte en fer avec des images de gâteaux secs, et puis la théière qui fume à côté d'un cendrier qui va se remplir très vite. Jeff fume et ne dit rien, il regarde sa cigarette. Le couple n'ose pas se regarder. Ça se voit tout de suite, ça, qu'elle évite son regard et que l'un et l'autre attendent que quelqu'un réagisse, qu'il se passe quelque chose. Gabriel dit que des choses comme ça ne devraient pas exister. Qu'on devrait être plus sévère. Et les hooligans, la terreur qui se répand, cette vieille terreur fasciste qui gangrènera l'Europe jusqu'à la fin des temps parce que les nazis gagnent du terrain partout, dit-il, il faut se préparer à des temps difficiles et les voir comme ça dévaster des stades et tuer encore des gens... Et elle qui dit qu'on est sous le choc encore, qu'il faut prendre son temps et essayer de se calmer un peu, de ne pas penser à toutes les images qu'on a vues, on y verra plus clair demain. Oui, demain, demain Francesco, Francesco,

demain est un autre jour, un autre monde, une autre vie ; ma mort dès demain puisqu'il faudra reprendre tout en main et avoir ce courage de tout organiser : le retour, la famille, ces papiers. Non, c'est impossible. Je me dis que la nuit me rend folle et je refuse que ce soit vrai et que tout ça s'étale, s'étende, s'étale, s'étende encore sur moi et sur toute chose et le bruit de la douche qui a cessé alors que la porte grince en s'ouvrant, laissant apparaître Tonino, les cheveux mouillés et coiffés en arrière, avec des mèches qui retombent sur le front humide, la blessure au-dessus de l'œil, rouge encore. Et cette chemise bleu ciel tellement bien repassée que sur les bras les plis sont comme des rayures qui divisent en deux, un recto et un verso, un devant et un derrière, toute chose pour simplifier le monde.

Et maintenant Gabriel a sorti un paquet neuf de Gauloises, des brunes. Je lui en demande une, parce que j'aime fumer des brunes. Il me l'offre avec empressement en dégageant une cigarette du paquet, sans la sortir. Puis il me tend le paquet en tremblant. Le café est trop chaud dans les mazagrans. Mais cette image des mazagrans est passée devant mes yeux, et je revois les mêmes verres à pied, à la porcelaine épaisse, dans leur carton d'emballage, sur la grande table dressée avec des tréteaux et des fleurs sur la nappe blanche ; les cartons de ces cadeaux que nous n'avions demandés à personne. Et maintenant ma main tremble parce que le mazagran est lourd, je me sens faible, le café ne passe pas, non, c'est le goût de vin qui remonte dans ma bouche – ce verre que j'ai bu sans faire attention,

Francesco,

les mazagrans laissent passer la chaleur du café brûlant et les images passent aussi des cadeaux que nous avons reçus, l'aspirateur et le linge de maison, les bouquets, les fleurs de coton et les pivoines sur cette table avec la nappe en papier blanc, les appareils photos. Et ton frère Gavino, qu'est-ce qu'il va dire, Gavino, si je téléphone ? Et Grazia, chez moi, elle sera là, elle restera muette et j'entendrai son souffle dans le combiné et derrière, la voix de ma mère s'étranglera pour dire quoi, Francesco ? Garder mon calme, il le faut, mais qu'est-ce que je vais devoir faire, quoi, moi, les appeler et leur dire de ne pas pleurer, leur dire qu'ils n'y sont pour rien ? Ou plutôt les laisser comme ça, ne rien leur dire, les laisser les uns et les autres à se raconter chacun pour lui-même, petit à petit, que sans eux nous serions en Italie aujourd'hui, et que sans les cadeaux qu'ils ont voulu nous faire, à nous qui ne voulions rien, sans cette noce qu'ils ont organisée à notre insu alors que nous avions tout fait pour échapper à ça, cette mainmise, nous ne demandions rien, c'est ça : ils vont se dire qu'ils sont responsables et coupables de la,

de ta,

202

Non,

tout ça n'est pas vrai. On verra demain ; demain est un autre jour, Francesco. Maman. Maman, viens, ensemble nous irons chez l'oncle, toutes les deux, avec Grazia aussi, comme quand j'étais petite, et tu iras pleurer dans le petit bureau de l'oncle, entre les factures sur le bureau croulant de papiers graisseux et les filles des calendriers sur les murs. Et alors l'oncle te dira que les hommes ne sont pas tous mauvais et que pleurer ne les fait pas revenir – et toi tu me diras encore, tu vois ma chérie, les hommes sont comme ça, ils promettent des choses et puis voilà ils disparaissent, ils vont acheter des cigarettes et hop un camion avec des bonbonnes de gaz les renverse quand ils sortent du tabac, et voilà, le téléphone sonne : madame, j'ai le regret de vous annoncer que votre mari,

Francesco,

pourquoi Francesco donnes-tu raison à maman quand elle me dit que les hommes travaillent et souffrent et meurent avec de l'idiotie dans le regard, comme des nouveau-nés ? Ils sont idiots d'attendre des femmes des réponses, parce qu'il n'y a pas de réponses et parce qu'ils meurent avant d'entendre les femmes qui leur parlent, idiots et méchants aussi, parce qu'ils les laissent seules avec des enfants sur les bras et des envies de mourir à ne pas y tenir. J'ai trop chaud. Je sens mes jambes si molles tout à coup. Virginie me regarde et me dit qu'une douche me ferait du bien. Oui. Peut-être. Je lui dis que je voudrais enlever mon maquillage.

Dans la salle de bains, le coton démaquillant est noir sous mes doigts, et rouge de ce rouge épais qui s'étale mal de la bouche à la joue. Incapable de pleurer, je tremble toujours. J'attends de ne plus entendre leurs voix qui viennent jusqu'à la salle d'eau. Mais elles ne couvrent pas le bruit de l'autogire qui tourne comme une roue de bicyclette. Je regarde la serviette. Je ne prendrai pas de douche. Je ne me déshabillerai pas : où es-tu ? Francesco ? Qu'est-ce que ça peut me faire d'entendre leurs voix et leurs conversations, hein, quoi ? Francesco, je suis seule dans cette salle d'eau à peine plus large qu'un couloir, et, par terre, il y a la chemise hawaïenne déchirée et maculée de sang, en boule, à côté du pèse-personne. Et moi, qu'est-ce que je pèse dans cette histoire et au travers de ces voix et des débats que j'entends, rien, je ne pèse rien et toi que pèses-tu ? Comment peux-tu me laisser et avoir comme ça faussé compagnie à nos projets, à notre vie ? C'est comme si tu avais prévu ton coup, dis, c'est ça, comme une sorte de tromperie, ce hasard, cette violence abattue sur nous et les conversations pour oublier – mais moi, qu'est-ce que je peux m'en foutre de tout ça, avec mes jambes qui flageolent et cette odeur de pisse que je sens encore, oui, Francesco, il faut que je prenne une douche, que je me lave, il le faut, je vais prendre une douche même si je ne le voulais pas, à cause de la peur de me retrouver nue et de marcher pieds nus sur le carrelage, avec ce froid, ce corps nu dans un endroit que je ne connais pas. Alors, une douche ; cette douche et l'eau qui coule du pommeau blanc et sali par le calcaire et la moisissure. Mais déjà mes vêtements tombent sur le carrelage et mon corps est nu, il tremble, il est si mou, si faible. Et l'eau. Le bruit de la douche, la chaleur. Et cette fois ces quelques minutes sont pour moi, pour oublier l'effroi et le goût de vin dans la bouche – je prends de l'eau dans la bouche et la recrache aussitôt. Ne penser à rien. Se taire. Et encore laisser couler des larmes revenues, toutes neuves, inonder l'eau de la douche et inonder ma peau, avec cette douceur qu'elle a et qui ne demande qu'à se ramollir encore et se détendre.

Je voudrais dormir. Et pourtant mon souffle s'agite, je ne comprends pas où je suis, sous la chaleur et la fumée de l'eau très chaude, sur l'émail, oui, cette chaleur et l'eau qui éclabousse le carrelage quand elle frappe mes épaules et mes cheveux. Je vais partir. Je voudrais être dehors et marcher dans la nuit pour oublier et oublier que c'est toi qui me trahis et me fais faux bond en me laissant toute seule ici, oublier, me laisser aller à l'oubli et ne plus rien voir, ne plus rien entendre des histoires qui viennent du salon d'à côté,

oublier tout.

Quand elle revient de la salle d'eau, Tana regarde d'abord Tonino, Virginie et Gabriel. Et, maintenant qu'elle revient avec les mêmes vêtements mais sans maquillage, le visage nu, à peine rougi par la chaleur de l'eau, elle ressemble davantage à cette autre Tana, celle que j'avais vue cet après-midi avec nous. Elle se rassoit sur le canapé, presque sur le rebord, les mains posées sur les genoux.

Quand elle est passée près de la porte, j'ai vu qu'elle a regardé le téléphone. Je me suis souvenu qu'au moment où nous étions entrés et où j'avais vu le téléphone, j'avais moi aussi pensé qu'il faudrait appeler chez ma mère. Je me suis pris à imaginer comment ma mère pourrait s'inquiéter si elle avait la moindre idée de ma présence ici, chose qu'elle ignore, comme à peu près tout de moi – jusqu'au dégoût que j'ai des flans en sachet et du riz au chocolat qu'obstinément elle me prépare, dès que je passe deux jours chez nous, à La Bassée. Mais à La Bassée il y a ce paradoxe que tout le monde épie tout le monde et que pourtant, dans le même temps, tout le monde ignore tout le monde. Peu importe. Pourquoi je pense à ça ? À cause de la voix de Tonino tout à l'heure, quand sur le brancard j'ai entendu sa voix qui appelait sa mère, en murmurant ? Lui d'ordinaire si prompt à rappeler que la famille et lui... que ses parents et lui... Alors peut-être que c'est à cause de ça, de cette voix de Tonino qui traîne dans mon oreille, au moment où je le regarde dans cette chemise bleu ciel, avec les cheveux bien coiffés en arrière, que je pense à ces histoires de La Bassée, à ma mère dans sa robe de chambre molletonnée et au sous-sol du pavillon, la 304 familiale qui continue à pourrir dans la cour de chez nous, à côté du tas de sable et des troènes ? Comme si maintenant j'avais envie de rentrer chez moi. Comme si j'avais envie d'aller dormir dans ma chambre, au sous-sol.

Je crois que je pense ça parce que Tonino n'a pas l'assurance qu'il avait, cet aplomb que je lui connais depuis toujours et cet air qu'il a de tenir le menton relevé bien haut et l'œil souriant, l'air de dire : à moi on ne la fait pas. Et là, comme si avec la chemise de Gabriel, c'est Tonino lui-même qui apparaissait, quand dans un premier temps il semblait déguisé, presque travesti dans cette chemise trop lisse, trop bleue, trop propre, trop bien repassée. Mais très vite c'était comme si le déguisement le révélait vraiment, sans fard, plus vrai que ce qu'il osait s'avouer de lui-même. Quelque chose qui remontait de lui, les yeux perdus loin dans les rainures graisseuses et noirâtres de la table.

Non, Tana ne veut rien manger. Mais Virginie insiste, il faut manger un peu, dit-elle. C'est vrai, Tana est si pâle sans maquillage. Cette blancheur de Tana, cette façon qu'elle a de se recroqueviller sur le bord du canapé, tout ça met en évidence l'étroitesse de ses épaules, sa fragilité. Et nous qui sommes incapables de faire quoi que ce soit pour l'aider, ne serait-ce que rompre ce silence trop pesant et l'état de choc duquel elle ne sort pas. Et c'est sans doute à cause de ça que Virginie se lève et qu'elle va vers la cuisine, d'où l'on entend sa voix qui parle fort pour dire qu'il reste des parts de tartes au fromage, des couques de Dinant et des spéculoos, si l'on veut, avec un reste de café. Mais Tana ne veut rien.

Quand Virginie est de retour dans le salon, Tana se tourne vers elle, le regard droit, presque agressif cette fois, et redit qu'elle ne veut rien. Sa voix est forte, étonnamment. Elle dit qu'elle a encore un peu l'envie de vomir, à cause du verre de vin qu'elle a bu et sans doute, aussi, à cause de son estomac vide. Mais c'est mieux comme ça, dit-elle, elle ne pourrait rien avaler. Et puis elle demande si elle peut ouvrir la fenêtre. Sans attendre de réponse elle se lève et se dirige vers la fenêtre, qu'elle ouvre et, alors, se penchant à son rebord, nous la regardons, elle et cette façon qu'elle a de se pencher en avant pour regarder au-dehors, sur le trottoir, comme si elle attendait que quelqu'un arrive. Mais personne n'arrivera. Personne ne viendra. Et moi maintenant j'étouffe, je ne tiens plus. Je dis que je voudrais sortir et marcher pour respirer un peu. Gabriel me dit que si l'on veut on pourra dormir ici, sur le canapé-lit. Je dis que je ne sais pas, peut-être, et je regarde vers Tonino, qui répond à mon regard mais ne dit rien. Oui, pourquoi pas. Pourquoi pas ? Tu veux que je te dise pourquoi pas ? Comme si maintenant il n'avait plus envie de rien, qu'il soit comme ça submergé par la fatigue. Alors moi, non, je ne veux pas rester ici. Pas subir encore cette lourdeur qui traîne dans les regards et les attentes de chacun. Lourdeurs incompatibles entre elles, et qui me laissent encore plus étranger dans cette pièce, avec eux, avec un Tonino transformé en Gabriel mais qui cherche, peut-être, un regard de Virginie comme Gabriel le ferait – lui qui va finir par se transformer aussi tant son regard se fait insistant sur Tonino. Je décide de partir et tout à coup c'est elle, c'est Tana qui se retourne et se met dos à la fenêtre, très droite : laisse-moi venir avec toi.

Je vois Tana comme si subitement j'avais prononcé le mot qu'elle attendait pour la libérer. Oui. Si tu veux, je te raccompagne jusqu'à ton hôtel ? Elle fait un geste de la tête pour dire oui. Autour de moi, Virginie et Gabriel se regardent avec étonnement. Mais on ne peut pas rester comme ça ; tout le monde est d'accord, on décide qu'il faut aller dehors, simplement parce que Tonino dit qu'il ne faut pas rester ici et qu'il veut lui aussi accompagner Tana. Gabriel regarde Tonino avec des yeux exorbités, en attente. Cette rougeur sur les joues, la lèvre inférieure qu'il mord – ses lèvres sont si fines qu'on dirait qu'elles disparaissent de sa bouche, sous la morsure et les dents qui mordent la lèvre inférieure – qu'est-ce qu'il veut dire ? C'est quoi, là, les quelques mots qui le retiennent de basculer totalement, quand va-t-il se résoudre à lâcher la bordée d'injures qu'on sent prête à exploser ? Elle le sent aussi, elle le devine, Virginie, quand pour que rien n'arrive c'est elle qui va prendre les blousons qu'elle avait jetés sur le lit, et non pas posés sur le portemanteau de l'entrée. Elle lance tout de suite celui de Gabriel devant lui, sur ses genoux, et il a à peine le temps d'ouvrir les bras pour saisir son vêtement, alors qu'il n'est pas encore debout et qu'il va lui falloir renouer le lacet de sa chaussure gauche, celle qu'il a retirée et dans laquelle le pied va, flottant au-dessus depuis que nous sommes arrivés.

Cette fois, la nuit est froide. Son obscurité enveloppe les rues et le silence bourdonne à nos oreilles. On marche et les rues pavées sont tellement étroites que nous n'entendons que nos pas qui résonnent, et plus aucun des bruits de la ville. Alors, en suivant Virginie et Gabriel, parce que nous ne reconnaissons pas notre chemin – je me souviens vaguement d'une devanture de magasin, d'un graffiti sur un mur, mais surtout, ce qu'il faut comprendre, c'est comment les rues s'étaient effacées devant nous, tout à l'heure, au moment de monter chez eux – je me dis que c'est à cause de l'alcool que tout paraît aussi étrange et vide. On marche de plus en plus lentement. Ni Gabriel ni Virginie ne disent plus rien. Ils sont l'un à côté de l'autre pourtant, devant nous qui descendons encore par une petite rue. Nous sommes très lents, et l'on ne s'aperçoit pas tout de suite que Tonino s'arrête pour allumer une cigarette ; je l'attends et, pour attendre, je vais allumer aussi une cigarette, laissant grandir l'écart qui nous sépare de Virginie et de Gabriel, en restant tous les trois derrière, Tana avec nous, les mains dans son blouson.

Il faut se tenir à l'écart de Virginie et de Gabriel ; ils n'ont pas envie de parler et, même de dos, on voit que la distance entre eux n'est pas celle de la rue et que ce mètre de pavé qui les sépare est immense. Je regarde Tonino qui reste en retrait avec Tana et, en le regardant, je lui fais signe de la tête pour lui montrer le couple devant nous, pour lui parler de la gêne que j'éprouve ; comment partir d'ici et rejoindre la gare, foutre le camp, c'est ça qu'il faudrait, en finir et pour en finir se jeter dans un train pour Paris ou l'autre bout du monde, peu importe, mais ne plus rester ici. Voilà ce que je voudrais, plutôt que de voir devant moi ce couple qui marche et avance, on se demande bien vers quoi, à quelle vitesse, eux qui soudain accélèrent le pas et se mettent à parler, lui, de plus en plus fort, s'agitant et elle lui répondant sans le regarder ; tête penchée elle marche plus vite que lui, et c'est lui alors qui tente de l'arrêter en saisissant son bras. Mais elle n'a pas ralenti, elle retire son bras d'un mouvement sec ; il commence à parler trop fort, c'est presque un cri auquel elle répond en arrêtant brusquement de marcher. Elle lui fait face, et c'est elle maintenant qui crie, elle qui va partir quand déjà il veut la retenir, usant des mains, se penchant sur elle, les mains sur les épaules, les doigts serrant les bras.

J'ai à peine le temps de voir Tonino qui court vers eux, et Tana qui reste en retrait, avec moi. Sa voix murmure un imperceptible *non è vero... non è vero...*, ses yeux inondés de larmes, fixes, terrifiés par l'image de ces deux-là qui se disputent pour elle ne sait pas quoi. Elle ne peut pas comprendre, pas entendre, elle ne voit que ce scandale des mains et des doigts de Gabriel agrippés sur les bras de Virginie, et Tonino qui intervient ; elle ne veut plus voir Tonino courir, tendre les bras, lâcher sa voix comme il l'a fait avant – quand ? si loin déjà, en arrière, et où, elle ne sait même plus, elle n'a pas d'idée de ça, juste qu'elle ne peut pas revivre la voix de Tonino en colère, le visage de Tonino en colère, et des mains qui agrippent, elle s'arrête aussi net,

je veux rentrer,

Elle n'attend pas ; elle marche dans le vide, toute seule, et elle ne voit plus rien qu'une route qu'elle ignore. Elle fait demi-tour et elle dit qu'elle va à l'hôtel. Alors je voudrais la retenir, je lui dis attends, attends-moi, et c'est à peine si j'ai le temps de rejoindre Tonino pour lui dire, Tana est partie, je vais l'accompagner. Tonino et les deux autres se retournent vers moi, il y a ce silence et ma voix qui dit à Tonino, je vais avec Tana, il ne faut pas laisser Tana. Et pourtant il faut déjà courir pour la retrouver. Elle a descendu quelques rues, je n'en reviens pas, comment a-t-elle pu marcher si vite ? Être déjà si loin de nous quand Tonino et moi n'avons eu le temps d'échanger que quelques mots, lui, de me dire, oui, rattrape-la, rejoins Tana, j'ai deux ou trois choses à dire à Gabriel.

210

9

J'allais dire : le cœur chancelant. Mais non, pas seulement le cœur. C'est le corps entier qui ira chancelant, avec les idées aussi pour se bringuebaler dans le foutoir de ma tête, quand je déciderai d'aller à pied voir Elsie chez ses parents. J'imagine comment les jambes vont trembler et les os craquer sous ma peau – les idées qui se bousculeront autour du sentiment que tout va trop vite et qu'avec ce qui se sera passé dans les dernières vingt-quatre heures, je n'aurai plus les moyens de revenir en arrière.

Alors, j'irai chez Elsie pour trouver des réponses à des questions que je refuserai de me poser. À peine je sonnerai à la porte de la maison que très vite elle viendra m'ouvrir. Dès ce moment d'entendre les pas qu'elle fera en courant, par cette façon à elle de glisser ou de trottiner dans le couloir, en laissant les talons de ces mocassins vernis claquer sur le carrelage, jusqu'à ce qu'elle arrive et s'arrête devant la porte qu'elle n'arrivera pas à ouvrir tout de suite, dès ce moment, donc, où il faudra entendre par-delà le bruit du verrou qui résonne à travers le bois, la voix d'Elsie me demandant de ne pas m'impatienter, je saurai à quel point elle sera inquiète et impatiente de me voir face à elle. Je raclerai ma gorge et, pour la première fois depuis la veille, je sourirai. J'aurai envie de m'alléger par ce simple fait de sourire. Puisque ce sera pour elle. Presque par elle. Par le simple fait de sa présence derrière la porte.

Nous nous enlacerons avant même de nous regarder. Nous nous embrasserons et pour moi ce sera comme l'impression d'un chez-soi, si l'on considère qu'être chez soi c'est retrouver ce qui permet de ne plus être sur ses gardes. Je poserai mes doigts sur le front d'Elsie puis je caresserai ses cheveux lisses, respirant fort le parfum sucré de la poudre qu'elle aura sur les joues, une poudre légère à la couleur rosée sur les pommettes. J'embrasserai son cou et nous resterons comme ça, l'un contre l'autre, mes bras enlacés autour de sa taille. Et puis nous nous regarderons. Elle, l'œil me défiant déjà – gentiment pour l'instant –, commencera à parler et à demander pourquoi je n'avais pas téléphoné comme j'avais promis de le faire, et comme sans doute je l'aurais fait si, d'une manière ou d'une autre, quelque chose ne m'en avait empêché. Et dire comment cette chose serait liée, forcément reliée aux événements du match. Voilà ce qu'elle attendra, déjà, dès le premier regard. Le temps que tombe son impatience et que la fébrilité dont elle pouvait être l'objet se réduise à rien, l'espace d'un sourire, jusqu'au moment de céder la place à l'attente. Parce qu'à ce moment-là, c'est elle qui attendra quelque chose de moi.

Elle ne voudra pas me regarder avec complaisance. Sûrement pas. Pas elle. Pas son genre, ça ; elle ne jouera pas d'un regard rassurant sur moi, ou si compatissant, si abusivement prometteur d'un rachat au rabais que je n'aurais pas mérité. Parce qu'elle pensera sans doute que ce que je cherche à travers son regard, ce n'est que le pardon que je ne sais pas m'accorder. Comme si je venais la voir pour trouver un lieu où se rédimer à bon compte, et uniquement ça. Et ça, justement, elle ne le voudra pas. Son regard et même son visage entier le diront, pas encore sévèrement, mais sans un mot lorsqu'elle me fera entrer dans la cuisine. Elle me demandera si je veux boire une bière, et, après que je lui aurai dit non, elle me demandera une Benson. Comme toujours elle n'en aura pas et, comme toujours aussi, elle aura fumé la dernière sans y penser et ne sera pas ressortie de chez elle pour en acheter. Parce que, comme elle le dit souvent, lorsqu'on est de garde la nuit, on ne ressort pas si facilement de chez soi dans la journée.

Sur la table de la cuisine, Arthur Rimbaud sourira au milieu de la ciboulette fraîche et de grosses figues sèches dont les queues auront déjà été coupées. Elsie me dira de m'installer et moi, sans qu'elle ait à me désigner la chaise près de la fenêtre et de l'évier, c'est là que j'irai m'asseoir et que je commencerai à la regarder, elle, fumant sa cigarette et fronçant les sourcils à cause de la fumée, pendant qu'elle s'agitera près de la table, après avoir remis autour de sa taille le tablier couleur jaune d'œuf, et continuer à poser les uns après les autres les ingrédients qui lui seront utiles. Elle relira sur une photocopie la liste des éléments dont elle aura besoin. L'huile d'olive, la moutarde et le sucre. Enfin, elle me dira ce qu'elle prépare : des mini-scones au stilton et aux figues pour l'anniversaire de son frère, qu'elle devra cuisiner très vite pour que tout soit prêt au moment voulu. Je ne répondrai rien. Peut-être esquisserai-je un haussement vaguement dubitatif du menton et des sourcils. Et puis je poserai mon avant-bras sur le rebord de l'évier. La cigarette entre mes doigts laissera tomber sa cendre sur l'émail de la vasque. Je respirerai fort. Elle me dira que Toby va déjà avoir quatorze ans, tu te rends compte, me demandera-t-elle, déjà quatorze ans ! Alors je resterai muet, de plus en plus surpris, et je n'aurai rien d'autre à faire qu'à regarder Elsie qui se sera penchée dans un placard pour aller chercher une de ces jattes en faux grès mais en vrai plastique, qu'ensuite elle posera sur la table – un simple geste de la main pour repousser Rimbaud et la photocopie de la recette. Elle devra s'interrompre pour jeter sa cendre et passer la cigarette sous l'eau du robinet pour l'éteindre, puis la jeter dans la poubelle avant de s'essuyer les mains sur le tablier.

Je n'ai pas pu téléphoner.

Les mots viendront comme ça, presque nus dans ma bouche. Comme s'il y avait quelque chose d'impudique à les dire et à troubler l'air confiné de la cuisine. Mais Elsie ne parlera pas tout de suite. J'observerai ses yeux fixant ses mains, l'attention requise pour tamiser la farine et la levure au-dessus de la jatte. Elle n'aura plus rien de l'impatience d'un pas dont les talons claquent sur le carrelage pour venir plus vite ouvrir la porte. Plus rien, dans la voix, de ce frémissement que pourtant elle m'aura semblé avoir eu tout à l'heure, au moment d'ouvrir le verrou. Elle sera entière dans le geste de couper grossièrement un morceau de beurre et de râper du fromage sur la farine. Et même complètement absorbée par le fait d'amalgamer le tout du bout de ses doigts.

Il paraît que c'est une croyance très anglaise et très optimiste, au fond, de penser que si l'on ne dit rien des choses terribles, elles ont d'elles-mêmes la faculté de s'estomper et de se dissoudre dans les brumes des Midlands. Je voudrais bien voir ça. Parce qu'alors, il va falloir un foutu brouillard. Nous regarderons ses doigts gluants de farine et de levure – un bruit humide de salive et de mastication – et nous resterons un instant comme ça, avant qu'Elsie se retourne et passe ses doigts sous l'eau du robinet puis que, prenant un couteau, elle coupe très finement la ciboulette. Le *clac, clac, clac* de la lame sur la planche de bois ne couvrira pas sa voix quand elle me demandera à quelle heure je suis arrivé à Liverpool. Et, avant que je ne me décide à répondre, parce que je serai occupé à observer le bout du filtre de ma cigarette, que j'écraserai entre l'index et le majeur pour mieux voir la tache jaunâtre, presque brune,

214

auréoler la blancheur laineuse du filtre, laquelle tache, à l'image d'un poumon noirci et carbonisé par le tabac, m'évoquera le fait d'être moi-même cette salissure brunâtre, dans cette cuisine où je devrai encore m'étonner de ce qu'Elsie ne me regardera pas et n'attendra pas plus de réponse de moi qu'un clin d'œil d'Arthur Rimbaud sur sa jaquette bleu roi, je la verrai, elle, seulement attentive aux fines coupures de ciboulette qu'elle mélangera au reste de sa mixture.

Et je me dirai : puisqu'elle n'a pas cette tournure d'esprit que j'ai, moi, de penser que mes épaules ne peuvent rien soutenir, eh bien il faudra la regarder et d'emblée entendre le souffle lourd, entêté, qui s'impatientera jusqu'à ce que je réponde à sa question. Ma réponse sera sans détails. Je serai incapable de me lancer dans le récit de ce qui se sera passé depuis la veille. Parce que je pourrai à ce moment précis l'imaginer, elle, seule dans le vide de l'hôpital, le soir, suffocant de honte et d'horreur devant le spectacle du stade dévasté. Cette énorme lassitude qu'elle aura éprouvée en se disant que rien ni personne ne pourra changer la pourriture qui prolifère chez certains. Et cette vanité pas moins énorme et monstrueuse de croire qu'avec moi, en m'écoutant comme chaque jour elle l'a fait, en me cajolant et en me disant mes quatre vérités aussi souvent que nécessaire, elle aurait pu en sauver au moins un, de ceux-là. Et de cette histoire, elle devra apprendre la modestie. Parce qu'on ne sauve pas les gens d'eux-mêmes. Et qu'il est souvent plus prétentieux de vouloir les mener vers le bien que de constater qu'on n'y peut rien.

Voilà ce que je penserai : sa douleur envers moi, ce sera d'abord le sentiment de son échec. Comme si j'étais tous les supporters de Liverpool ; comme si les supporters de Liverpool étaient tous les supporters de l'Angleterre ; comme si la lie entière de l'humanité s'était donnée rendez-vous à

Bruxelles et que moi, là, assis dans la même pièce qu'elle, je sois la preuve de l'incurable engeance de l'humanité mais aussi, pour Elsie, de son incapacité à changer le monde. Cette colère en moi, tout à coup, contre ces idées qui me viendront en rafales – et moi... Elsie... moi, là-dedans, qui je suis ? Et si tu crois que je t'aime pour me faire à moi-même l'offrande d'un pardon, tu ne crois pas que ce qui t'anime à travers moi c'est encore ton besoin de nourrir cette avidité que tu as de vouloir aider les autres, tous les autres, pour te satisfaire de toi-même et ne jamais manquer de te trouver exceptionnelle ? Te prouver à toi-même que tu es bonne et que les autres, eux, puisqu'ils ne sont pas aussi généreux que toi, mériteraient bien qu'on les laisse crever ? Et c'est précisément parce qu'ils ne mériteraient pas cette aide que tu la leur donnes. Précisément à cause du mépris que tu as pour eux. Comme ça que tu te grandis, toi. Et elle, elle ne dira rien pendant que je la regarderai, les mains que j'imagine un peu tremblantes pendant qu'elle versera le lait dans la jatte et qu'elle cherchera une fourchette pour mélanger la mixture, avec une opiniâtreté nouvelle, presque revêche, afin d'obtenir de gros grumeaux de pâte.

Pourquoi tu ne parles pas ? Ce n'est pas à cause du téléphone ? Tu as regardé ?

Évidemment que j'ai regardé. Geoff, pourquoi est-ce que je suis si certaine que vous étiez là-dedans ? Même si vous n'y étiez pas, pourquoi j'en suis certaine ? Pourquoi tu as accepté d'y aller... C'est ça que je ne comprends pas.

Et moi je sais très bien qu'en réalité ce ne sera pas parce qu'elle ne comprendra pas qu'elle voudra me montrer son mécontentement, mais, bien au contraire, parce qu'elle aura une nouvelle fois pensé que tout dans mon comportement était prévisible et néfaste, ridicule même, et que si elle n'avait encore jamais qualifié de puéril ou de lâche ledit comportement, elle devait le trouver pitoyable depuis longtemps, et grotesque le fait d'accepter d'aller assister à un match sur le continent, avec mes frères, alors que je me plaignais souvent auprès d'elle de n'avoir rien à leur dire, ni à l'un ni à l'autre, comme eux non plus – jamais – n'avaient rien eu à me dire. Prendre le train avec eux de Liverpool à Douvres et le ferry et le bus et être prêt à passer une nuit dans cette chambre d'hôtel, avec les trois lits un peu comme ceux des trois ours de l'histoire de Boucle d'or. Qui pourrait lui dire qu'elle aurait tort de penser à tout ce que cet effort avait de dérisoire ? Tout ça pour l'illusion de nourrir un lien qui n'avait plus à tarir, étant à sec depuis si longtemps, vu que, malgré les traits de ressemblance sur les visages des trois frères, rien, ni espoir ni attente, ni goût, aucun geste ne pouvait plus laisser la moindre chance de croire en un quelconque signe de reconnaissance et de *fraternité* (puisque c'est de ce mot qu'il s'agit). Mais en réalité, aboutir à quoi ? Si ce n'est le délire d'enfanter son propre passé et de vouloir, obstinément, aveuglément, le transformer pour qu'il devienne tout autre que celui qu'il a été.

La vérité c'est que je saurai en la regardant, malgré ce silence et l'étonnement à voir ses gestes – sur une planche de bois elle malaxera la boule épaisse et lourde du mélange, qu'elle commencera avec la paume à abaisser dans un grand rectangle – que ce qu'elle voudrait c'est que je sache ne plus demander à mes frères et à mes parents d'être différents de ce qu'ils sont, ni à la vie de changer pour moi en abandonnant ses habitudes et son vieux réel, uniquement pour que je n'aie pas, moi, à me casser le dos et le cœur à m'en plaindre. À ce moment-là, malaxant encore la pâte, elle pensera ce qu'elle pense de moi depuis qu'elle me connaît. Depuis que nous sommes ensemble. Et j'irai jusqu'à croire que c'est parce

217

qu'elle pensait déjà ça de moi, à l'époque, qu'elle était venue vers moi et que notre rencontre avait été possible. Précisément pour ce qui aujourd'hui la dégoûtera, là, devant sa table de cuisine, comme plus tôt, lorsqu'elle aura pensé à ça, la veille devant la télévision : ma façon de demander aux autres et d'attendre d'eux des décisions, ma façon d'être irrécupérable. Et elle m'en voudra de l'obliger à avoir de mauvaises pensées, elle me tiendra pour responsable de ce qu'elle pensera de moi, ce sentiment de mépris que je lui inspirerai, et qui lui donnera une mauvaise image d'elle-même.

Je regarderai son travail et l'attention qu'elle y mettra, puis je me lèverai pour aller derrière elle. Et cette fois, debout contre elle, je soulèverai les cheveux dans son cou et l'embrasserai sur la nuque. Le mélange de son odeur et de la senteur d'abricot de son parfum m'excitera un peu, je passerai mes mains autour de sa taille, mais elle ne dira rien – je devinerai un léger sourire, hésitant peut-être entre tendresse et lassitude –, ses mains rabattront les deux extrémités du rectangle sur le centre et replieront la pâte en deux, dans la largeur. Nous resterons quelques minutes comme ça. Pendant quelques secondes ses mains resteront sans rien faire, au-dessus de la pâte ; et puis elle me demandera de prendre l'emporte-pièce dans un placard – non, pas celui-ci, à gauche –, et enfin de prendre la plaque du four et de préchauffer celui-ci. Alors, pendant que je ferai ça, elle me demandera si je voudrais venir à l'anniversaire de Toby. Je répondrai que oui. Que j'aimerais bien. Que peut-être ça me changerait les idées. Et puis comme ça, dans le même souffle, je rajouterai : Doug était un des premiers à charger.

Et alors, doucement d'abord, et puis de plus en plus franchement, haussant les épaules, balançant la tête de droite à gauche, elle se mettra presque à ricaner, oui, à glousser avec

218

dans la voix toujours ce même mépris, l'agacement et la condescendance à fleur de peau, à peine dissimulés sous son rire. Pauvre petit Geoff. Dis, tu ne le sais donc pas que tes frères sont de *vrais* fachos, tout ce qu'il y a de plus facho et d'idiot qu'on puisse trouver en Angleterre ? Tu ne veux toujours pas le savoir ?

Alors je respirerai fort en m'installant à côté d'elle, sans rien dire, mes mains se saisissant de l'emporte-pièce puis commençant à enfoncer le fer dans la pâte et à y découper des petits cercles. Je sais qu'elle verra mes lèvres quand elles se fermeront sous les contractions de la mâchoire – Elsie et moi, et, au milieu, comme une eau dormante sous la blancheur des nénuphars, cette question de savoir si moi aussi je suis un facho, comme eux ? Elsie qui rassemblera les chutes de pâte pour en faire une nouvelle boule qu'elle aplatira pareillement, pendant que moi je regarderai mes mains et les petits ronds de pâte qu'Elsie prendra un à un, en les posant avec délicatesse sur la plaque du four, en faisant bien attention de les espacer de deux à trois centimètres entre eux. Et dans ma tête je me dirai, oh, Elsie, que je suis un salaud tu n'en douterais plus, toi qui t'acharnes à me croire si différent, oui, si tu m'avais entendu avec eux débouler dans le stade en gueulant, en chantant. Et les bières que j'ai bues, Elsie, Elsie, voudrais-tu encore me voir si tu savais la vérité ? Ce que j'ai vu. Ce que j'ai fait. Sauve-moi si tu peux... mais comment feras-tu, alors, pour toi-même, pour être bien sûre d'aider un malheureux et non pas de te faire complice d'une ordure, comme cette ordure de Doug, puisque de lui, je sais ce que tu penses.

Mes doigts collant à la pâte. Mes mains bientôt sous l'eau tiède de ce robinet sous lequel nous nous laverons tous les deux les mains, l'un à côté de l'autre, en silence peut-être. Oui, en silence, c'est sûr. Mais sachant que pour chacun

219

résonneront tous les mots que j'ai entendus d'Elsie depuis des années, sur les dangers de vouloir suivre des gens si peu fréquentables et même, disait-elle, d'autant plus que ce sont tes frères... Et quand elle me disait de penser à mes parents, d'être pour eux un fils un peu moins dur que les autres, en prenant patience, en taisant ma violence et tout ce que j'aurais voulu laisser exploser pour qu'eux puissent au moins exprimer la leur, à la maison – ils ont travaillé, ils ont vécu, ils ont souffert et souffrent encore, me disait-elle. Il faudra savoir attendre ton tour. Ils ont le droit d'être satisfaits d'au moins un de leurs fils.

Et je regarderai Elsie mettre le porto à chauffer, avec les figues et le sucre dans une casserole. Elle regardera la casserole pour ne pas avoir à me regarder. Pour que l'un et l'autre nous ne nous mettions pas à pleurer, là, tout de suite, histoire de remplacer des mots épuisés d'avance. Elle m'avait tellement répété que tout ça finirait mal... et moi, incapable de la démentir, je ne pourrai pas lui dire, non, nous n'y sommes pour rien. Tant ce sera évident pour nous deux que les frères Andrewson sont dans le coup, avec d'autres, tellement d'autres, noyés parmi les hooligans et les bons pères de famille, parmi les gens d'ici et d'ailleurs. Peu importera, alors, parce qu'en sentant cette odeur de porto et des figues frémissant dans la casserole, j'aurai envie de hurler, Elsie, les choses que je ne comprends pas tournent trop vite dans ma tête – si tu avais vu l'horreur de ce que j'ai vu ; je te parle des cris et des pleurs, de cette femme recouverte de sang et de poussière ; je te parle de ces gens égorgés par les grilles ; des chaussures sur les dalles de béton ; je te parle de la mort ; de ce moment où tu te vois, toi, courir avec les autres, où tu entends ta propre voix au-dessus de ce bouillon que tu provoques avec les autres ; je te parle de ce que tu ressens, que tu vois vivre en toi. Tu vis en meute et tu te sens si fort, si protégé en attaquant que plus une seule de tes peurs n'a prise sur toi ; tu ne peux plus mourir, c'est ça, quelques minutes tu en es certain, tu ne peux plus mourir ni connaître la peur (la mort et la peur sont en bas, elles glissent l'une et l'autre sur les corps que tu repousses en hurlant vers le bas) et tu penses que ce vertige ne s'arrêtera pas.

Elsie qui essaiera encore de m'occuper à autre chose – allez, retirons les figues, faisons réduire le liquide. Elsie qui fera comme si de rien n'était. Elle me dira de hacher grossièrement les figues dès qu'elles seront froides. Et moi je me verrai faire ça, attentif à ne pas blesser la chair des fruits en les coupant. Je regarderai la couleur et la douceur des figues, l'aspect fripé de la peau et cette couleur un peu rougeâtre, la matière pâteuse et molle – qu'est-ce que je suis en train de faire, est-ce que d'une certaine façon ce ne sera pas encore cette supercherie, ce mensonge ? Entendre et voir Elsie qui penchera la tête pour ne pas me regarder, pendant qu'elle va laver et fendre en deux le poireau (parfois, elle relèvera la tête vers la gazinière, pour surveiller que le liquide devient bien sirupeux). Et j'aurai de plus en plus de mal à retenir mes larmes et puis, tant pis, je profiterai peut-être de ce qu'Elsie ne me regardera pas pour laisser mes joues devenir rouges. Et puis mes muscles se crisper sur tout le visage, des larmes brouiller les yeux, peu importent les sanglots ou la gorge serrée. Peu importent le souffle court et les mains tremblantes. J'écouterai Elsie qui, dos à moi, lavera les morceaux de poireau dans l'évier.

J'entendrai tout ça, les gestes méticuleux, un à un, une étape après l'autre, et je regarderai les morceaux de figues éclatées devant moi. Je trouverai tout ça impossible. Par moments il faudra qu'avec la paume de ma main j'essuie mes paupières et mes joues. Je me demanderai ce qui se passe et à quoi peut bien rimer cette histoire de faire comme si – alors que, simplement, il ne s'agira que de continuer, de continuer jusqu'à être absolument vidé de son sang, de n'être jamais complice. Et rien chez Elsie ne jouera la comédie des pleurs. Elle ne cédera pas à ça. Parce qu'au fond elle attendra que moi je craque, que je m'effondre là, à ses pieds, que je dise qu'elle a raison depuis le début et que pour tout recommencer il faut que je sache enfin ne pas attendre, ne pas louvoyer et enfin me rendre à l'évidence : il faut choisir entre eux et elle. Reconnaître qu'ils seraient comme les images dans les vieux albums pour dire le mal, et elle, en dame au grand cœur, vêtue de blanc dans sa blouse dont elle aura resserré la ceinture la veille, en détournant la tête de la télévision pour ne pas voir, pour ne pas entendre que là-bas, à Bruxelles, parmi les fourmis et la vermine, au-delà des images de suppliciés et des cris, quand, arrangeant les œillets mauves en plastique dans leur pot, elle aura souhaité qu'un malade sonne pour l'obliger à quitter la pièce et ne plus voir ce qui se passait, elle aura eu un doute sur son pouvoir mais non sur sa douceur (elle aura pleuré). Et puis, voilà. Elle se sera assise en se disant, pauvre Geoff, il faudra le retenir de tomber, le pauvre, il a tellement besoin qu'on lui dise la vérité.

Elle lavera, elle égouttera puis fera cuire le poireau dans une autre casserole. En même temps, sa voix sera douce pour me dire que ça ne peut plus durer – elle aura eu tellement peur pour moi – et pour dire que maintenant il faudra choisir. Je ne répondrai rien. Je retournerai m'asseoir près de l'évier et de la fenêtre (que j'aurai ouverte pour chasser la fumée), et je fumerai encore une cigarette en écoutant. Elle hachera grossièrement le poireau, elle mélangera avec la moutarde, le vin, l'huile, et me dira, appliquée dans ses gestes et dans ses mots, que nous n'avons plus l'âge d'être ambigus, que nous devons nous engager. Aimer sa famille c'est une chose très bien, me dira-t-elle, mais pas quand il y a des gens comme Doug dans la famille, pas au mépris des idées. Et moi, oui, je sais, tu as raison. Sauf que je n'aime pas Doug parce que c'est mon frère, je l'aime malgré ce qu'il est – je n'y peux pas grand-chose, moi, d'aimer ce type à qui je n'ai rien à dire, dont j'ai peur depuis l'enfance, que je hais pour ce qu'il fait, qu'il dit, qu'il est, mais que j'aime de cette manière irraisonnable et irréductible – quelque chose qui ne veut pas se soumettre à l'idée qu'il faudrait ne pas l'aimer, ni lui ni Hughie, qu'il faudrait opposer le bien au mal comme de dire j'ai envie, pas envie. J'aime mon frère parce que je me souviens qu'un jour il m'avait prêté un lance-pierres, parce qu'il m'a appris à faire du skate-board et que j'aimais ses imitations de Benny Hill. Peut-être, aussi, parce que quelque chose en lui m'effrayait et que ce qui m'inquiète, depuis l'enfance, me semble plus vrai, plus juste que des mains qui séparent le monde en catégories comme elles coupent le jambon en pétales, et les scones en deux. Des mains qui ne tremblent pas lorsqu'elles expliquent comment penser et qui il faut aimer, des mains qui savent et qui, tranquillement, avec expérience et certitude, placent un pétale de jambon sur chaque moitié inférieure de scone et rajoutent une cuillerée de mélange au poireau, une autre cuillerée de mélange aux figues. Puis elles replacent la partie supérieure, fières d'elles, absolument confiantes et sereines en la plénitude de leurs gestes.

10

Mais cette nuit, Francesco, cette nuit infranchissable. La Gauloise sans filtre que je fume jusqu'à me brûler les lèvres, et les doigts qui la tiennent fermement pincée, écrasée, pendant qu'à côté de moi Jeff parle de cette histoire de la veille, que je ne comprends pas très bien tant il hache son récit d'un rire mécanique, s'excusant de me parler d'une bague et de billets avec des mots incohérents ; c'est un récit sans suite qu'il débite seulement pour justifier Tonino de ne pas me raccompagner, et faire aussi que la situation soit plus simple d'être là, tous les deux, sans Tonino, sans toi non plus ni personne,

Francesco,

sans toi,

oui, tu entends – sans toi Francesco – je suis seule dans la rue, en pleine nuit, avec ce type si inquiet on dirait, parce que moi aussi je dois lui faire peur. C'est ce que je me dis, que je dois lui faire peur avec mon silence et ce regard buté, mes yeux qui cherchent à comprendre et à retrouver ce qui doit être dans l'ordre des choses. Mais il n'y a pas d'ordre des choses. Pas de sens. Des choses, oui, il y en a. Mais elles sont en vrac et s'étalent devant moi avec la cruauté de leur indifférence, et puis c'est tout. Et l'autre qui n'en finit pas d'essayer de brasser de l'air pour expliquer l'incompréhension de nous voir là tous les deux. Cette voix qu'il a, Jeff. Cette voix qui vibre. Ces rires qui chevrotent dans sa gorge. Et sa gêne de me faire cet aveu, quand j'imagine plutôt que la véritable gêne c'est de devoir me raccompagner et ne pas savoir comment faire avec ce silence et cette tension palpable entre nous, partout, dans l'air, dans le ciel et la nuit. Peut-être que je pourrais lui faire oublier si je lui parlais du printemps chez nous, chez moi, le printemps, je pourrais, il suffirait, Jeff, de te parler des glycines et des pluies lourdes qui soulèvent la poussière et écrasent les corolles, les doigts de sorcières, les pétales des tulipes jaunes et rouges et le soleil poudreux derrière la brume du ciel, le matin et l'herbe coupée, les cris des enfants derrière les ballons qui cognent contre les murs.

Francesco, dis,

tu te souviens ? le bruit des klaxons au moment où les voitures alignaient des bouchons monstrueux dans toute l'Italie, le soir, pour que les filles et les garçons se parlent d'une voiture à l'autre, comme le soir où nous nous étions rencontrés, toi avec ton frère Gavino et ses copains militaires, leurs Ray-Ban sur les yeux en pleine nuit, tu te souviens de comment ça nous faisait rire, Gina, Giovanna et moi qui buvions du Martini rouge dans la petite Austin que j'empruntais à l'oncle,

Francesco,

parle-moi,

Mais Jeff me dit que peut-être nous serons perdus si nous ne faisons pas plus attention où nous marchons. Toujours à gauche, dit-il. Plus bas et plus à gauche. Et, de fait, sans doute nous sommes perdus, parce qu'à l'aller nous n'avions pas marché si longtemps, ni si haut. La fatigue dans les jambes et ces images que nous ne connaissons pas de la ville, un boulevard que nous n'avons pas traversé à l'aller, mais peu importe, on voit son nom, c'est le boulevard du Jardin botanique. On continue et puis bientôt des immeubles détruits, des intérieurs d'appartements où apparaissent des murs avec leurs portes de salons et les papiers peints défraîchis, des carreaux de salles de bains ; et puis des néons près de la place où nous arrivons, quelques hommes seuls. Et, sur des palissades, il y a des fresques et des messages, et moi qui me moque d'être perdue puisque perdue je le suis de toute façon, Francesco, de toute façon, comme c'est étrange, maintenant, d'imaginer que ce soir j'étais dans un stade avec toi et qu'après j'étais seule dans cet hôpital et puis, plus tard, dans la nuit, au milieu de tous ces gens ; j'ai mal au ventre, mes mains me font mal mais il me semble que tout ça c'est très loin, trop loin, si vieux, si fatigué ; comme sont fatigués, ici, sous les néons des bars qui ferment et recrachent des clients qui marchent vite, avec les mains dans les poches, le regard un peu fuyant, des hommes seuls et des silhouettes qui attendent alignées contre les murs, des fumées de cigarettes sous les néons, des vitrines et des lumières tamisées, comme on dit qu'il y en a dans les villes du Nord et à Amsterdam, aussi, des filles en lamé et en nylon dans des vitrines où elles attendent, assises et langoureuses comme des sirènes, d'aller pêcher dans la rue les merlans aux yeux ronds, vaguement étonnés,

Et toi, Francesco,

Francesco, est-il possible d'imaginer que ton corps depuis tout à l'heure n'a fait que plonger vers ce froid si froid que bientôt le sang en lui sera aussi lourd et friable que la roche ? Et les pores de ta peau, bientôt, et les yeux plus jamais ouverts comme tu m'ouvrais tes bras pour que j'y réchauffe mes angoisses et mes peurs. Moi, toute seule ici, je repense à Gavino et à cette histoire qu'il nous avait racontée de la vieille dame du rez-de-chaussée, dont il s'étonnait qu'elle ne donne plus de nouvelles jusqu'à ce que des mouches apparaissent devant les volets que le vent avait entrouverts, et qu'elles lui donnent l'alarme et alors, ce risque d'un regard vers l'intérieur.

Cette odeur âcre avait été si forte, presque jusqu'à le faire défaillir, plus encore que le corps allongé sur le carrelage. Et les yeux de la vieille dame, avait-il raconté, c'était comme si ses yeux avaient coulé sur les joues et toi Francesco,

oh non, non, ne pas imaginer tes yeux verts en liquide visqueux sur tes joues, et cette odeur âcre autour de toi, Francesco, est-ce que c'est possible d'imaginer que ta voix flotte aussi dans les airs, dans la couleur de soufre du pollen qui se répand et flotte dans les flaques, plus léger que l'eau, sur les carrosseries des voitures, comme des grains de sable venus d'Afrique ? Ce pollen et ta voix – non –, comment veux-tu que je croie des choses pareilles ? Si seulement je n'imaginais pas que tu as froid au dos à cause de la plaque de fer trop froide où ils t'ont couché. Et imaginer, penser que pour toi plus rien ne vaut que le silence profond, profond, si profond que je tarde à te rejoindre, avec Jeff qui dit que cette fois nous nous sommes perdus pour de bon et qu'il faut redescendre,

Francesco,

Il faudrait plus d'oubli que je n'en suis capable, moi, avec cette fatigue et ce corps qui me fait mal. La respiration douloureuse. Cette envie de fumer, une nouvelle fois, encore. Tant pis pour le mal au ventre et cette envie de vomir à cause de toutes ces cigarettes et des idées qui frappent dans ma tête, avec le sang qui bouscule les veines et les artères – comment croire que tu ne peux pas, que tu ne pourras plus jamais ni rire ni respirer, ni rien, jamais plus ouvrir les yeux ni les bras. C'est impossible à penser, le mot *jamais*. Ta voix, que va devenir ta voix ? Nous nous connaissons trop pour que tu me fasses le coup du grand mystère de la mort et du silence éternel en passant sérieusement, sans éclat de rire, du côté des gens morts depuis l'éternité pour l'éternité, ces vieux morts chichiteux ; alors non, non, tu ne me feras pas ça, tu ne peux pas me laisser, dis, pas dans cette ville, pas comme ça, pas ici, tu ne peux pas devenir aussi énigmatique et mystérieux, Francesco, tu ne peux pas me laisser et moi attendre que tu reviennes, comme si tu n'allais pas revenir, puisque tu vas revenir, il le faut, que tu reviennes, il le faut, je veux que tu reviennes et que tous les deux,

Francesco,

Je veux fumer, je n'ai plus de cigarettes.

Francesco,

ne meurs pas,

Je demande à Jeff et il me tend son paquet. Nous nous arrêtons le temps qu'il trouve les allumettes dans la poche de son pantalon et qu'il essaie, en vain, d'allumer ma cigarette. Je lui prends la boîte d'allumettes et il dit qu'il faut reprendre le même chemin mais dans l'autre sens, et descendre encore ; après nous tournerons, et en retournant sur nos pas nous retrouverons le chemin jusqu'à l'hôtel, jusqu'à la chambre, jusqu'aux fleurs du vieux papier peint, jusqu'aux moulures de plâtre et aux arabesques en bois aux pieds du lit, effrayantes et menaçantes comme l'étrange présence des fleurs en pâte de verre qui forment les lampes de chevet. Mais, de ça, je ne dis rien à Jeff. Il ne faut rien dire de la peur qui s'installe.

Oh oui, Francesco, je suis tellement fatiguée. Je me demande qui va me tenir la main pour franchir la porte et la nuit qui vont s'ouvrir sur moi. Je pense à toutes ces choses, comme si c'était ma vie entière qui s'écrasait contre cette nuit pour se surprendre elle-même d'être aussi vide et plate, alors qu'il y a quelques heures encore j'aurais ri à l'idée même du malheur, avec ma certitude que tout avait sa raison et sa place. Et quelle raison et quelle place, ici, dans cette rue où l'on entend des voitures et la voix de Jeff qui parle de ce vol, encore. Il dit qu'il regrette tellement et que Tonino aussi regrette, qu'ils ne sont pas des voyous ou des pauvres types, qu'il ne faut pas croire ça, il ne faudrait pas le croire ; et moi je ne crois rien, je lui dis, je m'en fiche, mon Dieu, comme tu es long à revenir, Francesco,

Francesco,

Tout de suite, ce souffle dans ma gorge trop sèche, la colère à cause de la peur, à force de me dire que je dois affronter d'être seule dans la chambre, non, tu crois que je vais me contenter de me répandre comme le font les femmes en se frappant devant tout le monde ? Tomber et pleurer comme ma mère le faisait tous les trois ou quatre matins – dès qu'un canari mourait elle le sortait de la cage, et en l'entourant d'ouate elle priait et espérait si fort qu'il reviendrait à la vie, qu'elle fermait les yeux comme une illuminée ; une fois l'oiseau s'était réchauffé et était revenu à la vie. Une fois. Et alors, si tu avais entendu son rire, cet éclat si ample, rageur, effrayant. Et depuis, dès qu'un canari flanchait elle ne s'affolait pas et l'enroulait dans la ouate en priant si fort, les doigts serrés à s'en briser les phalanges, et moi je me prends à raconter ça à Jeff sans qu'il ne demande rien, mais pour rompre ce silence et cette monotonie qui s'installe, en descendant, puisque maintenant nous ne sommes plus très loin. Je sais que d'ici quelques minutes nous serons très près de l'hôtel. Oui, tout près de la chambre. Et je sais comment je marche moins vite, je ne peux pas accepter ça, alors, en regardant Jeff, je continue à parler et dire, oui, ma mère a toujours aimé les canaris parce qu'être seule dans la maison toute la journée, le chant des canaris c'était comme une compagnie pour elle, je te jure, je n'ai jamais vu ma mère comme le jour où le dernier canari est mort. J'ai cru qu'elle voudrait l'enterrer et faire une prière mais non, non, pas du tout : elle l'a enroulé précautionneusement dans la ouate, elle a cessé de pleurer et elle a ouvert le couvercle de la poubelle où elle a jeté la boule blanche de coton, sans rien dire.

On reconnaît la rue, celle du restaurant d'où Tonino a surgi quand je suis arrivée. Et puis au loin, la façade de l'hôtel et les lettres vert-de-gris. Alors, soudain le sang tape si fort dans mes tempes que je dois les masser un peu et fermer les yeux, et dire encore, attends, attends, Jeff, si tu veux on va s'asseoir sur le trottoir. Ou devant l'entrée de la bijouterie, en face du restaurant où nous étions. Le silence. Le bruit des respirations. Les volutes presque blanches qui montent et se perdent, se diluent avec des mots complètement fous qui s'évaporent en montant dans la tête, dilués dans des images et des cris d'Anglais grimaçants, ricanants devant moi ; et les bandanas, l'ombre sur la pelouse et les joueurs ; je vois la grande roue de l'autre côté du stade qui tourne lentement, très lourdement dans le sens des aiguilles d'une montre. Mais son bruit craque. Je l'entends. C'est le bruit de l'autogire dans la salle d'eau, avec son craquement particulier de carton agrafé contre une roue de bicyclette, ou bien le bruit de la bille d'ivoire, elle danse sur une roulette qui roule à toute allure dans un casino – noir, rouge, impair,

perdu,

Francesco dans la nuit, perdu, et toi tu me laisses seule avec ma jupe sale et mes genoux égratignés. J'ai froid aux jambes. Alors, alors qui pour me tenir la main dans cette impasse où ma vie n'a plus qu'à se blottir dans ces volutes qui montent et disparaissent au-dessus de ma tête, pour ne pas avoir à rentrer à l'hôtel ? Me voilà folle, c'est ça ? J'entends la voix de Jeff. Il parle, mais... qu'est-ce qu'il dit, qu'est-ce qu'il peut bien dire ? Oui, ce que j'aimerais, c'est ça, j'aimerais tant qu'il trouve des mots. Parce que c'est juste des mots qu'il faudrait, des mots bien choisis, simples, vrais, doux. Des mots qui me tiendraient les mains pour remplacer les hommes qui sont morts. Parce que moi je refuse, tu comprends, d'accepter ton absence sans broncher. Et Jeff qui dit qu'il faudrait avancer, que nous ne pouvons pas rester comme ça toute la nuit. Alors nous nous relevons. Puis nous avançons. Mon cœur. Mon cœur explose. J'entends la nuit, puisque la nuit c'est le silence particulier du souffle lent de l'humanité qui dort. Je pense à tous ces gens dans les maisons et les immeubles autour de nous, à toutes ces paupières closes et toi, tes paupières closes et derrière elles, aucun rêve, rien, plus rien derrière tes paupières ?

On sonne à la porte de l'hôtel ; à l'intérieur, tout est sombre. Et puis, bientôt, une petite lumière s'allume derrière le comptoir de la réception. Une petite lampe tarabiscotée et la lumière rose pâle, puis la figure d'un des jumeaux. Il appuie sur un bouton et la porte en verre s'ouvre devant nous. On entre, c'est moi qui doit passer devant. L'homme est là, l'un des jumeaux qui me regarde avec sa tête chiffonnée d'homme qui vient de se réveiller. Il me regarde avec circonspection, mais, peut-être que c'est à cause de ma tête à moi ? Je ne sais pas, je n'ai pas le temps de demander le numéro que déjà il a tendu la clé. Et puis, en nous regardant l'un et l'autre, Jeff et moi, il demande : vous prendrez un petit déjeuner ?

Moi, et Jeff derrière, complètement assommés par la question. Moi qui regarde Jeff, je me dis que l'homme n'a rien vu, il n'a rien compris parce qu'il dort debout. Non, cet homme n'a rien vu et n'a pas compris, ce n'est pas possible autrement. Il n'a pas fait la différence, et c'est comme s'il avait tout annulé en prenant Jeff pour toi – comme si on pouvait te confondre avec Jeff et son gabarit de jeune homme timide et frêle, son allure presque inquiétante de type dégingandé, sa dégaine de toxico, si blanc, les joues creuses et les cheveux sales –

231

comment pourrait-on le confondre avec toi ? Et alors comment faire de tout ça un moment supportable quand je dis à Jeff, sans réfléchir, de me suivre ? On entend le bois des marches et maintenant nos pieds s'enfoncent dans la moquette lie-de-vin qui va jusqu'à la chambre. Les bruits sont étouffés et nous ne parlons pas, ni l'un ni l'autre. On marche, je retiens les larmes qui montent au visage comme je monte à chaque marche. Et c'est plus dur de lutter contre elles, mais, Francesco, je ne me laisserai pas vaincre, je vais vivre, je pense à ma mère – les deux alliances en or et le portrait dans le médaillon autour de son cou – et cette fois il me semble que je la comprends, mais moi je vais vivre,

Francesco,

oh non, Francesco, il ne fallait pas faire ce que tu as fait, lui donner raison, à elle et au malheur pour les femmes quand elle m'a bassinée toute mon adolescence au sujet des hommes qui meurent comme des mouches, et des mouches qui tour-noient comme des ballons de baudruche et des fanions dans les stades, au-dessus des hommes. Et je penserai à tous ces hommes à aimer, j'ai peur, tellement peur, je ne ferai pas comme elle, si tu ne reviens pas, j'entends monter la colère contre toi, Francesco, je ne serai fidèle qu'à la vie, tu entends, tu es parti, tu me laisses et je ne te pardonnerai jamais parce que c'est à la vie qu'on doit fidélité et à personne, surtout pas à ceux qui nous manquent et nous tuent avec eux, tu entends, personne n'est digne de se croire au-dessus de cet amour qu'on doit à la vie – ni assez beau, ni assez fort pour se substituer à elle. Alors tant pis pour toi et pour moi, tant pis, tant pis, oui, c'est ça tant pis pour nous, tant pis pour l'amour.

La première chose en entrant dans la chambre, c'est une de ces grandes glaces mobiles comme on en voit dans les films en costumes, montée sur châssis à pivots, grâce auxquels on peut incliner la glace et se regarder en pied. C'est la première chose que je vois, avant même les mosaïques en frise qui longent le haut des murs, avec leurs figures de fleurs qui ondulent en vert et bleu. Oui, c'est ce que je regarde d'abord, en premier, avant de remarquer le plafond et ses moulures blanches et jaunes qui dessinent une sorte de soleil en plein milieu, là où maintenant le lustre s'allume ; trois ampoules sous les cuivres, des angelots qui regardent à chaque angle de la pièce, aussi alertes que s'ils étaient surpris en plein vol. Et nous alors, sur le palier, l'air aussi surpris qu'eux. Tana laisse sa main sur l'interrupteur, le temps de regarder la chambre et son désordre, une valise ouverte et le mauvais goût d'un dessus-de-lit en grosse laine, un patchwork où une lune et un soleil simplistes s'imbriquent en ouvrant des yeux trop ronds, presque bovins, sur les angelots du plafond.

Et nous. Et moi qui n'ose plus parler ni bouger. Je me demande désormais ce que je vais faire, comment j'ai pu arriver jusqu'ici. J'ai beau essayer de comprendre et de reprendre le chemin depuis le début, non, rien ne vient, rien à faire. Impossible de redessiner le parcours, alors que nous avons avancé et que Tana a refermé la porte derrière nous.

Je regarde l'affiche au-dessus du bureau contre le mur, puis je dis que je serais bien allé au musée des Beaux-Arts avant de repartir, parce que j'aime bien Magritte, pas tout Magritte, c'est vrai, mais quand même, c'est à Bruxelles qu'on trouve le plus de ses tableaux – je me tais, parler de peinture n'a aucun sens. Je trouve que c'est un peu étrange d'avoir mis l'affiche de cette peinture dans la chambre, pour une chambre d'hôtel.

Je lui demande si elle aussi ne trouve pas que c'est étrange, et elle, Tana, me regarde avec cet étonnement qu'on peut éprouver devant quelqu'un qu'on ne reconnaît pas, ou dont on trouve le propos hors sujet, et ne répond rien. Alors de nouveau je regarde l'affiche : deux bustes, un homme et une femme qui s'embrassent, leurs têtes cachées par des tissus blancs ; et pourtant ils s'embrassent, malgré les tissus sur leurs visages. Je dis que je n'irai pas au musée, que je partirai le plus tôt possible, dès demain matin, sans dire ni rappeler pourquoi je suis si pressé de partir.

Je lui demande si je peux fumer dans la chambre.

Elle voudrait ne pas répondre, mais elle dit que oui. Et puis, qu'elle aussi prendra une cigarette quand elle aura fini ce qu'elle doit faire — et, pendant ce temps, elle s'agite et ne reste pas en place ; je vois ses mains. Elle se retourne très vite et va d'un bout à l'autre de la pièce prendre un pull qu'elle jette dans l'armoire, très vite, l'air très préoccupé de ce qu'elle fait. Elle retire un polo sur une chaise, le pose sur une autre chaise, près du bureau, son visage en alerte, les yeux comme des billes roulent dans les orbites avec quelque chose de furieux, tendu. Les mains rangent la valise sans regarder, sans ménagement. Tana est si blanche, si raide aussi dans sa façon de faire, d'aller jusqu'à cette paire de chaussures marron — ce sont des chaussures d'homme —, et c'est là que je comprends ce qu'elle fait, comme sa furie et l'énergie qu'elle déploie pour le faire, ce besoin mécanique d'obéir à des résolutions naïves, et cette maladresse à les mettre en œuvre — la valise est refermée d'un coup sec, mais le pan d'un pull, peut-être une manche, dépasse sans qu'elle y prête attention. Je n'ose pas le lui dire.

Je passe mes doigts dans les cheveux, je regarde le cendrier sur le bureau et le bloc-notes avec le nom et l'adresse de l'hôtel, à côté d'un Manneken-Pis en plastique doré qui sert de presse-papiers, et une boîte d'allumettes. Et maintenant elle fait les choses avec une grande précision, toujours aussi nerveusement et rapidement, oui, mais en même temps avec mesure, comme si dans la même seconde elle comptabilisait chaque mouvement, chaque objet à déplacer et à ranger.

Et puis je la vois, de dos, elle ouvre la fenêtre sans même prendre la peine de tirer les rideaux, juste en passant les bras entre les deux pans. Elle a ouvert la fenêtre et l'air frais pénètre difficilement dans la chambre ; les rideaux bougent à peine, comme si l'air ne s'infiltrait que par cet espace si fin de la fente qui les sépare. Moi, sans rien dire, je regarde ce léger mouvement des rideaux pendant que les mains de Tana ouvrent la grande armoire face au lit, dans laquelle elle range les chaussures qu'elle tient fermement, sans les regarder. Elle fait ça rapidement, presque avec honte, un peu comme on rangerait des sous-vêtements qui traînent sur une chaise lors d'une visite imprévue, mais sans parler ni rien faire d'autre qu'être dans ce geste et ce maintien que ma présence oblige, de retenir les larmes et la respiration, de se retenir, peut-être, de crier ou de tout casser, de s'effondrer. Mais rien. Elle a cette force de tenir. En même temps, c'est d'une concentration extrême. L'application à poser les chaussures l'une à côté de l'autre, dans l'armoire. Et c'est de là que j'ai le temps d'apercevoir, suspendus aux cintres comme des ombres flottantes, des vêtements noirs et gris, une robe bleue, ses vêtements à elle et ceux de Francesco. Elle ferme vite la porte de l'armoire et se retourne vers moi, sans sourire, le front si plissé qu'on pourrait compter, au-dessus des yeux, les rides qui viendront dans l'avenir. Elle veut sourire et reste la nuque absolument raide, la tête droite sur les épaules. Elle vient près de moi prendre la cigarette que je lui ai promise.

Le paquet est sur le bureau. Nous sommes debout tous les deux, elle me dit que je peux enlever mes chaussures et me mettre à l'aise, puisque, vu l'heure, il faudra dormir ici. Elle fume et s'assied au bureau. Elle regarde l'affiche, ou, plutôt, laisse traîner l'œil sur l'affiche de Magritte, et reprend ce geste qu'elle avait tout au début, quand elle était entrée avec Tonino dans le restaurant : ce mouvement des mains sur le front pour chasser les mèches. Mais il n'y a pas de mèches de cheveux flottants, non, seuls flottent et glissent les yeux sur les murs, comme s'ils cherchaient à se fixer sur d'autres horizons que les plantes et les arabesques jaune d'or des fleurs sur le papier peint ; et puis, tout à coup, Tana fait une sorte de grimace en retirant ses chaussures – la cigarette fume dans le cendrier –, bientôt un sanglot qu'elle étouffe dans un rire, la voix soudain radoucie pour parler des robinets qui fuient toujours dans les hôtels, d'après ce que dit Francesco, parce que, dit-elle, souvent il va à l'hôtel, enfin, parfois, quand il ne dort pas dans la cabine de son camion. Francesco va jusqu'en Allemagne pour livrer des tambours de machines à laver dans une usine qui sous-traite et, quelquefois, il va dans des hôtels tout simples et rapporte des savons grands comme des petites boîtes d'allumettes, enrubannés dans des papiers vert d'eau, des shampooings et des stylos à bille sur lesquels est écrit le nom de l'hôtel. En disant ça, Tana regarde sur le bureau pour voir s'il y a un stylo. Non. Les vaches. Pas la peine d'avoir vingt-cinq étoiles. Et puis la Bible, il paraît qu'il y a la Bible et la télévision en face du lit. Elle dit qu'elle n'est pas allée souvent à l'hôtel. Et puis elle raconte une nouvelle fois, comme dans l'après-midi ils avaient raconté leurs cadeaux de mariage, devant l'entrée du stade, sauf que cette fois, c'est à elle-même qu'elle semble parler, car sa voix n'a plus cette hauteur qu'il faut quand on cherche à être entendu et qu'on veut retenir l'attention. Non, cette fois elle répète sur le ton monotone d'une prière vite expédiée, les mêmes mots – des histoires sur sa famille et celle de Francesco. Elle dit que sa mère et sa sœur l'aiment vraiment et qu'elles l'ont toujours respectée, depuis toujours, elle dit : depuis qu'on habitait chez notre oncle, avant la maison de Montoggio.

Tana parle avec timidité presque, et, quand elle parle, son visage apparaît avec cette blancheur excessive, sa peau est pâle, comme un linge, comme sur l'affiche de Magritte ; on dirait qu'on a couvert son visage d'un tissu et que sa voix vient du dessous. Des mots, des rires qui hoquettent quand elle répète trois fois de suite que, dès que nous sommes entrés dans la chambre, la première chose qui l'a frappée, c'est l'odeur encore forte de Francesco. L'odeur de son parfum. Ce côté poivré du parfum. Mais elle se souvient que la vendeuse avait parlé d'une senteur de chocolat qu'eux deux avaient persisté à ne pas sentir ni même soupçonner, malgré les affirmations de la vendeuse. Pourtant, il avait bien fallu qu'elle accepte cet étonnement, elle, Tana, quand, tout à l'heure, poussant la porte de la chambre, elle avait deviné ce relent et, au travers le poivre et le boisé, cette note discrète mais soudain évidente d'une pointe de cacao. Et se défaire de l'idée que les parfums se répandent en nappes épaisses et sinueuses comme les fumées des cigarettes, et qu'ils infiltrent les vêtements et les pensées. Elle parle, et je la regarde dans le grand miroir à côté du lit, près de la fenêtre dont le rideau fermé nous cache la vue. Elle s'était assise mais s'est relevée tout de suite, elle se tient debout derrière moi, qui ai pris sa place sur la chaise, près du bureau. J'écoute encore les mots qu'elle dit sur le parfum de Francesco, avant que, se sentant rougir, elle s'excuse presque de répéter les mêmes histoires que plus tôt dans l'après-midi ; elle décide d'aller dans la salle de bains.

Je reste assis comme ça, sans bouger, sans penser à rien d'autre qu'à être ici, me demandant ce que peut être en train de faire Tonino (lui, avec l'image de cette chemise bien repassée sur les épaules), ce que peut dire Gabriel, ce que redoute Virginie et puis, chez moi, à La Bassée, qu'est-ce qu'on dirait si on savait que je suis ici, dans une chambre d'hôtel avec une Italienne très belle – puisque voilà, c'est dit, Tana est très belle. Quelque chose fait que je la trouve très belle, malgré tout ce qui se passe et qui me donne honte de me dire que je la trouve belle, d'être si inconvenant, presque vulgaire, l'incongruité de penser à sa beauté alors que, alors que quoi ? oui, qu'est-ce qu'ils diraient ? à La Bassée, de me voir penché sur la chaise, buste en avant, les mains jointes et les avant-bras sur les genoux, m'attachant maintenant, pendant que de la salle de bains j'entends couler l'eau, à regarder avec impudeur les deux chaussures de Tana – le cuir noir brisé du cou-de-pied jusqu'à la pointe, l'intérieur carmin de la chaussure, celle du pied gauche couchée de côté, et l'autre, dont je regarde la semelle et le talc qu'elle a dû mettre pour le confort du pied. Le talc, ou la poudre blanche qui ressemble à du talc, qui laisse comme une fine pellicule dans la chaussure. Et je suis là, regardant ça, avec ce besoin de me redresser et de regarder mon visage de l'autre côté du lit, dans la grande glace, pour y trouver encore plus de surprise et d'étonnement d'être ici que je ne l'aurais imaginé, alors qu'à ce moment, je sais bien ce que veut dire ma présence ici – ma présence,

ma présence ?

Et c'est comme ça, dès que Tana est sortie de la salle de bains, sans même faire attention, que je lui demande si ça fait longtemps que son père est mort. En guise de chemise de nuit elle porte un tee-shirt trop grand pour elle, qui descend au milieu de la cuisse. D'abord, elle ne répond pas. Les cheveux défaits tombent sur les épaules et cet air dur ne quitte pas son visage – son expression butée plus que triste, cette violence qui mange tout, le nez, les yeux, le front, et ne laisse aucun espace à l'abandon. À peine si la stupeur, quand je pose ma question, laisse sur ses lèvres une empreinte d'étonnement. Elle doit passer la langue sur les lèvres pour trouver la force de répondre, et rompre ainsi cette aridité qui se fait sur toute la bouche. Elle fait le tour du lit et je la vois, de l'autre côté, en face de moi. J'aperçois aussi son dos dans la psyché, et j'entends la voix minuscule et molle pour me demander comment je peux savoir que son père est mort, comment je peux le deviner et le dire, puisque je ne le sais pas, qu'elle n'a rien dit, qu'elle ne parle jamais de lui et que même, parfois, il lui arrive d'oublier ce père et le métier qu'il faisait ; elle était si petite au moment de l'accident et c'est pourquoi, en relevant le dessus-de-lit, en regardant le drap blanc du lit, elle me dit qu'elle ne comprend pas comment j'ai pu savoir. Je me dis que je n'aurais pas dû poser la question, mais ça y est, je sais ; je sais que depuis le début j'avais compris ce qu'elle ne voulait pas dire et qui était entre nous deux, cette mort impossible, intenable – celle du père. Et je m'agite sur la chaise. Je vais me lever. Non. Pas encore. Mais par contre, fumer encore pour se tenir à quelque chose, un geste à quoi se raccrocher et un endroit où poser le regard, quand il me semble que, après cette question, plus jamais je ne pourrai la regarder en face. Je gratte l'allumette et le bruit du grattoir couvre à peine ma voix lorsque je dis : ceux qui parlent trop de leur mère, c'est toujours la même histoire, on parle de l'un quand c'est l'absence de l'autre qu'on veut faire éclater.

Je suis tellement mal à l'aise, il faut me pardonner, j'ai trop bu, je ne sais pas très bien ce que je raconte. Je ne finis pas la cigarette, je l'écrase en ajoutant que j'ai trop fumé. La cigarette se casse, je me lève et, avant d'aller dans la salle de bains, je vais vers la porte d'entrée pour éteindre le lustre. Tana allume sa lampe de chevet et cette fois il ne reste que cette lumière et celle du bureau, que j'avais allumée avant, pour regarder l'affiche. Dans la salle de bains, je passe de l'eau sur mon visage, beaucoup d'eau. Je veux me rincer les dents mais il n'y a pas de mitigeur, seulement deux robinets : eau chaude, eau froide. Alors c'est sous celui d'eau froide que je vais boire et me rincer la bouche, et tant pis si les gencives sont sensibles au froid et les collets toujours un peu saignants ; l'eau que je recrache se tache d'un sang rosé dans le lavabo. Je voudrais me reposer, je me dis que ce serait bien de dormir.

Tana est assise dans le lit, le dos très droit. Cette fois je sais que les larmes coulent sur le visage et elle paraît inerte, absente d'elle-même, complètement abandonnée aux larmes. Elle n'a pas bougé et cependant elle sait que je suis revenu. Elle tripote un mouchoir entre les doigts, le fait glisser d'une phalange à l'autre, regarde toujours le carré de tissu, les joues cramoisies comme celles d'une gamine qui serait honteuse d'une paire de taloches reçue en public, quand sa voix tout à coup éclate d'un rire méchant et rauque, très rude : elle dit que le dessus-de-lit est vraiment trop laid, avec ses dessins ridicules et niais de soleil et de lune avec des yeux, et elle rit d'un rire forcé, brutal, pendant que j'éteins la lampe de bureau. La pénombre, où ne reste allumée que la lampe de chevet de Tana, me laisse suffisamment de visibilité pour me déshabiller sans trop avoir à redouter la lumière. Mais j'ai envie de détourner l'attention. Je ne veux pas qu'elle voie mes jambes trop maigres, ni mes genoux noueux comme de gros poings fermés alors, pendant que j'enlève mon pantalon et ma chemise, que je retire mes chaussettes, et en prenant le drap de mon côté, pour le soulever, lui et le dessus-de-lit, à mon tour j'éclate de rire, bon

Dieu, c'est vrai que c'est laid ! avec cette grosse laine immonde et soudain tout y passe, tout est fait pour y passer, on y va sans retenue en disant que le papier peint est plus rococo qu'Art nouveau, on ricane en se moquant du mobilier et du lustre avec ses angelots grassouillets. Mais la vérité, c'est qu'à cet instant on se méfie encore et qu'on ose bien peu : nos rires, les doigts tremblants qui cherchent du réconfort en tripotant le dessus-de-lit.

Maintenant nous sommes tous les deux allongés, essoufflés. Nous ne disons plus rien et restons tous les deux les yeux grands ouverts, fixés sur le plafond. On sent le drap qui bouge à cause de la respiration trop forte. Je me dis que j'aurais bien voulu changer de tee-shirt à cause de la transpiration, mais c'est trop tard ; je ne pouvais pas prévoir, je me suis couché comme ça. La lampe est encore allumée du côté de Tana. Je retire ma montre et la pose sur la table de chevet à côté de moi. Mes jambes me font mal. Je vais me détendre. J'aimerais me détendre un peu. Je me tourne et, sur le côté, dos à Tana, j'entends son souffle et les ongles qu'elle ronge, qu'elle mordille. Quand elle arrête, c'est parce qu'elle attend de prendre la décision d'éteindre la lumière. Mais avant il faut prendre la pilule. Elle respire si fort. J'entends les sanglots dans la gorge, je les écoute, je traque le moindre bruit de sa panique, de sa terreur. Je voudrais l'apaiser et j'entends ; avant d'éteindre il faut boire une gorgée d'eau et renoncer au calmant qu'on lui avait donné à l'hôpital, se dire qu'elle n'en a pas besoin, peut-être parce que je suis ici. Mais il faut faire comme avant. Comme si de rien n'était. Comme si tout allait continuer comme ça. Tana éteint la lumière. Nous sommes l'un et l'autre, seuls, avec cette respiration entre nous, si lourde, écrasante, cet espace si mince entre nous lorsque nous bougeons l'un ou l'autre, ce froissement inattendu du drap, vertigineux, ce bruit qu'on entend presque trop.

Et cette patience, oui, cette patience infinie qu'il faut pour rester comme ça en essayant de retenir son souffle et en tremblant, hébété, interdit, cette peur de faire du bruit ; et l'entêtement de ce silence entre nous comme un écho aux rumeurs de fin du monde qui détonnent sous les crânes : Francesco et les bruits, les cris, cette furie du stade, tout ça qui se répand et s'épanche entre nous. On a beau essayer de chercher à apercevoir un filet de lumière sous la porte de la salle de bains, j'ai beau me mettre sur le dos – elle est aussi sur le dos –, des minutes passent qui durent des heures. Nous ne disons rien et je voudrais parler – on pourrait entendre les cœurs battre dans les poitrines – les gorges sèches déglutir – les souffles qui rasent le drap – les yeux ouverts dans la nuit – je sais qu'elle non plus ne dort pas.

Alors je tourne la tête vers elle, tout doucement, c'est dans l'air, une immense fragilité. J'ai peur qu'elle m'entende et qu'elle interprète ce geste comme une tentative de caresse, d'approche, quand c'est juste de conjuration qu'il s'agit. Mais j'ai peur de ce mouvement, de mon regard sur elle – et si elle se tourne elle aussi, qu'elle me regarde dans la nuit ? Mais non, j'aperçois son profil et l'œil grand ouvert, l'éclat d'un œil gonflé de larmes qui ne coulent plus. Des heures. Des heures qui passent avant que Tana murmure des mots que je ne comprends pas, qu'elle a prononcés pour elle-même, peut-être même à son insu. Entre nous, il y a cet espace et ma main à plat, paume contre le drap. C'est très long, infiniment. Et puis lentement sa main se déplace et glisse vers la mienne. Elle sait qu'elle va trouver ma main. Je n'ose plus bouger. Mon cœur bat trop vite, si vite, j'ai du mal à ne pas respirer plus fort.

Au début, presque rien. Le bout des doigts, la pulpe de ses doigts sur les ongles des miens. Je ne bouge pas ; j'écoute la progression, je compte millimètre par millimètre, le nombre de millimètres à la seconde et les battements d'un cœur déglingué – nous restons de longues minutes comme ça, ma main à plat, ses doigts à peine posés sur les miens. C'est très lent. Ça met très longtemps avant que ma main se retourne, que la paume ne soit plus contre le drap mais, qu'enfin, les doigts de Tana puissent s'y poser.

Et puis cette lenteur infinie qu'il faut à ses doigts pour toucher ma paume. Ses doigts qui progressent dans ma main – la paume humide et chaude. J'ai l'impression de ne plus respirer, je ferme les yeux. Sa main tout entière est posée sur la mienne. Mais ce n'est pas fini, le mouvement qui suit est très lent et doux, infiniment précieux, celui où l'une sur l'autre les mains se referment ; les doigts cherchent l'espace pour se joindre, et enfin ils se trouvent. C'est lent et pourtant très fébrile, et l'urgence est là, dans cette maladresse, des trébuchements, des accélérations, des gestes freinés à peine ils sont esquissés – sa main enfin s'agrippe à la mienne –, nos mains se serrent fort, infiniment ; nous restons comme ça et, les yeux ouverts, le souffle court, je regarde le plafond et ne vois que l'obscurité de la nuit.

Le temps n'existe pas ou bien c'est le contraire, il y a un temps qui passe avec une extraordinaire lucidité, les secondes s'inscrivent, se marquent, nous marquent, comme si c'étaient elles qui enfonçaient leur présence dans ma peau. Et cette sensation bientôt se dilue quand j'entends le mouvement et le froissement des draps – elle se retourne vers moi, la tête baissée, elle me lâche la main et ses bras s'enroulent à mon cou. Elle ne dit rien, mais je sais que sans doute elle pleure ; ou peut-être pas ; elle approche, sa tête cherche ma poitrine et sa poitrine à elle se soulève. Cette fois, elle est tout contre moi, ses paumes mouillées contre mon cou. Mes mains la serrent fort. Je sens ses seins contre ma poitrine, son odeur est forte, son corps me paraît si fragile, si maigre, que j'ai peur de le serrer contre moi ; elle reste comme ça et sanglote longtemps ; je voudrais lui caresser les cheveux, je n'ose rien, il me semble que mon cœur ne bat plus. J'attends – faut-il prendre son visage entre mes mains, lui sécher les larmes ou les lécher autour des yeux, doucement, avec une infinie précaution, du bout de la langue ? Est-ce que c'est ce qu'elle veut ? Je ne sais pas. Ce que je sais, c'est que nous resterons comme ça sans plus bouger, attendant d'être pris par un vague sommeil, une somnolence interrompue au moindre bruit, jusqu'à l'étonnement, dans quelques heures, de voir revenir la lumière un peu grise du matin.

11

Geoffrey Andrewson. Andrewson, Geoffrey.

Je murmurerai mon prénom et mon nom et je ne les reconnaîtrai pas. Dans ma bouche, la sonorité des syllabes éclatera comme des bulles de savon, le soir sur la ville, et mes jambes molles auront la force de parcourir les rues de Liverpool. Mes jambes, comme des bouts de roseaux sur lesquels je tiendrai en vacillant. Des échasses trop fines, trop sèches, presque des brindilles. Mais des brindilles encore suffisamment épaisses et solides pour que je puisse marcher et me tenir droit, suffisamment droit afin d'ouvrir la cage thoracique et de respirer le plus fort possible (comme si les idées circulaient dans l'air, qu'il suffise d'une bonne respiration pour tout ordonner dans sa tête afin que les choses deviennent claires, qu'elles reprennent l'évidence et l'ordonnance qu'on leur croit).

En sortant de chez Elsie, j'irai jusqu'au *Yellow's pub*, chez Tim ; au comptoir, il n'y aura presque personne. À droite, tout de suite après l'entrée, je verrai Terry, Jimmy, Stephen jouant aux fléchettes comme chaque soir à la même heure et, derrière le comptoir, au fond du bar, Wendy et Linda. Elles me feront de grands signes de mains pour que je les rejoigne. Tim me sourira de ce léger sourire bien à lui, et, pendant qu'il finira d'installer un nouveau fût de bière, je lui commanderai une canette de Special Brew.

Ça fait longtemps qu'on t'a pas vu !

Oui. Ça fait longtemps. Au moins trois mois.

Et il faudra expliquer à Tim que je n'ai pas eu beaucoup de temps, les études par correspondance demandent qu'on soit régulier dans le travail. Je me contenterai de dire ça, et non pas comment il est difficile de travailler quand ce n'est pas vraiment possible dans ma chambre, aussi exiguë et basse de plafond que toutes les autres pièces, où une moitié sert de cagibi à toutes les breloques dont on ne veut plus, et que personne ne se résout à jeter (à ces cartons qui s'entassaient dans l'entrée, sous un vieux rideau de nylon à fleurs orange et rouges, on a ajouté d'autres cartons et toujours d'autres emballages, qui ont commencé à envahir ma chambre, dont tout le pan gauche est recouvert jusqu'en haut). Ce mur où avant il y avait le poster – il y est toujours mais on ne le voit plus – des Beatles traversant le passage piéton d'un *Abbey Road* grandeur nature, là, s'empilent maintenant des journaux à scandales, des revues de sport automobile et la pile de *Penthouse* et de *Rear View* que Hughie aura laissée ici sous l'injonction d'un regard assassin de Faith, des piles de *comics* qui furent le seul goût que nous avons partagé tous les trois, mes frères et moi, et des cartons entiers de pièces détachées de motos, un vieux magnétophone cassé mais que personne ne jettera parce qu'il suffirait, comme on dit, de s'y mettre pour le réparer, des cassettes préenregistrées et quelques vinyles. Et puis des tissus. Des chaussures trop vieilles pour être portées, pas assez abîmées pour être jetées. Comme tout le reste, en attente.

Comme j'attendrai, là, au *Yellow's pub,* qu'on ne me demande rien de plus. Puisque, même si j'étais resté silencieux ces derniers mois, et que j'avais beaucoup travaillé en limitant mes sorties (toutes réservées à Elsie désormais, puisqu'elle préférait que nous restions tous les deux et que nous partions

246

hors de la ville, du côté de Southport pour les rues ombragées et les arcades à verrières de Lord Street, ou pour ses parterres de fleurs et le calme de la longue plage de sable) pour rattraper le retard que j'avais pris dans les études de géographie, il reste que je n'avais pas réussi à finir tout le travail que j'avais accumulé. Ce goût de la géographie. Je pourrais parler des cartes de géographie, et dire comment j'aimerais dessiner des cartes et des planisphères. Le reste du temps, je vais aider au restaurant chinois à l'angle de chez nous, chez *Madame Kyon*, pour faire quelques livraisons à domicile, ou même la plonge plusieurs fois par semaine. Oui, pas beaucoup de temps pour les amis. Pas de temps pour le pub. Il faudra encore parler de ça, et dire que je ne sors plus beaucoup.

T'es pas séquestré au moins ? demandera Linda en riant.

Oh, c'est vrai, comment va ta fiancée ?

Je veillerai à ne pas remarquer l'ironie avec laquelle Wendy aura posé sa question, à l'unisson déjà de Linda pour ce qui est de savoir si je suis séquestré ou pas. C'est vrai, je ne vois plus les gens que je voyais avant, parce qu'Elsie n'y tient pas. Elle ne me l'a pas dit. Elle ne m'oblige à rien, mais je sens bien qu'elle n'aime pas tellement mes amis. Même si, bien sûr, ça n'a rien à voir avec la famille, que ce n'est pas comparable à la haine qu'elle éprouve pour Doug et Hughie. Mais quand même, ce sont des choses qui se sentent.

On voulait monter un groupe de *new wave*, avec David et John. Peut-être que c'est Wendy qui aurait chanté, et moi, je me serais mis à la basse. Mais on ne l'a pas fait, et on ne le fera jamais parce que ce soir-là je marcherai longtemps après être sorti du *Yellow's pub*, et que longtemps je réfléchirai et sentirai dans mes bronches que l'air est irrespirable, oh oui, tout à coup, marcher plus vite, écouter les voitures qui sortent de la ville, marcher vers elles pour ne plus se sentir étouffé par des images jaunies qui me faisaient peser tout ce poids sur le cœur, toute ma lourdeur, c'est ça, la première fois que j'ai fait l'amour, c'était avec Wendy, sur le canapé chez ses parents, les premiers joints avec John et David, nos premiers concerts, notre envie de monter sur scène et d'écrire nos propres chansons. Mais nous avons attendu trop longtemps, des années.

Vous avez vu ce qui s'est passé ?

Quoi ? T'es pas au courant ?

Et, bafouillant, je marmonnerai que bien sûr que si, je suis au courant. Comme tout le monde. Mais, ne pas leur dire que j'y étais. Ne pas avoir à dire ce que j'ai vu, ce que je faisais là-bas. Mais entendre le récit de chacun. Buvant ma bière à grandes gorgées pour y noyer les mots et les aveux que je ne saurai pas faire et dont je comprendrai comment je serai incapable de les assumer. Rougissant toujours, ne sachant pas comment dire que je n'étais pas à Liverpool et que j'étais à Bruxelles, que j'étais dans le stade, me sentant incapable, trop lâche pour dire la vérité, je chercherai du regard de quoi me retenir à une idée, à quelque chose, mais le comptoir et les verres, derrière le bar, la lumière jaune au-dessus des fléchettes, et même les voix et les rires des joueurs, tout me semblera hostile, invraisemblable. Je ne dirai rien, pas un mot, pas un murmure ; ce sera ma façon de mentir.

Ils parleront de leur dégoût et de leur tristesse. Ils en parleront en disant nous, en m'associant à eux, et moi, moi, je ne dirai rien. Dehors, tout de suite après, quand je reprendrai cette marche dans la ville, c'est à moi seul que je pourrai souffler : maintenant il faut courir plus vite que ta vie et enjamber les années d'un seul coup, passer par-dessus bord tout ce qui te retient ici, parce que tu n'es déjà plus là, tu es déjà parti, tu t'en vas, peut-être à Londres, à Amsterdam, peut-être livrer des pizzas et transporter des carcasses de porcs et de bœufs dans des entrepôts à l'autre bout du monde, ou jeter de la sciure de bois sur les taches d'huile et d'essence dans des stations-service. Peut-être que je chercherai ma vie en regardant l'eau limoneuse de la Tamise ou les grandes maisons blanches et la foule de Carnaby Street, que je chercherai à comprendre en regardant fixement des portiques à colonnes et des portes vert bronze ou rouge sang, mâchant ma salive pour me demander comment on en arrive là, un désert en plein cœur de Londres, ou d'ailleurs, de partout, quand il aura fallu se décider pour lâcher prise et envoyer promener ma vie loin devant moi – non pas loin dans l'espace, mais loin, infiniment loin dans le temps, au-devant de moi, là où ma mémoire pourra se libérer de l'emprise d'un Liverpool que j'ai à peine connu, celui du plein-emploi et des odeurs d'huile de palme et de café sur l'Albert Dock, du goût des glaces à la framboise que ma mère nous offrait chez un glacier de Warwick Street ; oui, échapper aux souvenirs des puces qui nous grignotaient les mollets et les bras au cinéma, oublier la voix de mes frères et leurs encouragements, allez, vas-y, tu vas y arriver, et j'avais réussi à faire du patin à roulettes, du vélo, et eux m'avaient aidé et ce soir-là, ce sera le plus dur, leur voix d'enfants mêlées aux cris dans le stade, et avant même la rue, dans le pub, ma gorge se bloquera et mes yeux pique-ront et rougiront – alors je prétexterai que c'est à cause de la fumée et Tim montera sur un tabouret pour essayer de régler l'aérateur, au-dessus du comptoir.

Nous parlerons encore pour dire que, cette fois, nous serons même d'accord avec Margaret Thatcher, quand elle a dit que la honte et la disgrâce étaient tombées sur notre pays. On pourra presque rire de s'entendre dire que nous étions d'accord avec elle, nous qui la détestions tant. Être d'accord avec elle en se disant que c'est à pleurer d'être d'accord avec elle. Et nous, aujourd'hui, vaincus, meurtris, en train de dire, nous sommes d'accord avec elle, il est normal que les clubs anglais renoncent aux compétitions européennes l'an prochain. Nous, d'accord avec celle contre qui nous sommes remplis de haine et de dégoût, quelle honte, comme si ça avait été possible pour nous de vieillir si vite et, en une soirée, passer du côté de ce Royaume-Uni si conservateur que nous détestions tous ensemble, ici, depuis si longtemps.

Et moi je les regarderai, mes amis buvant leurs bières, le visage fermé et triste, avec, pour les accompagner autour de nous, la musique dont Tim baissera le volume. Le bruit des fléchettes au moment de toucher le liège de la cible couvrira la musique et les voix. Je ne finirai pas mon verre. Je reprendrai une cigarette et il faudra sortir pour ne pas avoir à affronter ma lâcheté – la honte et la disgrâce – ni me dire qu'autour de moi, maintenant, c'est le monde que je connaissais qui s'est effondré, et que, si je n'ai rien fait tout seul, et, bien qu'évidemment je pourrai me dire que je n'y suis pour rien dans tout ça, puisque chacun peut toujours se cacher derrière les autres, derrière ce qu'on entendra sur le chômage et le destin, la fatalité, la misère, ou pourrait se cacher encore entre les plis des raisons et des excuses, des statistiques, il faudra bien que je m'avoue que toute ma vie n'aura été que ce mensonge qui me mènera là, les joues cramoisies, le souffle court, complice de ce qui se sera joué et à quoi j'aurai participé à ma façon tiède et molle, c'est-à-dire profondément coupable, délétère, nuisible aux autres et à moi-même. Voilà ce que pour une fois il faudra avoir le courage de se dire. Geoff. Andrewson. Geoffrey Andrewson. Petite ombre au tableau.

Je me demanderai enfin, là, les doigts écartés contre le rebord du comptoir, si c'est vraiment parce que je les aime et que je veux me rapprocher d'eux, ou bien, est-ce seulement parce que je suis lâche et affolé que je ne veux pas m'avouer ce que je sais de mes frères, préférant mentir et tromper mes amis, et celle que j'aime aussi, pour ne pas reconnaître qui ils sont ? Mes frères, qui, sans honte, sans scrupule, se laisseront aller à ce qu'ils auront déjà commencé chez mes parents, ce à quoi ils s'abandonneront avec la plus totale insouciance, dès qu'ils seront de retour chez eux : reprendre là où ils s'étaient arrêtés deux jours plus tôt. Ils retrouveront leur fauteuil dans le salon. Puis, à la fois fatigués et excédés de tout ce qu'ils auront entendu à la télévision, ils iront chercher une bière bien fraîche au frigo. Puis, plus tard encore, ils éteindront la lumière et iront dans leur chambre prendre leur femme avec la même désinvolture qu'un chien marque son territoire.

Oui, voilà ce à quoi je penserai, moi qui ne serai plus à même d'ingurgiter ni bière ni salive, tendant tout mon effort pour retenir des larmes aussi lourdes que ce besoin informulable de demander pardon et d'essayer de comprendre. Mais pour ça, il faudrait que je prenne le temps. Que je cesse d'entendre encore ce mensonge que j'aurai fait en dodelinant d'un air consterné et chagrin, au lieu d'être – qui sait ? – contrit et repentant. Et puis, me pinçant les lèvres d'un air entendu, je me dirai peut-être, mais, mais comment vais-je faire après ? Comment est-ce qu'il sera possible de se tenir droit face à soi-même, de se regarder et de les regarder, eux, mes amis, quand ils parleront devant moi et avec moi, sans se douter que je leur ai menti, simplement parce qu'ils ne peuvent pas imaginer que j'étais là-bas (comment le pourraient-ils, eux à qui je n'ai jamais parlé de mes frères et des passions familiales pour le foot, qu'en en disant le plus grand mal ?) ?

Je regarderai ma montre. Bientôt le pub se remplira et Tim devra monter le volume de la musique. La fumée des cigarettes montera pour tapisser le plafond pendant que j'irai aux toilettes, que je passerai de l'eau sur mes yeux brûlants. Et puis vite, dans mes poches, je trouverai quelques pennies que je jetterai sur le comptoir en disant qu'il faut que je parte, sans attendre la réaction étonnée de Linda et Wendy,

Déjà ?

Et moi je ne répondrai pas et je penserai si fort que, non, ce n'est pas déjà, c'est enfin qu'il faudrait dire. Enfin je pars d'ici. Je ne me retournerai pas sur les gens que j'ai trahis. Je penserai à eux, à qui je ne prendrai même pas le temps de dire au revoir. L'air sera frais, presque froid, et il me claquera les joues comme pour me réveiller. Cette fois, mes joues ne seront plus rouges de honte mais de cet air vivifiant qui les fouettera pour que je me réveille et que je comprenne enfin tout ce qui se passe. Ce qui se passera à ce moment-là. Mes mains soutenant mon ventre comme s'il allait tomber ou exploser à cause des ballonnements et des brûlures d'estomac.

Je marcherai le souffle de plus en plus fort dans ma poitrine. Pour moi enfin tout sera simple et limpide. Mes joues seront bouillantes, mes lèvres sèches, craquelées, et mon corps à l'unisson de tout ce vacarme qui tapera dans la tête. Cette fois il sera temps de ne plus tricher. Les visages viendront autour de moi. Mes amis. Mes parents. Elsie. Et puis la ville elle-même, qui voudra me recracher comme le noyau d'un fruit, un débris, une raclure parmi d'autres. Et moi je saurai qu'elle a raison, parce que je lui aurai fait du mal, à elle aussi, ma ville. Je marcherai et je me retrouverai bientôt vers Cavern Walkes. Alors il sera toujours temps pour moi de fredonner *Strawberry Fields Forever* avec l'envie de crier, ma voix nageant parmi celles des morts qui viendront de là-bas, franchissant l'eau noire de la Manche et remontant les falaises blanches de Douvres, grignotant la Grande-Bretagne en entier jusqu'à l'intérieur de mon ventre et de ma tête. Et alors je repenserai à cette fille au blouson noir et à la queue-de-cheval, du sang sur les mains, son visage hagard, dément. Et moi qui avais vu des Anglais secourir des gens par terre – j'aurais pu aider, j'aurais pu ne pas rester comme ça, figé. Je marcherai dans la ville et j'attendrai, en remontant Lime Street vers la gare, de ne plus penser à cette fille que j'aurais pu aider quand elle m'a regardé et que je l'ai regardée, quand elle était devant moi sur la pelouse et que j'étais devant elle sur la pelouse. Et je penserai à son visage, sa blancheur, sa stupeur, sa bouche, pendant que de la mienne ne tombera que du vide au moment de tendre le pouce, et puis d'ouvrir la portière de la première voiture qui s'arrêtera. Je n'entendrai pas le moteur qui tournera. Je ne verrai pas la silhouette du conducteur qui se penchera pour ouvrir la portière de l'autre côté, mais j'irai vite, vite, presque en courant, saisir la portière qu'il aura ouverte, et l'ouvrir, s'engouffrer le plus vite possible dans la voiture en attendant quoi, rêvant d'élargir encore l'écart,

rien – seulement faire un bond très loin devant, déserter ma vie et ne plus me retourner.

III

12

Trois ans et quelques mois.

Ça a dû être très long pour les familles, d'attendre que le procès commence, qu'il se passe quelque chose, que, comme on dit, justice soit faite. Mais de tout ça, on ne peut pas vraiment parler. À La Bassée, j'ai vu ces trois années s'écouler dans un mouchoir de poche – une poche que j'aurais pu vider sur la table de la cuisine et qui aurait contenu non pas des années ni des clés ni de la monnaie ni un mouchoir, mais six cent mille étudiants contre la loi Devaquet et les voltigeurs de Pasqua, le suicide de Dalida, l'explosion de la navette Challenger comme un écho américain aux trente-deux morts officiels de Tchernobyl, et sur toutes les radios et dans les supermarchés le refrain de *C'est la ouate,* alors que dans le monde la ouate s'était déjà déchirée depuis longtemps et qu'il n'y avait plus même l'illusion du repos ; Rock Hudson est mort mais le sida ne tue pas que des vedettes, la petite culotte de Madonna est une icône pendant qu'on liquide le vingtième siècle, Fred Astaire, René Char, Rita Hayworth, Jean Genet, Simone de Beauvoir, mais aussi de mes poches j'aurais pu sortir ma peur de comprendre que nous vivons à l'air nu et que nous n'avons pas de peau assez solide pour nous protéger des coups de griffes et des morsures, que notre peau c'est déjà notre chair, et chanter *C'est la ouate, c'est la ouate,* et comme des perles ou des pièces de monnaie, j'aurais laissé rouler des noms sur la table, des chansons et *les Ailes du désir,* l'arrivée du Prozac et de Super Mario Bros sur Nintendo, notre monde émergeant comme un coup de pied au cul des rêves de nos parents : la mort de Malik Oussekine et nous deux, avec Tonino, cherchant à comprendre en travaillant, révisant nos cours en vendant des frites blanches comme des cierges et des hamburgers, et malgré l'odeur de friture et la casquette sur la tête, se remémorant en même temps le nombre de cannelures des colonnes doriques et l'âge d'or de l'architecture classique, se rassurant en se disant, bon, au bout de dix unités de valeur nous aurons notre licence et puis après, après,

après, moi je rentrais souvent à La Bassée, où je retrouvais ma mère et mon petit frère – salut, p'tit frère, ça va ? – ma mère qui m'avait raconté qu'elle avait vu le match à la télévision sans savoir que j'étais là-bas ni que, peut-être, elle avait aperçu ma silhouette parmi les fantômes et ces corps de cendres au milieu des débris. Trois ans et quelques mois, pour un procès déjà fini avant d'avoir eu lieu. Italo Calvino est mort, Otto Preminger est mort, le krach d'octobre et *Shoah* à la télévision et Tonino qui aurait voulu que je l'accompagne là-bas, que je retourne à Bruxelles pour être près de ce procès que je ne voulais pas voir, moi qui ne rêvais que d'en finir encore de ces paysages d'herbe souillée et de gravats, de ces cris qui me réveillaient dans la nuit, des mois plus tard, dans ma chambre, alors même que pourtant celle-ci n'avait pas bougé et que je me répétais que là, à La Bassée, rien ne pouvait arriver.

Oui, je me disais, ma chambre, c'est celle où rien ne bouge, dans cette maison où je pensais encore que rien ne pouvait sortir de ce semblant de naphtaline, à part ce monde étrange à la télévision – et nous, miraculeusement préservés de la vie et de la mort, de l'agitation, dans un univers immuable, seulement dérangés de temps en temps par la sonnette et la figure crevassée et congestionnée de Bernard, qui arrivait pour voir ma mère en hurlant qu'il aimait sa sœur, qu'il voulait voir sa sœur, titubant devant la grille, les yeux vitreux, restant accroché à la grille dix bonnes minutes à marmonner et à jurer. Et puis il repartait en titubant, les cheveux poussiéreux et le regard à l'abandon, déçu et plus seul encore qu'avant de boire. Voilà, c'était l'événement. Le seul. Celui qui méritait qu'on se cache et qu'on éteigne les lumières, la télévision, histoire de ne pas avoir à se dépêtrer des épanchements pathétiques d'un mal-aimé alcoolique et bavard. Le seul mouvement qui méritait qu'on se cache un peu, qu'on évite un danger dans ce monde où il n'y avait pas de danger ni de risque, puisque, au fond, nous n'existions pas encore.

Alors le procès, non. Je n'ai pas voulu y aller. Pas pu... enfin, je me dis que je n'ai pas pu. Je suis allé chercher Tonino à la gare du Nord, à Paris, quand il est revenu de Bruxelles, parce qu'il m'avait appelé pour me demander de venir, me disant qu'on pourrait rester quelques jours à Paris pour se promener et se changer les idées. Et moi j'avais pensé, se changer les idées ?... que justice soit faite ?... oui, oui, c'est ça, Tonino, on va se changer les idées... Ça va me changer les idées, tiens donc, de te voir sortir de ce train et de nous retrouver dans cette gare où je n'ai pas mis les pieds depuis trois ans, quand nous étions revenus tous les deux, toi qui portais encore les cheveux longs et l'arcade abîmée, ton Teddy et les lettres blanches de *Chicago*, la chemise bleu ciel de Gabriel, avec cette fin de nuit que tu m'avais racontée, Gabriel et toi dans un bar, Virginie qui vous avait laissés sur place. Et finalement tu avais dormi chez eux, puisque Gabriel avait fini par te dire qu'il ne pourrait pas se regarder en face s'il osait continuer avec sa jalousie, oui, *déplacée*, c'est lui-même qui avait reconnu ça : sa colère et sa jalousie *déplacées*, ne valant plus rien qu'indifférence, comme si, dans la nuit, après *cette* nuit, il avait mesuré ce que tout ça avait de dérisoire.

Dans le train, j'avais somnolé et la voix de Tonino m'était revenue avec les mots qu'il avait prononcés au téléphone pour dire, ça ne sert à rien de rester ici, ça va durer des mois et je n'ai rien de plus à faire à Bruxelles... Ça fait drôle d'être venu, de revoir la Grand-place... Il faut que je te parle, que tu saches, les Anglais, le procès. Il faut que je te parle de qui j'ai vu là-bas.

Son inquiétude. Les cheveux courts, une barbe presque rousse, d'une bonne semaine. Tonino. Et cette doudoune qui lui faisait un corps potelé comme celui du *Bibendum* de Michelin, sous un visage fermé qu'à cet instant, moi qui le connaissais bien, qui l'avais vu encore il y avait peu de temps, à peine quelques semaines, j'avais l'impression de ne pas reconnaître totalement. Mais ce n'était pas à cause des cheveux courts ou de la barbe, ni même de cette fatigue et de la doudoune qui donnaient peut-être l'impression d'une tête plus petite qu'elle l'était réellement. Cette façon de ne pas me regarder en face, de baisser les yeux et de sourire dans le vide, parlant du froid et de ce plaisir de se retrouver ici tous les deux à Paris, c'était quelque chose que je ne connaissais pas : une manière de gêne avec moi. Tonino, peut-être à la fois soulagé de me voir et inquiet de devoir justifier ce besoin de ma présence, par une discussion qu'il n'avait fait que repousser le temps que nous sortions de la gare et que nous allions vers la rue de Dunkerque, chahutés par la cohue d'une heure de pointe. Tonino, sauvé encore quelques minutes par le bruit et le froid – un froid sec et réel, cette fois j'en étais sûr – avant de trouver une table au fond de la première brasserie venue.

Mais pourquoi fallait-il que j'attende des révélations ? Ou même, un regard particulier sur des choses dont il m'importait assez peu de savoir ce qu'elles deviendraient ? Un procès, des photographes, des télévisions pour couvrir ce que trois années avaient de toute façon déjà noyé et recouvert sous une nappe d'informations inutiles et balayées par les suivantes – ma poche qui se serait encore élargie, et de laquelle j'aurais pu jeter en vrac sur la table de la brasserie le petit avion du Baron Rouge atterrissant sur la place du Kremlin, les conversations sans fin sur le *Rainbow Warrior* ou le tunnel sous la Manche ou quoi encore, quand seulement je me demandais si Tonino aurait quelque chose à dire qui soit autre chose que ce que je savais déjà pour l'avoir entendu répété vingt fois dans les journaux et à la télévision, ou même, seulement craint lorsqu'il avait voulu partir à Bruxelles, et qu'il répondait par un haussement d'épaules quand je lui disais qu'il ne ferait que raviver ce qu'il fallait éteindre, cette mémoire, ce bruit qu'elle faisait et dont lui pensait qu'il suffirait d'avoir la sensation d'y être – même de loin, simplement en traînant dans Bruxelles et en approchant du palais de justice sans jamais y entrer – pour que quelque chose se produise. Pour lui, c'était le désir de passer d'un coup par-dessus les trois années dans l'espoir de les ressaisir et de se les approprier, parce que cette fois ce serait sans être surpris, en connaissance de cause ; c'est ça qui l'avait fait revenir à Bruxelles. Comme, lorsqu'il était retourné dans des stades, ce n'était pas pour y voir des matches, mais seulement pour retrouver une infime partie de ce plaisir qu'il n'y connaîtrait plus. Je l'ai su presque par hasard, lors d'une conversation avec des amis qui revenaient d'un match, par cette petite phrase de rien, banale, cruelle comme peuvent l'être les phrases dites en toute innocence, quand elles percent si bien le cœur précisément parce que c'est sans le vouloir : on a vu ton ami Tonino au stade, tout à l'heure. Je me revois entendant cette phrase, et faire mine de ne trouver là rien d'étonnant (oui, je sais, il aime les matches), alors qu'à travers ma tête se bousculaient les promesses de fuir les stades et les foules. Parce qu'on se l'était juré. On l'avait promis.

Et puis on n'en avait plus jamais parlé. Je me suis souvent dit l'étonnement de ne pas pouvoir – ni vouloir – raconter que j'étais là-bas. Ne pas dire que j'y étais. Comme si pour moi ça aurait eu la vulgarité de la prétention, comme de dire, j'ai échappé à ça, j'ai donc été le plus fort, et je pourrais raconter et enjoliver, me montrer comme une force de la nature alors non, impossible. Comme je n'ai pas voulu raconter à Tonino que je n'ai jamais pu dormir nu après ça ; oui, ce besoin de me couvrir, d'enfiler un pyjama parce que j'avais le sentiment que ma peau, *c'est la ouate, c'est la ouate*, tu parles, ma peau trop fragile pour ne pas être recouverte par un pyjama et recouverte aussi par un silence plus lourd et assourdissant qu'une onde de choc m'isolant, moi et mes idées, de tout et de tout le monde, et de Tonino aussi bien, alors que nous avions partagé sans nous l'avouer ce besoin de retourner dans un stade, ma peau était trop fragile et poreuse. Ne pas dire que j'y étais. Ne pas reconnaître que chacun avait dû s'enfermer dans son sentiment d'être le seul à ne pas savoir se libérer d'un souvenir posé dans notre vie comme un bloc de granit dressé au plein milieu d'un champ. Ou plutôt comme un trou dans un champ. Une trace d'obus. Une dévastation. Une excavation qu'il faudrait recouvrir à coup de mensonges et d'histoires inventées (pratique, ça, les histoires qu'on invente pour ne pas dire celles qui nous hantent), recouvrir par une barbe et une doudoune et autant de silence, d'absences, et des projets à dormir debout, parce que, oui, Tonino, il suffit de laisser le monde faire et voir comme il recouvre tout, regarde, tu vois, c'est déjà tout recouvert d'un brouillard soyeux, d'otages au Liban ou de ce dont tout le monde parle et de notre volonté si forte, si noire, de glisser sur ce temps. Quand nous parlions de la Belgique, c'était pour parler de la bière et des filles aux terrasses, des fleurs rouges et du musée des Beaux-Arts, que nous n'avons pas visité. Alors en marchant vers la brasserie, je pensais, dis-moi, Tonino, tu es allé jusqu'au musée des Beaux-Arts ? Qu'as-tu fait que nous n'avions pas pu faire ces jours-là ? Est-ce qu'il faudra relever la tête et tenir ses mains serrées très fort contre les cuisses pour se réchauffer un peu, sur la banquette de la brasserie ? ou bien notre conversation suffira-t-elle, à ce moment-là, pour retrouver cette confiance et cette amitié qui s'est un peu distendue, tranquillement, presque sans en avoir l'air mais comme si c'était l'air justement qui s'était raréfié depuis trois ans et demi ?

Il aurait fallu te demander, Tonino, tu n'as pas remarqué que je ne porte plus la montre de mon père ? Personne n'a remarqué ça. C'est pourtant l'une des premières choses que j'ai faites en revenant de Bruxelles. Je suis allé dans la chambre de ma mère – elle était sortie – et j'ai ouvert l'armoire à glace. J'ai vu sur leurs cintres le costume de mon père et sa parka d'un bleu presque gris, son unique cravate. J'ai ouvert le tiroir. Là, j'ai reconnu les lunettes brisées, l'écrin des boutons de manchette, l'insigne de pompier et un médaillon : j'ai remis le bracelet-montre parmi toutes ses affaires ; j'ai regardé une nouvelle fois le costume et le képi de pompier. J'ai refermé la porte de l'armoire, et ça a été comme si je la refermais sur mon passé.

J'ai commandé une bière en disant, bon, merde, Tonino, est-ce que tu sais que depuis tout ce temps, on est, enfin, est-ce que tu t'es rendu compte que ça nous a changés l'un et l'autre ?

Tu vois, un changement, un glissement qui s'est opéré en douce, vraiment, comme les plaques des continents, tu sais, tu as remarqué ? Est-ce que ce serait arrivé de toute façon ? Est-ce qu'il n'y avait pas d'autre solution que cet affaissement, ce besoin de moins nous voir, même si je sais que c'est normal de se voir moins, de se dire moins de choses, aussi, puisque comme tout le reste, les amitiés changent. Tonino me regardait en fumant et moi je continuais, la voix montant plus haut, les mains cherchant déjà à attaquer le sous-verre. Et, pendant que je commençais de le casser, de le plier en quatre d'abord, puis en huit, les yeux fixés dessus, cloués, vissés sur les doigts qui s'agitaient et maniaient le carré de carton avec fébrilité, Tonino a parlé. Il a commencé à dire la peur et les sensations diffuses qu'il connaissait depuis toujours, mais dont il lui semblait qu'elles avaient pris un tour nouveau, imperceptible au départ, mais appuyant toujours un peu plus sur lui, l'encerclant davantage quand il ne comprenait pas, a-t-il dit, que le souffle lui manquait dans la rue, en plein air, que ses yeux s'ouvraient la nuit à cause des pressions qu'il croyait ressentir contre lui. Des pressions de mains, de bras. Et, tu vois, Jeff, m'a dit Tonino, j'ai pensé à tout ça en allant là-bas, et à ce que plus la vie avance et plus il faut que je mette le couvercle dessus et que je ne parle de rien, de plus rien, je ne peux rien partager.

Bon. Reprenons. Tout ça n'est rien. Rien du tout. On le sait. On se l'est dit à ce moment-là, dans la brasserie. On est vivant, on va bien, tout va bien. Et ses doigts qui tremblaient et l'intonation lourde, la vibration dans la voix... Qu'est-ce qu'on a fait pendant trois ans qui soit si différent de ce que nous faisions avant ? Rien de spécial, rien de particulier. Rien. C'étaient les mêmes journées et les mêmes nuits. Les parties de ce flipper dans l'arrière-salle du Longchamp, sur le caisson lumineux duquel les sourires concupiscents de deux grandes blondes en bikini bleu et d'un James Bond sûr de lui nous souhaitaient la bienvenue tous les matins, et des parties de baby-foot avec un apprenti boulanger et un guitariste de hard rock qu'on aimait bien ; les filles naissaient sous nos doigts dès le printemps, comme les feuilles et les oiseaux dans les arbres, toujours sur cette île Simon où nous buvions les mêmes bouteilles de Jenlain. Alors, quoi ? Je ne sais pas. On a voulu parler encore et l'on a repris une bière pour se dire que nous n'arrivions pas à comprendre, que ce n'était pas un défaut d'amitié mais une vérité comme le besoin de revenir à soi, de se réapproprier un morceau de soi, une idée de soi ; l'impression d'un oubli, comme un vêtement qu'on aurait laissé dans le stade et dont l'absence nous serait rappelée chaque jour, chaque minute réclamant qu'on lui oppose un silence total, un repli, un regard sans bruit ni témoin, uniquement occupé à chercher ce qui fait défaut, à en ressentir le manque et le besoin. Alors, c'est vrai, a dit Tonino, j'avais ce besoin d'aller dans les stades pour réfléchir.

Il a parlé aussi de cette étrange timidité qu'il a ressentie dès le premier jour, quand il est arrivé à Bruxelles-Midi tôt le matin, un jour de pluie. Il a raconté qu'il avait prévu ce qu'il ferait pour la journée. Mais aussi qu'il n'avait rien fait comme prévu.

À la gare, il s'était acheté un plan de la ville, parce qu'en arrivant il s'était rappelé qu'il n'était venu qu'une seule fois ici. Ça avait été le premier étonnement : se surprendre d'avoir oublié qu'il ne connaissait pas la ville, puisqu'il semblait que Bruxelles était en France avec lui depuis ces trois dernières années, avec ses chocolats et son Manneken-Pis, ses quatre-voies oblitérant une vieille ville balafrée et malmenée par l'époque. Elle était en lui, et il ne comprenait pas bien qu'il

puisse y débarquer aussi ignorant qu'un autre étranger. Non.
Impossible. Et il a compris à quel point il était impatient de
retourner là-bas. Il a préféré prendre un taxi pour se rendre
devant le stade. Revoir l'entrée du stade. Un stade qui avait
changé de nom et qu'on avait refait. Mais lui, Tonino, dans
le taxi qui le menait là-bas (Tonino aurait plutôt dit : qui le
ramenait là-bas), il avait pensé que changer les noms ou
refaire les façades, transformer, maquiller, travestir, c'était
comme de partir ou de voyager pour les gens, quand ils
veulent fuir l'ombre qui leur mord les pieds sans comprendre
qu'il s'agit de la leur, ou plutôt qu'ils s'acharnent à ignorer,
à feindre de ne pas la reconnaître comme étant une partie
d'eux-mêmes. Refaire, casser, changer tout, les murs, l'architecture, le nom. L'édifice même aurait été rasé, il ne serait
resté qu'un trou sur le bord de la ville, que sa crevasse aurait
sali et pollué l'air de la même manière pour tous ceux dont
la vie est venue s'y briser.

Il a vu le taxi faire demi-tour sur le parking et il est resté
comme ça, sous la pluie – une pluie fine, presque un crachin –
attendant de décider de ce qu'il ferait. Il a marché et puis il
s'est retourné pour regarder l'avenue Houba-de-Strooper. Il
ne se souvenait pas d'une avenue si grande, si imposante, ni
de l'importance de la circulation. Et ce noir huileux du bitume
mouillé, luisant comme la peau d'un phoque. Il ne se souvenait
pas de ça, l'église à l'angle, en remontant après le stade, ni les
arbustes... Il a décidé de ne pas rester là, pourquoi rester planté
comme ça, à quoi bon ? Les images que sa mémoire allait
chercher n'arrivaient pas à se superposer à ce qu'il avait sous
les yeux ; le soleil d'un après-midi de printemps, la poussière,
la foule devant les guichets et les policiers, les voix – rien, ça
ne marchait pas, cette tentative de faire comme dans l'enfance
avec les vignettes autocollantes dont il s'agissait de trouver la

place sur un décor, et de les coller ensuite pour reconstituer la scène, voilà ce que Tonino aurait voulu faire, en restant sans bouger sous la pluie, essayant de rouler une cigarette avec les doigts qui cherchaient à garder le calme nécessaire pour se ressaisir et retrouver une image qui ne revenait pas, qui n'entrait pas dans le cadre qu'il avait devant lui, le même pourtant, c'est ici, c'est ici se disait-il, et pourtant ça n'a jamais été ici ; sous cette pluie, à ce moment précis, il n'y avait rien que le vide, que le désert d'un décor vidé de toute substance, à peine riche d'une configuration, d'un espace possible, oui, ça ressemblait un peu, de loin, une vague sensation de déjà-vu, peut-être, mais que le gris du ciel démentait, que les gens sur les trottoirs venaient démentir à leur tour, en marchant trop lentement, trop calmement, indifférents, occupés à d'autres pensées qu'à la sienne.

Et ce vide autour de lui quand Tonino a décidé de faire le tour du stade, lentement, essayant de ramener à lui quelque chose de plus lointain que sa présence ici, avec cette certitude pourtant de n'être pas seul, de marcher dans le vide mais de ne pas y être seul, ou seulement dans l'apparence de ce jour de pluie, en octobre, en quatre-vingt-huit, mais harcelé par des regards vieux de plus de trois ans, par la chaleur et l'impatience avant d'entrer dans le stade. Et même quand il a renoncé à faire le tour du stade et que, revenant sur l'avenue Houba-de-Strooper, il s'est installé dans un restaurant pour déjeuner, il a fallu se souvenir des boulettes de viande et de la sauce tomate – tout était là, des images, des sensations, des souvenirs qui revenaient, ou plutôt retrouvaient leur place en épousant de vieux habits ; mais pourtant ce n'était pas la même chose. Comme le fait d'être seul dans les rues et dans le métro, en revenant vers le centre-ville, avait été plus étrange encore, à cause de la présence des sièges orange dont il se souvenait très bien. Mais le métro était quasiment vide ce jour-là. Et puis, cette fois, il allait dans l'autre sens et sur les sièges, en face de lui, il n'y avait personne. À peine si l'écho des voix de Francesco et de Tana pouvait remonter vers lui, alors que les voix et les visages s'effaçaient sous les bruits métalliques de la rame et que, depuis longtemps déjà, Tonino savait qu'il les avait oubliés, eux, tous les deux, Francesco et Tana.

Il a posé ses affaires sur le rebord du lavabo, son peigne édenté, son dentifrice, un déodorant. Il avait oublié son rasoir, alors, tant pis, il ne se raserait pas le temps qu'il serait ici. Voilà ce qu'il a pensé tout de suite, avant de se dire qu'il aurait suffi de descendre l'escalier et de sortir de l'hôtel, pour acheter des lames et de la mousse. Mais non. Il avait acheté *Le Soir* et ne l'avait pas ouvert, pas plus que le plan de la ville. Sur le rebord de ce lit pour une personne, dans cette chambre aux murs d'un rose presque effacé, il était resté assis presque tout l'après-midi à manger des oranges et des œufs durs qu'il avait préparés avant de partir. Puis il était resté étendu sur le lit sans savoir quoi faire ni quoi attendre de son voyage.

Dans la brasserie de la rue de Dunkerque, il racontait et n'attendait pas que je lui réponde, que je lui dise ce que j'en pensais. Non. Sa voix maintenant se tenait droite et elle avançait sans osciller, cherchant le calme, évitant les écarts et tout ce qui pourrait mettre fin à son récit. Il ne faisait pas froid ce jour-là. Il a regardé la presse dans les kiosques ; on parlait du procès historique, des vingt-six hooligans qui seraient là, au rang des accusés, comme seraient là aussi les victimes et leurs représentants. C'est seulement à ce moment-là qu'il a ouvert le plan de la ville pour y chercher le tribunal. Plan nº 7, case 18, une forme d'un bleu pétrole bordé d'un pourtour orange, des lettres noires au-dessus : *Palais de Justice/Justitiepaleis.* Il fallait redescendre, peut-être prendre le métro. Mais Tonino a préféré marcher. Il a roulé plusieurs cigarettes, qu'il a rangées dans son paquet. Il a regardé son plan, le nom des rues en direction du palais de justice. Il a marché lentement mais s'est perdu, parce que, malgré le plan, il ne trouvait pas ; il avait bien vu sur le plan la longue rue de la Régence, qui mène tout droit de la place Royale à la place Polaert mais, non, il est revenu en arrière, s'est égaré jusqu'à la rue Haute, puis celle du Temple. Il s'est irrité, s'est mis en colère contre lui-même ; il a cessé de regarder le plan et s'est contenté de cracher ce mégot flasque et souillé qui pendait entre ses lèvres.

Quand il a aperçu le tribunal il a continué de marcher. Il a pris une des cigarettes qu'il avait roulées avant. Il l'a portée à la bouche et ne l'a pas allumée, pas tout de suite. Au fur et à mesure qu'il descendait dans la rue, le palais de justice devenait immense, et, entourant la coupole de son dôme, des griffons et des statues assis à une centaine de mètres au-dessus de lui semblaient le laisser venir avec un air dubitatif, vaguement ennuyés et blasés de tant d'allers et venues autour du tribunal – voitures, camionnettes, caméras, photographes, sans parler du ballet incessant que font les robes des magistrats quand celles-ci frôlent les pavés comme le feraient des robes de bal ; un bal, oui, le triste bal des vingt-six têtes de hooligans qui pourraient tomber à partir de ce jour-là, que Tonino tenterait d'apercevoir pour reconnaître à travers les crânes rasés et les visages épais, les cous massifs plantés sur des corps lourds et maladroits, les Bombers et les jeans, les Doc Martens, la panoplie des *animaux* qui vivent en meute et tuent en meute, seulement parce qu'aucun d'eux ne vaut rien lorsqu'il est seul. Et Tonino reconnaissant la haine qui montait en lui à l'idée de ces vingt-six visages qu'il chercherait à voir, et dont il savait qu'il serait si facile de les haïr pour les autres, tous ceux qui auraient dû être présents dans le box des accusés mais seront restés chez eux, des bons pères de famille, des jeunes gens comme il faut. Mais ce serait pire encore de voir dans la foule qui approcherait du tribunal les journalistes et les badauds, de savoir que là, dans une pièce, on allait parler, témoigner, réunir des éléments et des dossiers et puis attendre quoi, de toute façon ? Alors non. Tonino n'a pas voulu approcher plus. Il s'est arrêté à une cinquantaine de mètres du palais, et il est resté comme ça une vingtaine de minutes, attendant debout sur le trottoir, à fumer pendant qu'il regardait devant lui pour comprendre ce qu'il fallait faire, se disant qu'il ne supporterait pas ça aujourd'hui.

C'était un lundi, premier jour d'un procès douceâtre qui allait s'étirer en longueur. Tonino a souri en racontant ce premier après-midi, où, au cinéma, il était allé voir *Le Baron de Munchausen*. Oui, il avait ri cet après-midi-là, comme il avait ri aussi le lendemain devant *Un poisson nommé Wanda*, dès la première image, d'un rire suffocant qui le reposerait de ce lundi après-midi où, revenant vers la Grand-place, il avait été arrêté par un attroupement devant une brasserie. C'est cette brasserie où nous étions venus le matin, tu te souviens, m'a-t-il demandé ? Et puis il a voulu se taire un peu, faire une pause. Mais cette fois – et cette fois seulement – dans la brasserie de la rue de Dunkerque, il a relevé les yeux vers moi et m'a regardé fixement,

Tu ne devineras jamais.

Sa voix s'étranglant de colère et de furie retenues pour me répéter ces mots-là,

Tu ne devineras jamais.

Sur la Grand-place, autour de la terrasse de la brasserie, on entendait les crépitements des photographies et les voix qui se chevauchaient. Tonino marmonnant sa stupéfaction de voir la télévision interrogeant un groupe de gens, des hommes souriant comme des vedettes de cinéma. Il s'était glissé parmi cette foule agglutinée derrière la caméra et les photographes ; c'était devant la terrasse de la brasserie, et Tonino a avancé sans vraiment se poser de questions, parce qu'il ne comprenait pas de quoi il s'agissait, pas encore ; il n'a pas compris tout de suite mais seulement lorsqu'il a entendu les voix anglaises et les questions sur la peur de la sanction ; la sanction qui tombait déjà sur Tonino et tous ceux qui attendaient, espéraient, croyaient que,

Tu ne devineras jamais.

Ils étaient là, sirotant une bière, et ils parlaient et répondaient sans souci, fumant des cigarettes et ricanant entre eux, suant l'impunité ; ils ont des sacs de courses, oui, parmi eux certains ont fait des courses ! – peut-être l'un a-t-il acheté du parfum pour sa femme, un autre des chocolats pour ses enfants – laissant Tonino avec sur les bras les fantômes de skinheads qu'il ne reverrait plus que dans ses cauchemars, puisqu'ils étaient là devant lui et qu'aucun d'eux n'avait le crâne rasé, qu'aucun, même celui qui avait l'air le plus absent, le moins souriant, n'avait un regard plus terrifiant ou menaçant que n'importe qui. Chacun était là avec son regard étonné de se voir l'objet de tant d'attention, amusé comme un gamin le jour de la fête de fin d'année, attendant quoi ? Une récompense ? Un cadeau ? Comme si déjà ce n'était pas un cadeau trop grand que de braquer des projecteurs et des micros sur eux. Mais rien de grave pour eux. Rien, puisqu'ils sont dans la rue, qu'ils sont encore ensemble, jamais isolés ni séparés les uns des autres, et que là aussi c'est ensemble qu'ils se sont composés ces figures de jeunes gens conformes et indifférents. Et qu'est-ce qui leur donnait cet air si éloigné de ce dont on les accusait ? Leur cravate ? Le beau costume et les airs d'ado-

271

lescents endimanchés parés pour une noce de village ? Eux qui semblaient dire en gloussant, vous voyez, il ne s'est rien passé, nous ne sommes pas des animaux, nous ne sommes pas des tueurs, nous sommes des vôtres parce que nos habits sont comme vos habits et nos femmes sont comme vos femmes, comme vos habitudes – vous aimez les chocolats ? –, nous sommes pareils à vous, exactement pareils à vous, et maintenant nous voulons repartir chez nous car nous aussi nous avons nos foyers et nos familles qui nous attendent.

Ah oui, cette rage qui bouillonnait et les larmes qui auraient coulé s'il n'y avait pas eu cette stupéfaction qui retenait Tonino figé, interdit devant les sept ou huit garçons attablés. Et cette agitation autour d'eux, cette attention qu'on prêtait à ceux-là dont Tonino voyait les sacs de sport à leurs pieds, puisqu'il ne leur arriverait rien et que, pour la majorité d'entre eux, ils partiraient dès ce soir. Il a écouté la voix de celui qui répondait aux questions en regardant la caméra avec sérieux, prenant l'air mi-honteux, mi-soucieux de celui qui ne comprend pas ce qu'on lui reproche, ce qu'il a pu faire. Il doit avoir vingt-trois ou vingt-quatre ans, il est plâtrier et habite à Upminster, en banlieue de Londres, et il raconte qu'il ne se souvient pas très bien, qu'il a assisté à la première charge mais pas à la seconde et qu'il est revenu sur ses pas. Il ne se souvient pas de ce qui a pu se produire vraiment, là-bas. Il répète que s'il ne se souvient pas c'est qu'il n'a rien pu faire, puisque, prétend-il, il aurait l'enfer en partage et ne pourrait pas se pardonner. Et puisqu'il le peut et que rien ne lui permet de se sentir coupable, dit-il, c'est qu'il n'a rien fait. Voilà ce que Tonino comprend. Qu'autour de lui d'autres sont là à comprendre aussi et à entendre. Il faudra faire avec. Malgré le désir de foncer dans le tas. Malgré cette envie de hurler et de se jeter sur celui-là ou sur un autre en se disant qu'on tirerait si l'on avait une arme ; oui, on le sait, cette fois, on le sait ; à ce moment-là Tonino sent qu'il tirerait s'il avait une arme entre les mains. D'autres aussi tireraient. Et Tonino qui a décidé alors de faire quelques pas en arrière, de ne pas rester là pour honorer encore d'un public les *animaux*, puisque désormais c'était comme ça qu'il les appellerait, aussi bien pour lui-même que pour faire semblant de décrasser l'humanité de leur présence – mais soudain cette voix derrière lui, pardon, dites, excusez-moi,

Tonino ?

Gabriel n'avait pas beaucoup changé. De fines moustaches blondes. Des cheveux plus courts que dans le souvenir que Tonino en avait gardé. Toujours une chemise bleu ciel. Mais une cravate rouge, pas très bien ajustée à son col, pendait à son cou. Il portait un costume dans lequel il avait l'air de flotter, la même veste gris pâle des Anglais sur la terrasse, des épaulettes en plus pour lui donner la carrure d'un joueur de football américain.

Tonino a été très déconcerté en voyant comme Gabriel semblait heureux de le voir. Il tenait absolument à ce que Tonino vienne dîner chez lui ce soir, et même, il pourrait y dormir s'il le voulait, plutôt que de rester à l'hôtel où, a dit Gabriel, on dépense toujours trop d'argent. Mais Tonino a refusé de dormir chez lui, acceptant en contrepartie un dîner à la maison. Gabriel travaillait dans une agence de voyages, pas très loin de la Grand-place, ce qui fait que chaque soir il rentrait par là, le temps de se vider le cerveau des soucis de son travail.

Il a garé sa 205 verte décapotable au pied de la résidence. Sur la route, il avait fait tout l'historique d'Ixelles, où maintenant il avait choisi d'habiter : ses artistes et les étudiants de l'Université libre de Bruxelles, sa bourgeoisie et ses immigrés, la vie nocturne aux alentours du cimetière, les petits commerces, les cafés, un vrai cœur qui bat, disait-il pendant que Tonino, rongeant la haine et le dégoût de ce qu'il avait vu à la terrasse de la brasserie, excédé par la voix d'une chanteuse qu'il ne connaissait pas et dont l'autoradio crachait les miaulements, essayait d'écouter ce que Gabriel racontait. Il n'a pas parlé du procès, rien, pas même de cette scène à laquelle il avait assisté de loin, sur la Grand-place, comme si entre Tonino et lui cette histoire-là n'avait aucune prise, pas plus d'existence qu'un bulletin d'information dont on baisse le son pour continuer à parler. Et Gabriel, lui, continuait à parler de son quartier, l'avenue Louise et la place Stéphanie, il faut voir les hôtels particuliers ! le dimanche, on va se promener dans le Bois-de-la-Cambre... On aime bien aller là-bas avec le petit, vers le centre équestre et le sentier de l'embarcadère ; on reste au bord de l'eau dès que le temps le permet.

Tonino a essayé de sourire en entendant qu'il y avait un enfant dans la vie de Gabriel – un enfant ! –, et pourtant il avait été agacé tout de suite devant l'air émoustillé que Gabriel avait eu en arrivant, en posant les clés sur la table basse de son salon. Il avait pris une voix mielleuse, dont le sucré semblait démonstratif et joué à cause de la présence de son invité, pour demander sur un ton, quel ton, chérie ? Tu es là ? Avant d'ajouter, ah... non... je suis désolé... avec le petit, on ne fume pas. Et depuis que Viviane a arrêté on a décidé que c'était mieux pour nous.

Tonino est resté comme ça, bouche bée, presque content que la cigarette qu'il ne fumerait pas soit l'occasion pour lui d'apprendre le nom de Viviane, charmante Viviane qui est arrivée de la salle de bains toute pimpante et rosée, osseuse, les yeux grands ouverts et souriants. Oui. Bonjour. Et Gabriel alors chamaillant l'un et l'autre, Tonino et Viviane, en jurant ces grands dieux que s'ils ne se reconnaissaient pas ils s'étaient pourtant déjà vus une fois, il y a plus de trois ans. Pendant le repas, ils avaient essayé l'un et l'autre de se souvenir de cette soirée qui avait précédé le match... Elle se souvenait avoir dansé dans le bar, comme souvent, parce qu'elle aimait danser. Eh bien, Tonino ! Viviane était là... Elle n'a jamais été très loin... Et puis, tu vois, nous nous sommes retrouvés. Ça fait deux ans que nous sommes mariés, le petit est né l'été dernier.

Dans la voiture qui le ramenait à l'hôtel, Tonino n'a presque pas parlé. Il aurait voulu le faire au sujet du procès, de l'impossibilité qu'il avait éprouvée d'aller jusqu'au tribunal, ou même, de la surprise qu'il avait eue en passant sur la Grand-place, après le cinéma. Pendant le repas on avait parlé de tout et de n'importe quoi, du travail surtout, du changement qu'un enfant apporte dans la vie, etc. Mais on n'avait rien dit du procès. Lorsque l'hôtel a été en vue, Gabriel a arrêté la voiture, mais il a laissé tourner le moteur, vaguement embarrassé, bon, ben voilà, nous sommes arrivés. Et c'est là que Tonino a dû répondre, peut-être sur le même ton, merci et au revoir, rajoutant un mot sur Viviane, oui, elle est très gentille, Viviane.

Oui, c'est vrai, a répondu Gabriel. Elle est aussi moins belle qu'était Virginie. Mais Virginie... Elle est partie quelques semaines après ce qui s'est passé. C'est comme ça... Mais bon, excuse-moi, il est tard ; il faut que j'y aille, demain je me lève tôt.

275

13

C'était notre voyage de noces et les grains de riz comme des lucioles volent au-dessus de toi, ils tombent sur toi, ton corps inerte – et ce mur en briquettes à la morgue de l'hôpital militaire, sa cafétéria où j'ai cru attendre des heures ; au bout du long corridor, j'entends encore mes pas qui résonnent, et les chariots, Francesco, tous ces chariots, ton nom comme des morceaux de verre qui se brisent dans ma gorge, et le numéro qui pend à ton orteil, Francesco, tes vêtements ; ta chemise ; tes chaussures. Ce lacet dont tu m'avais dit la veille qu'il faudrait le changer avant qu'il casse, et qui a tenu le coup, malgré tout ça ; toutes ces images imprimées en moi et que j'ai rapportées chez nous lorsque nous avons atterri à l'aéroport.

Gavino était à la cérémonie, à Bruxelles. Et Adriana, Roberta, elles étaient là, et elles aussi elles ont vu les cercueils les uns à côté des autres dans cet immense hangar militaire. C'était près de Bruxelles, je me souviens des couronnes de fleurs et de l'orgue qui jouait *Ce n'est qu'un au revoir* pendant que moi je regardais le ciment et mes chaussures et parfois ma mère et ma sœur, elles aussi étaient là toutes les deux, autour de moi ; ma sœur se rongeait les ongles et j'entendais son souffle et ses sanglots, arrête de bouger, arrête de bouger, elle remuait sans cesse, le pied gauche sur la tranche qu'elle rabattait vers l'intérieur en faisant claquer sa semelle, et je me souviens de ma voix qui couinait, arrête de bouger, et elle arrêtait une minute puis sans s'en rendre compte elle reprenait, pour rompre le silence, faire taire ses sanglots et sa voix, elle regardait ma mère en se penchant devant moi, on ne comprenait rien, ma mère me broyait les doigts, je lui disais arrête, j'ai encore mal aux mains mais elle n'entendait pas et elle me prenait les mains et ses doigts se glissaient entre les miens puis elle les repliaient en disant je suis là, je suis là. Mon cœur battait si fort en regardant les drapeaux sur les cercueils. Et se dire que dans tous les cercueils il y avait ceux que nous avons aimés. C'est impossible, ça, que dans des boîtes, dans ces boîtes marrons, toi, tu étais parmi eux, allongé, toi, si loin de moi dans la nuit d'une boîte fermée, tellement à l'étroit alors que nous étions dans un hangar si grand ; il y avait tout ce monde, et cette cérémonie qui a duré au moins deux heures, si longtemps ; j'étais fatiguée, je croyais que j'allais tomber et c'est là, non pas quand il est arrivé avec tes parents et Roberta, avec sa femme Adriana, à l'ambassade, quand ils sont venus vers moi dans la salle d'attente, mais à ce moment-là, dans le hangar, pendant que l'orgue jouait ou bien qu'on entendait les discours, que pour la première fois j'ai vu à quel point Gavino te ressemblait.

Et cette violence dans ses larmes et son visage fermé, cette grande fissure que rien n'arrivait à colmater – lui, d'habitude si droit, si fort, il tremblotait et ne savait pas quoi faire ni quoi dire, quand j'ai vu pour la première fois à quel point la ressemblance de deux frères est une chose cruelle et insoutenable ; ton regard dans ses yeux, ton sourire dans sa bouche, et moi, j'aurais voulu dire à Gavino qu'il te rende tes yeux et ta bouche, ton expression de stupeur. Mais en fait, non,

non, non,

je me trompe complètement,

je dis n'importe quoi, ce n'est pas ça le pire, le plus scandaleux dans cette ressemblance qui me sautait aux yeux et m'avait fait soudain me tendre pour regarder vers lui quelque chose de toi, non, la violence et l'horreur n'étaient pas dans la ressemblance avec toi, au contraire, c'est précisément parce qu'elle n'était pas parfaite, cette ressemblance, qu'elle était odieuse : comment te voir presque là, presque devant moi, avec presque tes yeux et presque ta bouche, avec presque la forme de ton visage, parce que dans ce presque me sautait au visage toute l'impossibilité de te revoir devant moi. Et je regardais ton frère en attendant que les différences disparaissent, j'aurais voulu qu'il soit ton jumeau au moins pour avoir le plaisir de te croire encore là un peu plus, même sachant que c'était faux ; j'aurais accepté le leurre, un masque juste pour m'adoucir, me calmer un peu à l'illusion de ton image ; ça m'aurait radoucie comme de me complaire à te regarder en sachant que ce n'est pas toi, à te parler en sachant que tu ne m'entends pas, j'aurais fait ça en regardant ton frère, mais je voyais seulement qu'il n'était pas toi, comme une copie ratée, pauvre Gavino, ce que j'ai pensé de méchanceté envers lui d'abord, envers eux tous par la suite, et même envers toi.

Oui, quelque chose m'a libérée de toi, ma colère contre eux ; ils t'ont repris à moi, en me prenant dans leurs bras ils m'ont arrachée aux tiens ; ils ont tous fait ça et le faisaient exprès, je le sais, de me couvrir de baisers, de caresser mes cheveux, de froisser le coton des mouchoirs à carreaux bleus et blancs du grand-père Gianni. Et puis, ce silence que couvrait à peine le moteur de l'avion qui nous ramenait chez nous, ça a bourdonné dans mes oreilles dès que nous avons amorcé la descente, mes tympans me compressant la tête pendant que je me disais, aujourd'hui, nous devrions être à Amsterdam et nous tenir par la main dans la rue, et au lieu de ça je revois le mouchoir et ses carreaux bleus et blancs entre mes doigts, les pansements sur mes doigts, l'Italie, les visages de Roberta et Adriana, la foule sur la place et les égratignures sur les mains,

Oh Francesco, si tu savais comment j'ai béni ce bourdonnement dans les oreilles, qui me rendait sourde. Les autres mastiquaient des chewing-gums et des bonbons, ils se forçaient à bâiller pour déboucher leurs oreilles mais moi au contraire j'ai fermé la bouche le plus que j'ai pu, et dans l'avion j'ai refusé les chewing-gums et les bonbons au citron, parce que je voulais ce bourdonnement pour me cacher dedans et ne pas entendre la colère dans la rue, quand nous sommes remontés avec ta dépouille dans les rues du village, quand les cloches ont sonné et qu'il a fallu voir les yeux des voisins, leur colère, et cette messe où l'on a parlé de pardon et d'amour, de colère et d'orgueil, en disant il faut savoir ne pas se venger ; mais toi sous les fleurs et les couronnes tu restais sage comme le christ en bois au-dessus de toi, devant toi : il te regardait du haut de sa croix avec des yeux en bois, ronds et exorbités, comme ceux des poissons rouges dans les ménageries des supermarchés qui tournent en rond dans leur bocal ; ils tournent en rond et ne s'ennuient jamais parce qu'ils n'ont pas cette mémoire qui perfore le cœur de ceux qui n'oublient pas. Et je n'oublie pas ces jours ni ce bourdonnement pour étouffer les voix et la colère autour de moi, oui, Francesco, cette colère qui a monté au fur et à mesure que la fatigue tombait sur chacun de nous. Et moi, voilà, je pouvais me taire. Ils n'avaient plus besoin de moi. J'ai voulu m'enfuir de cette histoire en ne disant plus rien, et en regardant, en écoutant comme les gens pleuraient et avaient menacé les journalistes anglais en hurlant pendant la cérémonie en Belgique : nous serons toujours là pour vous rappeler ce que vous avez fait.

Je suis restée des heures entières chez tes parents, dans le salon, avec Gavino qui ne tenait pas en place et tes parents autour de la grande table en verre fumé, avec le journal ouvert en plein milieu et la photo de la princesse Paola, on la voit qui pleure, elle porte des lunettes noires mais sous l'encre grise du journal on sait que ce sont des larmes. Tout le monde a remarqué les larmes de la princesse, et ta mère, en tournant autour de la table, a murmuré que c'était normal toutes ces larmes, c'était les larmes d'une Romaine, une Romaine qui pleurait, disait ta mère en baissant les yeux sur la table où elle regardait la photographie de Paola dans le journal. Ton père ne disait rien mais restait assis, et parfois il allait et venait pour faire on ne sait pas quoi, mais tellement lentement, avec une telle prudence dans ses gestes qu'on aurait cru qu'il allait se briser ou tomber en poussière.

Mais non. Nous avons retenu notre souffle pour que rien ne bouge dans la salle à manger, à part les pages du journal que ta mère voulait tourner et tourner encore comme si elle y apprendrait autre chose que la mort de son fils. Quand ce sont les nouvelles du jour, on se dit que les nouvelles sont tristes, mais quand les nouvelles vous annoncent que cette fois c'est vous qui êtes l'actualité, à votre tour les morts dont les noms sont des chiffres, des numéros, en attendant le journal du lendemain, en attendant pire, eh bien ce n'est plus pareil, la poitrine vous est déchirée alors qu'hier encore la même nouvelle et le même nombre de morts vous dégoûtaient puis vous alliez seulement vous brosser les dents et faire votre toilette. Mais là, non. Vous restez à tourner autour de la table, vous reprenez un café, une tisane, vous jouez avec votre alliance, vous massez votre nuque avec vos doigts et puis vous vous dites que cette fois puisque le journal le dit c'est que c'est faux, absolument faux, c'est arrivé à d'autres, puisque

c'est dans le journal, vous vous dites : il ne m'arrive jamais rien alors ça ne peut pas m'arriver, c'est aussi simple que ça,
    et pourtant Francesco,
    c'est ton nom, c'est toi, c'est ce jour, et je me souviens encore de la croix dorée séparant les fleurs et les drapeaux des pays sur les cercueils à Bruxelles, les discours en quatre langues et cet ennui qui m'a prise parce que je n'en pouvais plus. J'ai pensé à Amsterdam et aux canaux et aux musées, à notre hôtel dans Bruxelles et même aussi à Tonino et à Jeff, puis à ces heures d'attente, mes pas dans le corridor, toutes ces voix, tous ces gens qui m'ont soutenue alors que je ne voyais rien que la nuit et le bleu des gyrophares dont les sirènes me crevaient les tympans et le cœur. Voilà, j'ai pensé à ça pendant la cérémonie, à l'envie de faire l'amour avec toi, d'entendre ta voix et puis aussi aux photographies de toi qui trônent sur le buffet de ta mère. On peut me dire ce qu'on veut, je ne serai plus jamais en paix et je ne voudrai plus jamais la paix, ou alors la nuit, en buvant, en chantant, en pleurant mais jamais comme je voulais la paix avant, quand j'y croyais aussi simplement qu'en me disant, l'avenir c'est juste sourire à quelqu'un.
    Qu'ils aillent se faire foutre.
    Je n'en peux plus.
    J'ai fini d'en pouvoir à ce moment précis où ils m'ont rejointe à Bruxelles, le lendemain et le surlendemain, quand ils m'ont ouvert leurs bras en me disant des mots douceâtres que je n'entendais pas. Ils m'ont arrachée à toi, ils sont venus avec leurs visages de cendres et leurs parfums, leurs vêtements noirs comme la crasse que je ressentais en moi, de ne rien dire quand eux voulaient tout faire, tout entendre, tout reprendre à zéro, à l'ambassade ; ils ont voulu me cacher que tous les corps avaient été autopsiés, pour ne pas alourdir ma peine

281

– c'est ce qu'ils ont dit pour se défendre, après, le lendemain, lorsque j'ai su qu'on avait autopsié les corps et qu'à toi aussi on avait planté la lame dans la peau. Cette horreur-là est tellement inimaginable qu'au contraire on s'acharne à vouloir l'imaginer et se la représenter : ça dure des heures, toute la nuit, malgré les tonnes de calmants, ça ne se dilue ni dans les somnifères ni dans les larmes. J'avais dormi toute la journée et moi on ne m'a rien demandé, aucune autorisation, c'est ta mère et ton père qui ont dû parler et ce n'est qu'après qu'ils ont partagé ma colère, quand on a ouvert les cercueils ; mais moi, j'étais déjà folle et furieuse.

Tu comprends ? Tu entends ? Tu vois ? La première chose qu'ils ont voulu faire ça a été de recommencer encore à venir entre nous et nous imposer des idées auxquelles nous n'aurions jamais pensé, ni toi ni moi. Ils sont arrivés à l'ambassade, tous ensemble, ma mère et ma sœur Grazia aux côtés de ton frère Gavino et de sa femme, Adriana et Roberta, en tant qu'aînée, et ta mère et ton père, lui dans le costume noir du dimanche et elle dans une robe noire avec les traits tellement tirés, le visage tellement blanc que les rides s'étaient évanouies en une nuit ; c'était comme une boule lisse et blanche, fendue par des yeux creusés et rouges à force d'avoir pleuré depuis la veille, en pleine nuit – et eux, comment est-ce qu'ils ont appris ? Leurs regards ont été noyés parmi les millions et les millions de regards qui ont vu à la télévision. Ils ont dit : quatre cents millions de paires d'yeux. Se dire que quatre cents millions de gens ont vu et nous étions ce qu'ils ont vu. Les gens avaient fini de dîner et même ils étaient tranquillement assis dans leur fauteuil, et le poste hurlait à tue-tête pendant qu'eux, mes parents et les tiens, se faisaient une fête et piétinaient d'impatience avant de regarder le match à la télévision, pour être un peu avec nous dans notre voyage, à côté de nous presque, via le poste, et ils devaient repenser à ta tête et à la mienne au moment où nous avions reçu de leurs mains les deux billets gris avec la lettre Z inscrite dessus. Je ne saurai jamais ce que j'ai vécu là-bas, ce jour-là. Et l'on pourra me dire, voilà comment les choses se sont passées : il était 19 heures 22, la première charge, etc., etc., et puis un supporter anglais qui a nargué un policier jusqu'à ce que celui-ci le matraque et qu'il saigne, que son visage ne soit plus que la couleur rouge des Reds de Liverpool avant d'aller rejoindre les siens les bras levés en signe de victoire ; on pourra me dire les cadavres et les blessés portés sur les barrières Nadar en attendant les civières, et des millions de regards survolant tout ça, des millions de gens, toute l'Europe atterrée devant les jeux et le sang, la télévision, la radio, la mort et les jeux pour tous et nous en pâture aux yeux et aux journaux, à la grande roue qui tournait encore derrière le stade, est-ce possible ?

Est-ce que c'est vrai ? Sans doute, puisque ça a l'air faux, que c'est obscène, que les gens peuvent expliquer et dire, et faire parler des sociologues et des psychiatres et que sais-je encore, moi, pour expliquer quoi, ton corps, ta main, ton absence, la vie qui déraille et le déraillement que la vie récupère dans les photographies et les journaux et la télévision, alors que nous ne sommes plus rien, des petits tas perdus, rien, des grains de rien dans le sable qu'il faut pour faire rouler la machine,

et elle roule,

elle tourne,

Et tout ce qu'on voudra pour insuffler un semblant de logique à ma caboche de folle, oh oui, j'étais folle, totalement folle les premiers soirs, les premiers jours, les heures à rester allongée dans la chambre de ta sœur. Les dessins du papier peint et le poster des Doors dansaient devant mes yeux, ça flottait au gré des larmes, de cette buée dans mes yeux – mais je ne faisais rien, je laissais mes mains de chaque côté de mes hanches, et c'est tout. Rien d'autre qu'attendre que la nuit vienne me débarrasser du jour et que le jour vienne me débarrasser de la nuit, allez, allez, que ça aille plus vite,

et dans la chambre, chez tes parents, ça a bourdonné dans mes oreilles pendant trois jours ; ce sifflement si fort que je suis restée dans un monde assourdi et lointain, où l'on me faisait des bouillons et où des gens sonnaient à la porte toutes les heures, à qui ta mère suppliait de faire moins de bruit pour que je puisse dormir. Dormir encore un peu. Mais c'était impossible. Ça a été bien au-dessus de mes forces quand j'ai entendu la seule fois où ton père a pleuré, à cause de l'histoire d'autopsie : ils t'ont lacéré des épaules jusqu'au bas du dos et n'ont même pas pris soin de recoudre ce qu'ils ont fait. Très bien, tu es mort *d'asphyxie résultant d'une compression mécanique de la cage thoracique*, ça suffit, inutile,

Francesco,

comment tout peut-il dévier de sa trajectoire comme ça ? Comment c'est possible, dis-moi ? Ah, oui, c'est ça, parce qu'il n'y a pas de trajectoire. Pas de direction. Rien. On est balancé comme ça à toute allure et il faut se dire qu'avec un peu de chance on ne tombera que tard, que loin, mais non pas tout de suite ni trop près, et alors ça ne servait à rien de crier que c'était injuste, ni de vouloir la mort des Anglais de Liverpool ou d'ailleurs. Qu'est-ce que ça pouvait me faire, à moi, quand de la chambre de ta sœur je regardais le portrait de Jim Morrisson en me chantant *This is the End*, tellement j'avais peur d'entendre encore des gens arriver et frapper, mes amies, ma sœur, tes collègues qui venaient pour soutenir la famille et la famille qui se répandait en flaques de mots et de gestes, de poings levés, cette colère tellement forte, cette tristesse partout, à la radio et à la télévision, dans la rue. Elle était partout et moi j'ai voulu entendre un peu plus de silence dans ma tête pour me reprendre. Il faut se reprendre, voilà ce que je me disais. Et alors, Grazia venait me voir et avec elle je me levais, j'allais marcher un peu et je lui demandais pourquoi maman ne venait pas me voir, pourquoi elle restait cloîtrée chez elle,

je n'avais pas de réponse.

Je regardais les clapiers à lapins, les œillets brodés sur les rideaux et le tablier bleu pétrole de ta mère – elle s'approchait de moi et me prenait dans ses bras. Puis elle regardait mes mains, oui, c'est mieux, c'est mieux disait-elle, et puis, elle me reprenait dans ses bras en disant pauvre bébé, pauvre petite. Je n'y croyais pas, à ça, que ta mère ne hurle pas comme j'étais sûre qu'elle le ferait en répétant : vous n'avez pas voulu vous marier à l'église et désormais c'est l'église qui vous a réclamés. Voilà ce que j'attendais qu'elle hurle avec un visage plein de haine. Mais son visage était lisse et blanc, presque cireux, tellement pâle que les rides avaient disparu ; tu vois, Francesco, imagine ta mère qui m'oblige à m'asseoir sur la panière à linge dans la salle d'eau : elle reste debout et regarde mes mains, puis elle les frictionne lentement avec de l'eau de Cologne, en ne me disant pas un mot, tu entends, sans rien dire du tout, pas un mot pour se plaindre, rien, pas de colère, que dalle, le regard concentré dans les gestes, dans la lenteur de ses gestes, et parfois quelques sanglots qu'elle réprime, elle rougit, elle rabat une mèche derrière son oreille, elle veut sourire et son effort la fait peut-être souffrir mais elle ne dit rien, et toutes les deux nous entendons ton père qui ponce des planches et cogne comme un fou avec un marteau pour finir un meuble ou une étagère – il lui faut encore polir le bois –, et il s'acharne et reste à faire ça sans rien répondre lorsque la petite Leandra tourne autour de lui ; elle voudrait qu'on lui fasse réciter ses poésies, ou qu'on lui dise pourquoi tu ne reviendras pas, pourquoi elle n'a pas reçu de cartes postales comme tu les lui avais promises afin qu'elle complète sa collection de cartes des villes d'Europe, pourquoi il n'y aura pas de pièces étrangères, pourquoi j'ai l'air si triste et vide, et pourquoi aussi c'est l'Italie entière qui a l'air de ne pas tenir debout et se raccroche aux oreilles d'une coupe dont elle n'est plus si sûre de la désirer encore,

Oh Francesco, si tu savais, cette colère de tout le monde me rassurait. Elle me donnait la force, elle me haussait quelque part, à un endroit que j'ignorais, puis, au contraire, sans prévenir, je m'effondrais plus bas encore, et alors je sentais que le monde n'existait pas, qu'à la fin je me retrouverais seule avec mon abandon et ta mémoire sur les bras. Je serai une veuve de vingt-trois ans avec les ourlets trop lâches des pantalons d'un mari mort quelque part. Alors j'ai décidé de les reprendre quand même, et j'ai pris le pantalon et la boîte à couture dans le placard où ta mère la rangeait. Elle m'a regardée faire, quand je suis venue m'asseoir dans le salon et que j'ai enfilé le fil dans le chas de l'aiguille. J'ai refait les ourlets de ton pantalon, je n'ai pas parlé, puis j'ai lavé ton linge comme pour que tu puisses t'en servir. On ne m'a rien dit. Ta mère s'est étonnée puis elle a regardé Gavino qui voulait que j'arrête, même s'il ne le disait pas je le voyais très bien, je comprenais sa gêne, son agacement, parce qu'il s'est levé plusieurs fois pour boire et rincer le verre d'eau dans lequel il rebuvait à chaque fois qu'il finissait de le rincer, et il claquait la langue comme pour me dire, ne va-t-elle pas arrêter ? ne va-t-elle pas finir de s'obstiner à nier l'évidence comme elle le fait, avec tant de sang-froid et de calme ? L'aiguille faisait son slalom et les ourlets étaient presque finis. Je n'avais jamais fait de couture et certainement pas d'ourlets. Gavino le savait, et c'est ce qui devait l'exaspérer encore plus, j'en suis sûre. Mais au bout d'un moment, c'est ta mère qui lui a fait un petit signe de tête, il n'a rien fait de plus et a laissé son verre puis il est revenu vers nous. Il s'est assis. Il a compris qu'il ne fallait pas m'empêcher. Alors ils m'ont vue prendre tes affaires et aller vers la salle d'eau. Ils ont entendu le couvercle de la machine s'ouvrir, puis le bouton du programme a craqué lorsque je l'ai tourné, l'eau a coulé, puis les premiers tours de la machine, et la porte de la salle d'eau que j'ai refermée derrière moi, avant d'aller me recoucher. Je n'avais pas mis ta marinière dans le linge à laver. Je l'avais laissée de côté. J'avais senti ton odeur au travers du tissu, alors au dernier moment j'ai préféré ne pas laver la marinière et je l'ai prise avec moi, pour l'emporter dans la chambre : j'ai dormi avec elle.

Je me suis réveillée en sursaut, vers deux heures du matin, parce que nous avions oublié d'annuler la réservation des deux nuits sur la péniche à Amsterdam. Et c'est pendant les nuits que je pensais à tous les autres, tous ceux-là et celles-là qui devaient traîner les yeux ouverts en pleine nuit en s'étonnant de respirer encore, de connaître le miracle de ne pas être morts *d'asphyxie résultant d'une compression mécanique de la cage thoracique.* C'est si précieux, et soudain ça fait si mal, d'entendre sa carcasse se soulever encore et faire ce qu'elle sait faire sans se poser d'autres questions que de le faire encore, toujours, ça continue aussi bêtement que le jour se lève pour vous laisser amorphe, vaincu, et davantage épuisé encore que la veille. C'est une chose tellement difficile à percevoir, lorsqu'on la ressent sans l'avoir identifiée : cette honte qui s'infiltre, se glisse en vous faisant marcher lentement et respirer mal, presque jusqu'à l'étouffement mais pas jusqu'à lui, presque jusqu'à l'évanouissement mais jamais jusqu'à lui, presque jusqu'à la mort mais jamais jusqu'à elle : rien ne vous délivrera. Pas même les lettres qui viennent de partout vous dire qu'il faut tenir le coup.

Des gens vous parlent d'eux et vous disent que vous tiendrez, qu'il le faut, qu'on ne peut pas se résigner. Des lettres dont vous ne reconnaissez ni l'écriture, ni le nom de celui ou celle qui vous a écrit en donnant à ses mots toute la précaution, la délicatesse dont il a pu faire preuve, en soulignant des anecdotes, je m'appelle Giuliana et nous étions à l'école ensemble, peut-être te souviens-tu de moi ? En lisant, j'imaginais que je me souvenais et j'inventais des figures à ces gens que j'avais oubliés, ou que je n'avais jamais connus, peu importe, ils me parlaient d'une vie qui était morte deux fois, morte avec mon enfance et morte avec toi. J'aurais voulu répondre et j'avais demandé du papier et de quoi écrire, des enveloppes ; mais je n'ai pas répondu. J'ai commencé quelques mots de remerciements, mais je mentais trop mal pour remercier. Je n'avais pas envie de remercier, pas envie d'être soutenue comme on soutient un poids mort, un corps, un objet, et j'aurais voulu écrire, non Giuliana, je ne sais pas qui tu es, je ne me souviens pas d'une fillette dont le frère venait la chercher à moto et qui avait une combinaison vert pomme, comme je ne me souviens pas de ton appareil dentaire et d'ailleurs je m'en moque, de toi, des souvenirs, des garçons en combinaisons vert pomme et des années d'avant Francesco et de toutes celles qui viendront. Alors non, Francesco, dans l'église, j'ai beau avoir entendu en regardant ton cercueil, qu'il fallait savoir pardonner et ne pas oublier – mais de toute façon comment oublier, hein, tu le sais, toi, Francesco ? Comment j'aurais pu faire pour me délester d'un tel bordel, d'une telle folie et de ton absence comme un trou d'air qui m'enserrait dans l'espace et même est devenu tout l'espace autour de moi ? Comment donc j'aurais fait pour parler de pardon et d'amour, de colère et d'orgueil, comment j'aurais pu tenir comme le prêtre disait qu'il fallait le faire, que c'était en l'honneur des victimes et il a répété il faut savoir ne pas se venger, il faut savoir pardonner et ne pas oublier sans quoi rien ne sera jamais possible, tu entends ? Je me souviens que dans l'église les mots venaient et glissaient vers moi et rebondissaient sur les fleurs et les couronnes, sur le christ aux yeux de poisson rouge, les bras en croix fendus sur toute la longueur, et sa patience dans le regard, tous les morts qui défilent sous ses yeux ronds et exorbités depuis combien de temps, combien de siècles ?

J'ai préféré aller chez tes parents, Francesco, parce qu'ils m'ont dit, viens, nous serons ensemble, nous sommes déjà ensemble parce que maintenant tu es comme notre fille. C'était des semaines qui tenaient on ne sait pas comment suspendues dans le vide, en attendant que quelque chose arrive qui calmerait le bruit et la colère qu'on voyait partout, qu'on entendait partout. Il y avait les journaux et la télévision. Des journalistes derrière chaque porte et des micros aussi menaçants que des drapeaux, des appareils photos, des hommes avec des calepins ; ils voulaient quoi, savoir quoi, eux qui en savaient plus que tout le monde, qui ont parlé et commenté ; ils ont fait des articles, soulevé des débats, lancé des polémiques et les journaux pullulaient d'idées et de mots d'ordre, de contestations, de consternation et de chiffres alors que les autres, nous autres, on n'avait que la suffocation pour parole, l'attente pour cri, les mains tremblantes pour décision. Qu'ils aillent se faire foutre, ceux qui ont voulu nous soutenir en ayant une belle place sur la photographie, et les autres, ceux qui ont eu des choses à dire, ils ont des choses à dire sur tout, depuis tout le temps et jusqu'à la fin des temps il y aura un connard assez savant pour expliquer pourquoi il est le seul à être aussi savant dans un monde en cendres, et il l'expliquera aux cadavres et aux pierres en pointant vers eux un doigt menaçant, en haussant les épaules devant l'ignorance des nuages, des lapins morts, des fleuves taris, il les méprisera et nous avons été méprisés – c'est comme ça que je l'ai ressenti. Les maris, les femmes, les enfants, toi, et toi, puis toi, et les mères et les pères, les collègues, les amis, tout ce monde-là a le droit de pleurer et les larmes ici on les donne, on ne les vend pas,

Oui, Francesco, on ne les vend pas mais tout a été vendu et bafoué par le regard qu'on a porté sur nous. Et les rotatives ont tourné si vite, si fort, bien plus fort encore que la grande roue à Bruxelles et bien plus vite que notre vie écartée de cette trajectoire qu'on avait tracée pour elle, tous les deux. On voudrait se taire mais il n'est pas sûr qu'on sache. Il y avait cette colère contre tout le monde, contre les Anglais et les Belges. On voulait des coupables et des têtes pour décorer notre furie. On a parlé de procès, de honte, d'humiliation. Et moi j'entendais les mots perdus loin comme un charabia d'enfants dans une cour d'école, des pépiements d'oiseaux se battant dans les magnolias en faisant trembler les feuilles et les corolles des fleurs blanches ; c'était Adriana et Gavino les plus scandalisés, et c'est eux et pas moi qui ont accepté de participer au procès, de revendiquer leur colère et leur désespoir ; et moi au fond je les enviais parce que j'aurais aimé savoir porter ma rage et retourner toute ma rancœur et ma violence dans un désir vrai de justice. Mais pour moi, je n'ai pas pu. J'ai esquivé. J'ai redouté le moment où il faudrait retourner dans l'appartement que nous avions loué – tu te souviens ? –, et j'ai retrouvé le canari chez ta mère, c'est elle qui devait s'en occuper pendant notre voyage, mais il restera chez elle. C'est Gavino et Adriana et Roberta qui sont venus et ont rapporté toutes les affaires dans des cartons et des grands sacs-poubelles pour les vêtements. Ils sont venus déposer ça chez tes parents et ont rendu les clés aux propriétaires, sans que je repasse une seule fois là-bas. Je n'aurais pas pu. Je me dis qu'il aurait peut-être fallu s'infliger ça pour comprendre que toi et moi, c'était fini. Tu ne m'as pas quittée ; je ne t'ai pas quitté non plus : et pourtant c'est fini avant même d'avoir commencé.

Tu te rends compte ? Dans la petite pièce du fond, derrière l'établi de ton père et sur les étagères, il y avait ces cartons de notre emménagement, sur lesquels étaient écrits au gros feutre noir des mots insignifiants : *vaisselle, fragile, livres, disques, vêtements, papiers, bibelots, merdiers divers*. Et cette histoire de probabilité qui fait qu'on ne pouvait pas y être, on ne pouvait pas y être, moi qui n'avais jamais vu un match de foot de ma vie, moi qui n'étais qu'une supporter de la dernière heure et toi qui adorais ça, c'était impossible, impossible. Et pourtant nous sommes arrivés à Bruxelles, nous avons pris le métro et nous avons rencontré Tonino et Jeff, nous sommes entrés dans le stade et avons pris notre place et il est arrivé ce qui est arrivé : comme j'aimerais croire en Dieu pour connaître le plaisir d'arracher la majuscule à son nom, la piétiner pour qu'à son tour il vacille et tombe et meure d'asphyxie par compression de la cage thoracique. Mais je ne crois pas en lui et je n'aurais à maudire que le hasard et son indifférence, ce qui ne laisse pas le même goût dans la bouche.

Je n'ai pas voulu aller dans l'appartement où pendant trois semaines nous avions repeint chaque pièce et les plafonds, parce que je n'aurais jamais eu les moyens d'y vivre seule. Je n'avais ni salaire ni l'envie de respirer la peinture neuve d'un appartement déjà trop vieux pour moi, pour nous, avec le souvenir de ce lit en plein milieu du salon, et les fenêtres ouvertes sur la rue, la lune tombant au centre de la pièce et remontant jusqu'à nous dans le lit, avec ce gris pâle des nuits d'été. Car il y avait déjà des nuits comme celles de cet été que nous ne connaîtrons jamais ensemble, mais qui était venu jusqu'à nous à la fin du mois de mars et au début d'avril, sur le lit ouvert où nous faisions l'amour en plein milieu du salon, entourés des pots de peinture et de ces morceaux de journaux pour protéger le carrelage, sans parler de la joie étrange et enfantine qu'on avait à découvrir les bruits qui travaillent dans la nuit – je me souviens que nous en avions repéré, mais je les ai tous oubliés.

Et tout à coup, j'y pense, emménager tous les deux c'était pour partir et inventer une vie impossible aux autres, à qui nous enverrions des cartes postales,

peut-être,

des cartes postales que Leandra ne recevra jamais, que Gina et Giovanna n'attendront plus de recevoir, comme les confidences qu'on se faisait toutes les trois sur les hommes qu'on voyait le soir, après la fac, en soutirant de l'une des cachotteries que l'autre lui avait faites en suppliant de ne pas les répéter, et bien sûr à la fin chacune savait tout sur les deux autres ; elles attendaient que je leur parle de toi, de ta façon de faire l'amour et d'être un homme prévenant. Mais, franchement, sans rire, est-ce que par contre on peut dire ce qu'on attend d'une nappe ? On croit ne rien attendre des choses, on essaie en douce de se faire croire qu'on n'y colle pas quand même un peu de symbolique, ah oui, quelle farce, attendre d'une nappe que sa blancheur soit comme une promesse ou un ciel clair et bleu sans nuages, sans taches ! Faut-il être con pour se laisser bercer par ça, et pleurer de peur de sombrer : il n'y a pas à sombrer, nous sommes déjà au fond et maintenant,

maintenant c'est toi qui est mort et le monde s'est renversé tout à fait, totalement : ta mère est là et elle ne dit rien, elle ne pleure pas et se tient droite dans sa douleur, elle ravale des larmes qu'elle garde pour plus tard, quand elles n'appartiendront qu'à elle, et elle me tend la main comme ma mère ne l'a pas fait, puisque tout à coup c'est apparu devant moi, cette évidence, maman ne disait rien non par respect mais par mépris, elle attendait la chute en ricanant, en se disant pauvres jeunes gens naïfs, pauvre idiote, ma fille, que crois-tu faire avec ton petit appartement refait à neuf et vos cœurs si pleins d'amour et d'odeurs d'acrylique, toutes ces odeurs de propre et vos cœurs pleins d'amour ? Elle n'est pas venue. Pas une seule fois.

Mais tes amis, tes voisins, des journalistes aussi, et puis le maire et les hommes politiques, le curé, d'autres encore que je n'ai pas vus, eux sont venus. De la chambre, j'entendais des mots et des phrases qui venaient jusqu'à moi, amortis par le bourdonnement dans mes oreilles, ou par la mollesse du sommeil dans lequel je trouvais parfois refuge, entre deux terreurs et deux gorgées d'eau, puisque j'avais la bouche si sèche que mes lèvres se fendaient et saignaient presque. J'avais la langue gonflée, je respirais mal et voilà pourquoi je me réveillais ; j'étais bercée par des voix que j'entendais et qui venaient de la cuisine, ou bien par le silence, par la télévision que regardait la petite Leandra, par la ponceuse ou le marteau dans l'atelier de ton père, la scie sauteuse, et les oiseaux – ah, oui, c'est vrai, c'était encore le printemps – et j'avais la visite régulière de Gina et Giovanna, mes deux amies de fac. Elles sont venues chez toi souvent, et je revois ta mère venant me chercher dans la chambre, la première fois où elles sont venues : ta mère passe la main puis le visage dans l'encadrement de la porte pour me dire que mes amies sont là. Je me souviens de mon air hagard, de cette minute d'incertitude où j'ai oublié qui elles étaient, Gina et Giovanna, ah, oui, mes amies, la faculté, la vie réelle et moi qui ne bougeais pas, je n'entendais pas, je me suis levée et je les ai vues toutes les deux, au bout du couloir, presque aussi hésitantes que moi, comme si pour elles aussi je n'existais plus, ou pas, ou seulement dans un rêve qu'elles auraient fait en même temps l'une et l'autre, mais sans être certaines que nous puissions nous retrouver ensemble. Elles ont marché vers moi très lentement au départ, puis de plus en plus vite, comme si chaque pas nous ramenait les unes vers les autres, qu'enfin la brume se dissipe et que nous ayons fini par nous reconnaître et nous voir comme avant, c'est toi, c'est toi, oui, c'est peut-être moi,

    ce doit être moi.

    Gina et Giovanna, si présentes et, pourtant, quand je les ai vues devant moi, j'ai trouvé qu'elles avaient une expression que je ne connaissais pas, comme si leurs visages étaient plus jeunes que le mien, ou bien que je comprenne à quel point elles étaient jeunes toutes les deux, comme je devais l'être aussi, mais d'une jeunesse qui avait déserté mon miroir et ne reviendrait jamais, comme si ta mère avait effacé ses rides pour que sa peau à elle puisse devenir blanche, simplement en lissant ses joues et son front avec la pulpe des doigts, et qu'elle ait recueilli les rides au creux de sa main, comme des brindilles ou des cheveux, puis qu'elle ait soufflé dessus pour me les envoyer au visage – non, ce n'était pas agressif ni méchant mais au contraire très doux et protecteur, elle me donnait son histoire comme une partie de son fils, et j'acceptais. J'acceptais si fort, que d'elle seule j'acceptais les mains sur mes cheveux, quand elle les caressait pour ne pas avoir à parler ni à dire les bêtises habituelles, toutes ces bêtises et ces regrets que les gens devraient garder mais qu'ils répandent en attendant que l'on s'émeuve. Comme si on n'avait rien d'autre à faire qu'accepter le sort qui nous est fait.

Mais après tout, ces quelques semaines ont été très courtes, elles ont baigné dans un flou immense. Et pourtant, un jour, on comprend que quelque chose est fini : la matinée a passé sans que personne ne vienne, et il n'y a pas eu de coup de téléphone. On ne vous a pas proposé de vous accompagner quelque part, de vous faire des courses, et puis, même, il a semblé que le journal et la télévision avaient repris ce visage qu'on leur connaissait avant, à la fois empreint d'indifférence et d'empathie, de confusion et de détails. Cette vie qui revient et m'est revenue comme un rappel curieux, violent, de ce que déjà quelques semaines étaient passées, oui, l'heure de reprendre pour soi une douleur qui ne vaut plus pour les autres ; dans les rues, on ne se retourne plus sur votre passage, on ne parle pas de ce drame, on doit continuer, il faut continuer vous dit-on et moi je me disais, bon, d'accord, continuons et dégringolons en silence, avec entêtement et précision, sans se retourner. Et tout reprend comme avant.

J'ai porté les mêmes robes, les lauriers-roses sont les mêmes, le canari chante pareil, et je te jure, le même soleil cuit les mêmes toitures et les enfants courent pareil en ricanant de la même façon que lorsque tu étais là, pareils, tous, tout. Et les journalistes qui voulaient tout savoir ont déserté les rues, je me suis retrouvée à être la seule ici à m'étonner d'avoir vécu l'apocalypse, et de revenir après pour constater que l'apocalypse n'est rien qu'une fissure qu'on ne voit pas, qui ne sent pas, qui ne dit rien et ne blesse personne. Tout est redevenu aussi calme que la paix. J'ai vu ta mère qui a commencé de s'asseoir, un jour ses yeux ont laissé se répandre des larmes. Ses joues soudain ont été moins lisses, moins blanches. J'ai vu qu'elle était redevenue la femme qu'elle était avant, puis encore plus, puis ça ne pouvait plus s'arrêter, ses joues, son front, son menton, ses mains, tout s'est couvert de rides larges et profondes. Ses yeux sont restés rouges et fendus. Je l'ai vue pleurer si fort, sans rien dire, sans bouger, sans autre expression que cet écoulement. J'ai compris qu'il était temps pour chacun de vivre ce qui lui appartenait et de retourner au lieu de sa douleur, mais, cette fois, pour lui-même. Je suis allée vers elle et c'est moi qui ai pris ses épaules entre mes bras, moi qui ai caressé ses cheveux en pensant pauvre bébé, pauvre petite. Je l'ai laissée pleurer pendant que nous entendions les pas de ton père dans l'atelier. J'ai dit maintenant je crois que les choses ne doivent pas durer comme ça, je ne suis pas votre fille, je ne le serai jamais, je dois rentrer chez moi.

Le jour même je suis partie. J'ai pris quelques vêtements et ma trousse de toilette, je n'ai pas même téléphoné pour prévenir de mon retour. Non. J'ai longé le chemin qui menait vers la maison, et puis j'ai tourné la poignée de la porte. En entrant, j'ai senti la fraîcheur et l'odeur de patate bouillie. Il n'y avait pas de bruit à la maison, juste l'autogire qui tournait dans la fenêtre au-dessus de l'évier. Enfin j'ai entendu les claquettes, les pas traînants sur le carrelage. Ma mère est apparue dans le cadre de la porte, elle avait un mouchoir entre les mains ; nous sommes restées comme ça, d'abord sans rien nous dire, et j'ai attendu qu'elle comprenne le pourquoi de ma présence. Puis j'ai dit bonjour, comme si je revenais après une énorme bêtise, comme si ma voix demandait qu'on l'excuse ou lui pardonne. Pour toute réponse, elle a juste dit : ta chambre est prête, j'ai ouvert les fenêtres toute la journée, Grazia a changé les draps hier.

14

Dès les premières semaines où je suis revenue m'installer à la maison, quand j'ai retrouvé la chambre que j'avais quittée quelques mois plus tôt pour aller vivre avec Francesco, j'ai dit tout de suite que je ne vivrais pas en restant calfeutrée à attendre l'heure du marché ou de la messe, que je ne serais jamais veuve comme tu croyais qu'il fallait l'être. J'ai dit tout de suite que je refusais ça. Je disais que je ne voulais pas vivre comme ça, je te disais, j'ai vingt-trois ans et je ne vivrai pas comme une vieille dame qui attend patiemment que le cœur et le courage de respirer lui manquent pour retrouver dans sa tombe un homme auquel elle a veillé à survivre le moins possible, au ralenti, comme en hibernation, avant d'être libérée par la mort et de pouvoir enfin pourrir en souriant à son époux.

Je pensais, non, jamais ; mais toi, toi qui es ma mère, tu me détestais de vouloir ne pas rester à pleurer un mort qui ne mourra jamais pour moi, tu essayais de me dire, Tana, Tana, nous pourrions aller au cimetière aujourd'hui, *quand même*. Et moi qui faisais semblant de ne pas entendre quand ce ton obséquieux et roucoulant que prenait ta voix excitait davantage encore ma détermination, cette résolution aiguisée toujours plus par ce *quand même* et ce *malgré tout* que je lisais à travers lui, sans trop d'ambiguïté, à peine plus dissimulé qu'un visage derrière une vitre par la buée de son souffle.

297

J'entendais derrière ce *quand même* le reste des mots qui venait après, tout le reste, ce scandale que tu savais refouler dans ce simple *quand même,* quand j'aurais préféré t'entendre tout déballer d'un coup et lâcher le fond de ta pensée en disant, allez, Tana, tu pourrais venir avec moi au cimetière au moins une fois, tu pourrais faire un effort, on ne te voit jamais ici et tu reviens au petit matin ivre morte et les yeux encore plus noircis que tes cheveux noircis avec cette teinture trop noire, *quand même*, il a fallu que tu salopes tes beaux cheveux blonds avec cette teinture du noir bleuté des corbeaux, ce maquillage autour des yeux, toujours ce blouson noir si peu féminin, ma fille, Tana, tu pourrais venir au cimetière, *quand même,* pensais-tu, maman.

Et quand tu te contentais de dire *quand même,* j'allumais une cigarette et, si parfois je me retournais vers toi, c'était seulement pour envoyer la fumée vers ton visage et chercher à voir tes traits et ton regard se dissoudre et s'attendrir en devenant flous et gris, que ça se réchauffe un peu, ou que ta dureté ramollisse dans le gris bleuté de la fumée ; ton visage, ta peau, ton expression de haine retenue comme tu retenais ton souffle et ta respiration pour ne pas sentir ni inhaler la fumée – tu avais tellement peur de t'empoisonner alors qu'ici, oui, c'est vrai, on étouffait d'un air autrement poisseux et dangereux, l'air empoisonné par nos regards et nos silences, avec la pauvre Grazia qui du haut de ses quinze ans passait entre nous pour retisser des liens qui n'existaient plus, mais dont elle seule continuait à croire ou se faire croire qu'on y pouvait encore quelque chose, alors que c'était fichu depuis longtemps – nous le savions toutes les deux –, depuis trois ans et des poussières.

Parce que Francesco, toute ma vie sera la sienne, je le sais suffisamment pour ne pas avoir à jouer le deuil éternel, maman, comme toi tu aurais voulu, comme tu l'as espéré tout de suite, dès les premiers jours où j'ai accepté que nous allions toutes les deux bras dessus, bras dessous prendre tous les matins et tous les soirs la *via Rebora* sous les aboiements des chiens, marcher lentement en attendant d'arriver au niveau du camping pour que la rue redescende, et pour reconnaître toujours la même impression d'arriver toutes les deux au milieu de la forêt, juste en arrivant sous la courte allée de tilleuls, devant le cimetière avec son petit parking et son portail gris, les trois croix noires en face de nous, une sur chaque pan du portail et la dernière au-dessus, couronnant la grille et notre courage à toutes les deux, mère et fille vêtues de deuil et de piété – tu vois ça ? –, comment peux-tu imaginer une telle suffisance, un tel comique ? sans me douter que tu voudrais que nous fassions ces gestes-là chaque jour, pour toujours, avec ce plaisir que tu avais déjà de croire que moi aussi j'accepterais la calme habitude de venir avec toi et de marcher sur l'allée de gravier, dans ce décor si calme pour nous accueillir : la rangée de sapins sur la gauche, les herbes entre les tombes et, à flan de colline, les mausolées de l'autre côté de l'allée sur la droite, et puis au fond, les mausolées les plus grands, avec le mur qui délimite et encadre le cimetière en étageant les tombes. On voit les plaques superposées. Elles sont là, les unes au-dessus des autres avec les noms et les prénoms, les dates et ce trait d'union qui représente une vie coincée entre naissance et mort, comme si c'était elle l'accident. Voilà, des mots collés ou gravés ou marquetés en noir ou en doré à l'intérieur de la plaque. J'ai vu ça si souvent avec toi, ces noms parmi lesquels on pouvait lire ceux de papa et de Francesco.

Alors, pas question,

parce qu'à Bruxelles j'ai compris que rien ne tient debout que par hasard et par accident ; c'est le chaos qui est la norme, pas l'inverse. Et tout ton bordel de rituels et d'heures fixes n'y pourront rien, ça non, ta préciosité, ton infini souci de propreté et toutes les minutes de ta vie et des nôtres bien rangées entre les aiguilles de la pendule, ton obsession de tout faire à l'heure, en temps et en heure ; je te voyais si entêtée à vouloir te faire croire que tu arriverais à lutter comme ça, plutôt que de céder à l'envie de hurler et de frapper sur le premier venu ; ce désir si puissant dont chacun de tes traits me disait l'avidité, chaque fois un peu plus, même si tu restais calme et que tu ne criais plus aussi souvent qu'avant, comme quand nous étions petites Grazia et moi, contre l'oncle et les bruits du garage, ou bien l'odeur écœurante d'huile chaude, cette puanteur dont tu disais que tu n'y survivrais pas et à laquelle tu as survécu jusqu'à notre arrivée ici, à Montoggio, toutes les trois bien tranquilles dans la petite maison des parents de ton mari, dont nous avions hérité à la mort du grand-père, comme des montagnes autour de nous pour étouffer ta colère et ta rancœur envers la terre entière.

Ah, oui, et toi, depuis que nous sommes arrivées ici, tu as tout codifié pour que l'impression du vide ou de désarroi ne te supplante jamais plus, ne te laisse plus autant démunie que tu l'avais été à Gênes, à la mort de papa. Mais, pauvre maman, pourquoi te tiens-tu si raide et pourquoi ta bouche forme-t-elle ce rictus impossible à supporter, comme si tu avais gagné quelque chose que personne d'autre que toi n'avait jamais aperçu. Tu crois avoir dominé la douleur. Tu crois ne plus rien attendre et être fidèle à ce qu'on attendait de toi, comme si tu répondais à un vieil ordre du monde. Mais ce n'est qu'à toi que tu veux donner le change, parce qu'à moi tu ne fais rien à part me rendre folle et furieuse contre toi, tu ne fais rien, et furieuse aussi contre ta prétention. Parce qu'au fond c'est prétentieux, tout ça, cette façon de se cramponner à l'idée d'une vérité à laquelle il faut faire coller chaque heure de sa vie et son moindre désir – si tu savais au contraire ce qu'on gagne à ne plus croire en rien qui dure, en rien de solide, si tu savais, tu n'imagines pas, je suis sûre que tu n'imagines même pas, tant tu as réussi à mettre de barricades autour de toi pour te protéger toi et ta peur, pour affirmer des lois immuables, bien encadrées dans une vie dévouée à leur seule observation. Mais, maman, parce que tu crois vraiment que les fleurs en plastique et en tissu, les lys jaunes, les roses, les fleurs des champs et les œillets, les tournesols ou les tulipes d'un rouge délavé ou ce jaune blanchi à cause du soleil, sont un reflet d'éternité ? Tu ne vois pas que même les fleurs faites pour durer toujours montrent des signes de faiblesse ? Dis, comme les flammes dans les petites veilleuses rouges qui frémissent à peine près des noms et des fleurs ; et même les petites lumières électriques finiront pas s'éteindre. La nature crèvera les tombes de partout ; il y a des gens qui pour fleurs ont préféré planter des arbustes et de la lavande, ou bien entourer les tombes de pommes de pin, laisser l'herbe pousser, ils ont raison, puisque les plantes gagneront, les dalles se casseront, le béton finira en miettes entre nos doigts ; c'est pour ça qu'il faut ne pas s'emmerder trop avec des illusions de durée et de pérennité, non, ça ne sert à rien, ça ne servait à rien, tu le savais mais tu préférais t'entêter comme si tu finirais par avoir raison à force d'être toute seule à t'obstiner ; et tu pouvais toujours pester et ronchonner lorsque je restais derrière toi, si loin déjà, dès les premiers jours où nous sommes venues toutes les deux, chacune sur la tombe de son époux.

Tu pensais : les hommes meurent comme des mouches et les mouches se combattent en mettant des moustiquaires aux fenêtres. Et moi, traînant le pas pour refuser de te tenir le bras, j'allumais ma première cigarette alors que nous n'étions même pas sorties du cimetière. Dès les premiers jours j'ai laissé l'amertume se mêler à la tristesse, quand en repartant il fallait accepter la gueulante des chiens qui se répondaient d'une maison à l'autre, une guirlande d'aboiements pour m'ouvrir la route, et subir le spectacle ridicule des voix d'une télé à fond, ou le spectacle non moins grotesque, sur un balcon, d'un cabot jaunâtre qui renifle une perruche dans sa cage, pendant que les sept nains et une Blanche Neige en plâtre nous saluent avec des gestes niais et des sourires navrants : oui, il fallait supporter tout ça en se disant, rien n'est grave.

Nous étions en deuil, mais toi tu voulais devenir le deuil personnellement. Le deuil on le porte en soi, doucement, comme une douleur sur laquelle on aime se pencher lorsqu'on est seul, le soir, mais pas devant les autres, pas pour vivre comme ça, comme tu as voulu que je fasse et comme tu voyais que je ne le ferais pas. Et ta haine contre moi, ta désolation de voir que je me cabrais et que je résistais, je voulais la musique et les fenêtres grandes ouvertes, je voulais sortir et lorsqu'il a fallu reprendre les études et retrouver Gênes et Gina, Giovanna, tu n'as rien dit, tu m'as enviée un peu, je le sais – maintenant je le sais –, j'ai vu comment ta haine avait redoublé contre moi, parce qu'il fallait lutter contre l'envie de me jeter à la tête que toi, quand ton mari est mort, tu t'étais résignée comme les femmes se résignent depuis toujours, aussi loin que ta mémoire remontait.

Ici, tu seras toujours à l'ombre des montagnes et des photographies de la tribu des morts, avec l'étrange choc que produisent les photos en couleur, celles-ci dont les couleurs paraissent tout à coup si vives, si tranchantes dans l'éclat du noir et blanc, des sépias et des contours flous où sourient des fichus de grands-mères et des moustaches de vieux aux yeux très clairs et aux rides profondes comme des balafres. Tu me haïssais comme si je t'avais privée de ta révolte, moi, comme si je te disais que tu avais eu tort et que c'était ta vie elle-même que je jugeais, et toi, toi que je rejetais. Mais c'est vrai que je n'ai pas d'enfant. C'est vrai que je n'ai que moi pour avenir, pas de rôle à jouer auprès d'un enfant, mais... maman... est-ce que tu seras capable de pardonner à tes filles de t'avoir empêchée d'être une femme ? Parce que je l'entends, là, ce prétexte en or, de n'avoir pas pu refaire ta vie à cause des enfants à élever.

Ça aurait été possible que j'accepte de vivre comme toi, qu'avec toi je partage plus que la ressemblance des traits entre une fille et sa mère, mais lorsque tu as vu que rien n'y ferait, que les choses t'échappaient, c'est là que tout s'est brisé parce que, ce que tu m'as reproché tout de suite, ce ne sont pas les cheveux noirs ni les jeans déchirés, pas les collants trop voyants, le maquillage, ni non plus les yeux pochés du matin, ou même, ce reste de souillure, mon haleine chargée d'alcool et de tabac brun, des Havanes que fument les hommes dans les arrière-salles des discothèques, du parfum trop lourd des hommes, pas même les hommes, pas cette odeur de sexe que je traînais tout le matin dans la cuisine, ou alors, si, précisément tout ce dont tu avais pris soin de te tenir à l'écart ; et tu étais furieuse parce que je refusais l'héroïsme de ne pas céder à la vie – non, je devrais dire : à *ta* vie –, je n'étais pas fidèle, et même, je te dépossédais de ce que tu avais réussi à ne pas faire. Comme tu n'avais pas cédé, personne ne devrait céder. Jamais. C'est de ça dont tu étais la plus furieuse : précisément de ce que j'avais sauté les pieds joints là où toi tu te mordais les lèvres, la nuit, de n'être pas allée. Maman, les hommes t'ont-ils manqué à ce point que la nuit tu te relèves si souvent ? Et ta façon de les critiquer et de les mépriser, ton entêtement à les rabaisser et à prendre pour une attaque personnelle le moindre sourire, la plus petite invitation à participer à un repas ou une fête, comme si on allait dévorer tes filles et te dévorer aussi, toi, si méfiante et méprisante lorsque je t'ai présenté Francesco, comme tu ne manqueras pas de mépriser Grazia lorsqu'elle apparaîtra accompagnée au seuil de la maison.

Est-ce que,

est-ce que c'était pour te cacher ce qui restait inassouvi, la nuit, que tu te levais ? Est-ce qu'au moins tu as su calmer ton corps en touchant tes seins et ton ventre, en accompagnant d'un soupir tes doigts vers ton sexe ? Ou bien, est-ce que là aussi tu es restée si intransigeante envers toi-même que tu as su ne pas écouter ce manque dont tu subissais la rigueur ? Est-ce qu'un jour il t'a suffi de balancer un canari dans la poubelle pour n'avoir plus rien à attendre et pour te dire, enfin, ça y est, je suis libérée de tout, tout m'indiffère hors le respect que je dois à la mémoire de mon mari ? Et cette opiniâtreté jusqu'à la rigidité et le ridicule du petit soldat au garde-à-vous, pour ne jamais s'ouvrir à une discussion franche, ni rire, comme tu savais pourtant le faire quand j'étais petite. J'étais enfant et je me souviens de ton rire comme si c'était hier, ou bien, dis-moi, sans rougir, sans mentir, est-ce que j'invente ce rire ?

Peut-être.

Tu voulais que je pourrisse tranquillement avec toi, que les rides nous mettent à l'abri de la vie et de nous-mêmes, des désirs de nuits blanches que nous aurions pu avoir après avoir trop bu, le soir, d'un vin cuit ou d'une liqueur sucrée au goût de pêche, comme les aiment prétendument les femmes. Mais je n'aime pas les vins cuits ni les liqueurs sucrées. J'aime les alcools forts et les mains sur mes hanches. Tu m'enviais de ça, jusqu'au dégoût, jusqu'à la honte. Tu me jalousais comme une

304

bête jalouse sa progéniture, sans réfléchir, sans penser à rien ;
tu étais seulement farouche et entêtée jusqu'à l'abrutissement,
sans dire un mot, simplement en plissant les paupières, en
grattant à l'endroit de ta bretelle de soutien-gorge, pour que
je ne sorte pas de la maison ; et le reste du temps tu enviais
le fait que je sois sortie quand même, malgré toi. Tu m'enviais
et même tu m'admirais de te prendre de haut et de ne pas te
respecter. Mais tu m'enviais aussi lorsque tu restais sans broncher ni rien dire, stupéfaite, outrée, parce que j'avais passé la
nuit à Gênes et que je n'étais rentrée qu'au petit matin, sans
faire de bruit, en te réveillant pourtant toujours, au moment
d'ouvrir la porte de ma chambre.

Je voyais d'abord le rai de lumière sous ta porte, un filet
doré, presque orangé, puis j'entendais les ressorts de ton lit ;
et alors j'imaginais ta difficulté à te lever, à te sortir de ton
matelas trop mou, à t'extirper d'une jungle de draps trop
enveloppants. J'avais à peine le temps de me coucher que déjà
j'entendais tes pas dans le couloir, avec cette façon de les faire
traîner en reniflant très fort, pour montrer ta colère et ta
désapprobation. Une veuve ne fait sans doute pas ça, non,
d'aller encore faire des études à Gênes ou ailleurs, elle ne doit
pas suivre ses copines le soir dans les bars et les discothèques.
Elle ne va pas au cinéma ni ne se maquille plus sans risquer
d'attirer sur elle des critiques, des rires moqueurs ou des sous-
entendus salaces ; oui, maman, c'est clair, ta fille était une pute
comme tu te disais que sont les putes, à la fois vulgaires et
sophistiquées, rebelles et soumises, fausses, voleuses, tricheu-
ses et femmes malgré elles, malgré tout ce qu'elles font pour
nuire à la femme qu'elles sont ; elles restent femmes et vivent
de faire un larcin de leur propre corps ; elles sont des femmes
travesties, déguisées, elles vivent sous des masques et tu pensais, ça y est, ma fille n'est pas encore une pute mais c'est tout

comme, puisqu'elle a fait teindre ses cheveux d'un noir corbeau qui a défiguré tout son visage, pas seulement les traits et le regard mais le visage en entier, lui donnant un air plus agressif et cassant, une pâleur de plâtre sous un noir très épais. Et puis, elle se maquille. Elle force le trait noir des yeux. Elle sort souvent. Elle rentre tard, elle, si blanche, presque livide. Et toute l'eau de la Scrivia file entre les montagnes et sous les ponts pour raconter ce qu'elle doit faire dès qu'elle a bu ces *negroni* qui la soûlent tant et si vite. Ils la font rire, oui. Elle rit avec ses amies Gina et Giovanna, même si ses amies trouvent qu'elle va trop loin, beaucoup trop loin lorsqu'elle s'offre à des hommes qui offrent des verres dans les bars et dans les discothèques – elle s'est mise nue dans une voiture, une Jaguar ou une Bentley, un homme, il a versé du champagne entre ses seins et jusqu'à son nombril, puis jusque entre les poils de son pubis et entre les lèvres de son sexe ; enfin, il a léché son corps et elle, elle n'a rien dit ni fait que se prélasser et rire. Elle a aimé ça jusqu'à en pleurer. Elle a joui très vite. Elle a aimé la langue de l'homme, avec cette odeur mêlée de celle de son sexe et du goût de champagne lorsqu'il l'a embrassée, toutes choses qu'au lendemain elle a racontées à ses amies, Gina et Giovanna, en leur parlant aussi du bruit du cuir des fauteuils de la voiture, sans oublier le regard et leurs verges que les hommes masturbaient au dehors, de l'autre côté des vitres de la voiture, sur le bord de la route.

Tu vois, j'ai encore la pudeur de dire elle pour parler de ta fille.

Même mes amies m'ont fuie, toutes les deux, Gina et Giovanna, quand elles ont commencé à comprendre que je ne reprenais pas le dessus, comme elles souhaitaient que je reprenne le dessus – tu parles d'une expression à la con, ça, *reprendre le dessus*, le dessus de quoi ? du vide ? de là où moi je vivais à l'ombre d'un mari dont je n'aurai jamais eu le temps d'être la femme ? C'est ça... C'est ça, sauf que non seulement je ne voulais pas reprendre le dessus, mais c'était tout le contraire, c'était au-dessous de tout que je voulais être, rampante comme les cailloux qui glissent au fond de la Scrivia, comme la saleté sous les ongles ou le sentiment qui me rongeait d'être en train de foutre ma vie en l'air, par dépit, pour rien, pour troubler encore plus l'eau dans laquelle ma vie croupissait et même, d'une certaine façon, pour faire comme toi : pour tout foirer et n'avoir plus rien à attendre de ma vie, qu'elle soit irrécupérable, parce que, dis-toi bien qu'on est irrécupérable lorsqu'on a lâché la main de celui qui nous disait,

cours ! cours Tana !

Tana, il faut courir et rejoindre la pelouse,

qu'on se sent irrécupérable à jamais quand quatre cent millions de personnes ont vu votre vie piétinée, que des milliers de mots et de mots ont été écrits ; comment votre vie a été piétinée encore et encore plus après qu'avant, par les journaux et par les regrets et les remords et les questions, puis aussi, petit à petit, par le silence qui vient après, par-dessus, recouvrir le bruit et faire plus de vacarme encore que le bruit n'en faisait. On vous laisse tout seul et c'est encore une fois se faire piétiner, se faire marcher dessus parce qu'on vous racontait comment il y aurait un avant et un après, que les choses ne seraient plus jamais les mêmes, sauf que pour vous, après, il n'y a rien, tout redevient normal sauf que celui qui vous disait

cours ! cours Tana !

ne reviendra jamais, jamais, et votre vie est irrécupérable, et vous comprenez que vous n'avez pas été piétinée par l'histoire, mais seulement par l'actualité, et que celle-ci n'a pas de temps pour vous, pas de temps à consacrer à ceux qui meurent lentement, à petit feu, devant leur télévision et les croquettes colorées du chien, avec des allers-retours au cimetière, ou ceux qui se débattent et préfèrent les morts violentes, lentes et violentes, comme moi je faisais, à courir, à me perdre, à tomber dans les bras qui ne disaient pas

cours ! cours Tana !

mais vers lesquels je courais et tombais pour oublier la voix de Francesco et pour t'oublier toi aussi, maman, parce que ta façon de mourir ne plaisait pas à la mienne. Je préférais m'oublier dans des bras médiocres, chez des hommes qu'on n'aimera jamais mais qui sont les seuls à ne pas mourir trop vite, on ne sait pas pourquoi, peut-être parce qu'ils savent se planquer et venir au bon moment ? En tout cas, peu importe, ils sentent l'ail et la gomina, ils parlent fort et bombent des torses sous lesquels des cages thoraciques atrophiées respirent un air putride, celui qu'ils offrent aux femmes comme moi, quand elles viennent en finir une bonne fois pour toutes avec l'idée de se survivre.

En moi, quelque chose ne voulait plus entendre ni comprendre. Il y avait cet étonnement de ne pas entendre un mot, un son, car plus un seul des cours d'histoire n'arrivait à m'intéresser ou même à saisir un peu de moi, à entrer en résonance avec mon intelligence ou le peu d'esprit que j'avais encore. Rien. Ça m'était apparu tout de suite, à peine entrée dans la première salle de cours : je ne pourrai jamais plus revenir, jamais je ne pourrai plus prendre des notes de cours ni faire semblant de noircir des cahiers de mots à recopier. Et pourtant, pendant des semaines, j'ai essayé. Je me suis acharnée à croire qu'il serait possible de retrouver ce plaisir des études, comme je l'avais avant. Je me suis forcée en me disant que ça reviendrait, et j'ai ouvert les cahiers, les livres, j'ai retiré aux stylos leurs capuchons et j'ai ouvert bien grand les oreilles, comme une petite écolière attentive à bien faire, un jour de rentrée des classes.

Puis, rien. Sur les cahiers : rien. Quelques gribouillis incertains et des dessins de feuilles, d'arbres ; puis des lianes et des griffures, des rayures, enfin des sphères dont je m'appliquais à rendre le volume en griffonnant les zones d'ombre, avec une application égale à mon ennui et à mon désarroi de me retrouver là, dans une salle de cours, dessinant sans y croire dans les marges des cahiers, des gueules de chiens et des visages hurlant, une main tendue, des yeux grands ouverts. Il y avait aussi des pages déchirées au fur et à mesure que mon cœur grossissait à vue d'œil, et se gonflait d'une matière si lourde que je croyais que ma poitrine allait s'ouvrir là, sur la table de cours, et laisser tomber un cœur rond et pesant comme une boule de fer brûlante, rouge feu, sans que je m'en étonne, mais simplement en me disant, tiens, mon cœur vient de me lâcher, ça devait arriver.

Puis il y a eu ce matin à Milan. Ce matin dont je me souviendrai toujours, parce que chaque jour je redoutais que ça arrive. J'étais descendue acheter des cigarettes et, à l'angle de la rue, je me suis retrouvée face à lui ; et lui – lui comme moi –, nous sommes restés quelques secondes figés par la surprise, absolument muets, comme si le temps venait de s'arrêter et qu'il avait hésité entre deux directions à prendre, l'une, qui aurait voulu continuer sa fuite en avant, sans se retourner ni réfléchir, et l'autre, plus dangereuse, plus forte déjà, qui commandait de s'arrêter un instant et de laisser remonter le passé, par vagues, refluant d'un lointain pas aussi éloigné que voulu, malgré toutes les tentatives pour le repousser et le rabrouer, sachant que ce serait en vain, constatant alors que les trois années derrière nous n'avaient servi à rien, malgré toutes ces bagarres pour refuser de s'arrêter et de caresser des photographies ou des plaques de marbre rose, ces années pour refuser les regrets et les heures à cultiver les scénarios de ces vies avortées, avec leurs voyages tous les étés et leurs enfants qui ne naîtront jamais, ces maisons et ces vacances. Nous sommes restés tous les deux face à face, Gavino et moi, et c'est lui le premier qui a parlé. Non pas que je n'aurais pas pu parler, ni que je sois restée interdite plus que lui, parce que je sais ce qu'il a dû penser en me voyant, pendant ce laps de temps où moi je devais digérer son image à travers ma mémoire, et décrypter ses traits en résistant encore à l'effroi de le voir surgir comme ça, à l'improviste, à l'angle d'une rue dont je ne connaissais même pas le nom, dans une ville qui n'était pas la mienne et où je n'étais jamais venue que me soûler et baiser dans des hôtels douteux avec n'importe quel Angelo de passage. Oui, assumer de voir surgir au coin d'une rue, juste avant le kiosque où j'allais acheter mes Marlboro et traînasser à regarder les titres des journaux et les photographies des magazines (histoire de rester seule un peu plus longtemps et ne pas remonter déjà auprès d'un Angelo ronflant sans doute encore, ou s'impatientant de me voir arriver avec la provision de cigarettes), tous ces visages dissimulés au milieu de celui, si reconnaissable pourtant, de Gavino ; du front de sa mère aux yeux de son père, peut-être, et puis à cet indiscernable ressemblance et à cet écart, ce lien et cette infranchissable différence d'avec Francesco.

C'est lui qui a parlé le premier. Lui, alors que je savais comment pour lui aussi, de me rencontrer là, ce devait être la même stupeur et le même retour trois années en arrière – et avec elles, se dépliant dans le même mouvement, Gavino avait dû voir surgir toutes ces années auxquelles le souvenir de son frère ne pouvait pas manquer de le ramener ; comme une dégringolade dans un escalier, Gavino était tombé sur moi. Et

à travers moi sur Francesco, à travers lui sur sa propre adolescence et son enfance. Oui, tombé sur moi et n'en finissant
pas de tomber vers un sol qui se dérobait toujours, il est resté
bouche bée devant moi, le temps que passent devant ses yeux
les quelques semaines où j'étais restée chez ses parents. Le
temps de l'enterrement de son frère et de la cérémonie à
Bruxelles, et le temps de la fête du mariage et puis plus loin
dans sa mémoire, il a dû prendre comme une gifle les parties
de baby-foot avec son frère, des secrets et des révélations ont
dû remonter à la surface, d'un coup, de profondeurs aussi
enfouies qu'il avait pensé qu'elles ne pourraient jamais plus
remonter vers lui, ni le faire souffrir. Et pourtant il m'a vue à
l'angle de cette rue. Et, pour lui comme pour moi, il a fallu
se rendre compte de ça, cette porosité, ces plaques souterraines
n'attendant qu'un signal pour tout dévaster au-dessus d'elles
et laisser en ruine le jardin et les murets bien propres qu'on
avait mis un temps si long, et après des efforts si difficiles, à
rendre enfin présentables.

Oh, Tana !

C'est tout ce qu'il a dit avant de sourire et de me prendre
dans ses bras. Je crois que j'ai rougi un peu, que j'ai eu honte
aussi, comme ça, sans trop savoir pourquoi – et je pensais qu'il
devait me trouver laide avec mes joues creusées et mes cheveux
sales, noirs, tombant sur les épaules et sur mon vieux Perfecto,
qu'il devait s'étonner de mon tee-shirt sur lequel une tête de
Mickey junky semblait exploser en tirant la langue, ma mini-
jupe rouge et les collants rouge aussi, et mes seins, il devait
voir que je ne portais pas de soutien-gorge, et j'étais gênée de
ça, par cette idée qu'il voie la pointe de mes seins durcie par
la fraîcheur de la matinée. Oui, j'ai su à ce moment que j'avais
honte de comment je m'habillais. Ou plutôt, non, que j'aurais
simplement voulu que lui ne me voie pas ainsi et qu'il puisse

dire à sa mère, Tana va bien, elle a l'air en forme, on dirait qu'elle est heureuse. Et au lieu de ça, Gavino est resté un moment à me regarder en laissant ses mains sur mes bras, puis c'est moi qui ai bougé et lui ai proposé de m'accompagner jusqu'au kiosque. Nous avons marché tous les deux, l'un à côté de l'autre, en nous regardant et en souriant ; j'ai demandé des nouvelles de la famille et lui de la mienne.

Il m'a parlé de l'anniversaire d'Adriana, sa femme, et il a raconté qu'il était venu de Gênes jusqu'ici, à Milan, pour lui acheter une robe ou des bijoux. Sa voix en parlant était douce et presque timide, comme la mienne, ah oui, j'ai dit, et Leandra, quelle âge a Leandra ? Il a dit qu'elle avait déjà treize ans et moi, ah bon, j'ai acquiescé sans plus rien dire. Nous étions arrivés au kiosque et le client devant nous venait de laisser sa place, alors j'ai avancé pour prendre les cigarettes. Je me souviens de mes mains tremblantes au moment de prendre les deux ou trois paquets et de tendre mes billets. Je me souviens de mes mains cherchant les poches de mon blouson et de cette envie qui me brûlait la bouche de dire à Gavino, je t'en supplie, il faut que tu comprennes, je n'ai rien contre toi ni contre personne de ta famille, il faut que tu dises à ta mère que je pense tout le temps à elle et à Leandra, que dans mon sommeil j'entends la scie sauteuse dans l'atelier de ton père, et ce bruit strident fait comme un cri dans ma tête, comme une sorte de supplication, il faudrait vraiment que tu leur dises à tous que je n'ai oublié personne, personne, que je pense à eux tout le temps mais que je n'ai pas la force d'aller jusqu'à chez vous, pas la force de voir cette maison où vous m'avez tous accueillie comme une fille ou une sœur, je ne suis pas ingrate, je ne peux pas, je voudrais mais je ne peux pas, l'idée de vos visages est une douleur trop grande et moi je suis trop fragile, mes bras se briseraient, oui, c'est vrai, je sais, j'ai un peu une sale gueule en ce moment, ils disent que je bois trop et que je sors avec des types pas très recommandables, mais ça ne durera pas, ça ne peut pas durer, Francesco me manque tellement, et vous, d'aller vous voir, tu comprends, aller vous voir ce serait comme de te croiser maintenant par hasard dans la rue, comme un retour sur ce temps arrêté, là-bas, trop loin, et je risquerais de m'effondrer et de pleurer sans pouvoir m'arrêter, à quoi bon, à quoi bon, Gavino ?

Et nous souriions l'un et l'autre, devant mon embarras à ranger ma monnaie et les trois paquets de cigarettes. Oui, si j'en ai deux dans une main, l'autre doit être dans l'autre main, et si j'en ai trois dans l'une c'est que dans l'autre il n'y a plus rien, la monnaie est dans la poche, un paquet tiendrait-il dans la poche ? Je ne sais pas, je n'essaierai pas. Et nous avons souri encore. J'ai dit, décidément je ne suis pas douée, et puis qu'il fallait maintenant que je rentre (j'entends encore ma voix dire en tremblant : je suis à l'hôtel avec un ami, comme si je devais me justifier devant Gavino, comme si là, dans cette ville, il m'avait surprise avec un amant et qu'il puisse me menacer de prévenir Francesco). Mais Gavino n'a presque plus parlé. Il a regardé sa montre et, à son tour, il s'est excusé de devoir se dépêcher.

15

C'est Grazia qui lui a répondu. Elle m'a raconté qu'il s'était présenté comme un de mes amis, et qu'il aurait aimé me parler. Mais Grazia avait dû lui répondre que je n'étais pas là et que je rentrerais elle ne savait pas quand, peut-être aussi bien dans quelques heures que dans quelques jours. Il y avait eu un long silence, qu'il avait rompu en disant que ce n'était pas grave. Elle avait dû penser qu'il devait être déçu, mais il s'était contenté de dire qu'il rappellerait plus tard, lorsqu'il serait arrivé à Casella. Il avait raconté que nous ne nous étions pas vus depuis plus de trois ans et demi, mais sans dire ni où ni dans quelles circonstances nous nous étions rencontrés.

Il a juste dit qu'il s'appelait Tonino.

Ce prénom, lorsqu'elle me l'a répété, n'a pas fait broncher Grazia. Pourtant, une seconde, j'ai été déçue qu'elle n'entende pas ce prénom comme je l'ai entendu lorsqu'elle l'a prononcé. Je croyais qu'elle aussi s'en souviendrait, qu'aussitôt qu'elle l'entendrait, elle se rappellerait tout ce dont je lui avais parlé, comme je me souvenais bien de tout ce que je lui avais dit chez les parents de Francesco, oui, ces mots, trois ans et demi plus tôt. Je me revois dans la chambre d'une des sœurs de Francesco et, sur le mur, face à moi, il y avait cette affiche de Jim Morrison que je regardais pendant que je racontais cette histoire à Grazia. Il faisait chaud et elle ne portait pas un chemisier, mais ce petit haut en coton couleur pêche, qui lui dénudait le cou et les épaules ; et je voyais à son cou la chaîne en or qu'elle avait reçue pour sa communion solennelle, avec son médaillon de la Vierge qui flottait au-dessus de nos mains, parce qu'elle avait posé ses mains sur les miennes – et je répétais encore cette histoire, que je m'étais déjà répétée sans fin depuis la cérémonie à Bruxelles, dans l'avion du retour, à l'enterrement, à chaque seconde et même les yeux fermés, dans mon sommeil, dans la boucle interminable d'un présent toujours recommencé. Et j'avais tellement épuisé les mots à force de me les répéter que peut-être, lorsqu'il avait fallu les raconter à Grazia, ils étaient comme des tissus aux couleurs passées, à la fibre élimée, peut-être qu'ils étaient si pâles qu'elle n'avait pas pu les retenir ? Je ne sais pas. Alors, il se peut qu'une fois encore, en faisant le récit à voix haute pour Grazia, c'était en réalité à moi seule que j'avais marmonné cette rengaine, pour repasser devant mes yeux les mêmes images et les mêmes secondes, et non pour que Grazia entende, non pour qu'elle comprenne. J'avais dû murmurer mon charabia et elle, elle avait seulement pleuré de me voir dans ce lit, l'air hébété, les mains encore griffées et bleues, et elle n'avait pas retenu les noms ni les détails de ce que j'avais dit, parce qu'au fond, moi-même je ne reconnaissais plus les mots que j'inventais en les utilisant. Pourtant j'avais bien dit : Tonino et Jeff. À plusieurs reprises j'avais répété leurs prénoms, et précisé les caractères de l'un et de l'autre, leur visage, leur allure, j'avais parlé de leur amitié et de la complicité qui les unissait, je croyais en avoir parlé longuement... Mais peut-être que non, que je n'avais qu'à peine évoqué leurs prénoms, pas plus que ceux de Gabriel et de Virginie... Pourtant, il me semblait bien avoir tout dit à Grazia.

C'est pour ça que j'ai été surprise qu'elle ne bronche pas à ce moment où elle m'a dit : quelqu'un qui s'appelle Tonino a appelé pour toi. Elle a pensé que c'était un vieil amant qui revenait d'on ne sait où, encore un de ces hommes plus ou moins jeunes qu'elle appelait les amoureux de Tana – un de tes amoureux ? m'a-t-elle demandé. J'ai voulu répondre non, mais je n'ai pas répondu. J'ai hésité quelques secondes, le temps de me répéter le prénom de Tonino et de me demander, est-ce qu'il est possible que Tonino se souvienne de moi et qu'il ait envie de me revoir, pourquoi est-ce qu'il veut me revoir ? Je n'entendais plus la voix de Grazia quand elle tournait pourtant encore autour de moi, comme elle le faisait depuis toujours, à piaffer d'impatience pour que je lui confie un secret ou que je lui explique des conversations, des histoires dont elle avait entendu des bribes mais dont elle ne soupçonnait l'importance que parce qu'il y avait du secret autour, des chuchotements (et alors c'était toujours vers moi qu'elle tournait ses questions et ses regards, vers moi qu'elle cherchait à comprendre ce que ce serait d'être une femme, plus tard, mais aussi à quel âge ça arriverait, quand serait-elle capable d'avoir des amoureux et des envies de rentrer tard la nuit, si tard, sans avoir peur de la nuit ? Elle demandait comment une telle chose était possible, et moi je lui répondais toujours qu'elle n'était pas possible, on a la même peur qu'avant mais on apprend à ne pas courir ni à crier sous les étoiles, on se retient aux hommes ou aux rampes d'escaliers, on s'accroche à des bouteilles de gin ou des diplômes prestigieux, c'est à peu près tout ce qu'il y a à savoir), – un amoureux ? a-t-elle repris. J'ai fini par ne plus l'écouter, et, toujours sans répondre à sa question, ou en laissant seulement traîner un sourire qui est resté figé sur mes lèvres, je suis allée dans la salle de bains. Là, j'ai ouvert le robinet d'eau froide et bu au robinet, puis j'ai lavé mes mains.

Je les ai laissées longtemps sous l'eau, sans plus entendre l'eau qui coulait, puis je me suis essuyée et j'ai pris pour ça une précaution et un temps infinis, sans jamais vraiment regarder mes gestes, le regard flottant face à moi. Puis enfin je me suis assise sur la lunette des toilettes. J'ai allumé une cigarette, que j'ai fumée sans y prêter vraiment attention. Je regardais la cendre qui grandissait et je me disais que, le moment venu, en relevant les doigts, ma main deviendrait comme une conque, et la cendre tomberait dedans. Je prenais du temps, sans écouter les pas de ma mère dans la cuisine, les bruits de placard, oui, déjà, dans une heure il faudra dîner, ni la musique insupportable qu'écoutait Grazia dans sa chambre, les disques de pop et de variétés avec la voix de Madonna qui revenait le plus souvent, ou, à ce moment précis, celle de Michael Jackson qui assénait son dérisoire *I'm bad, I'm bad*, pendant que je gardais les yeux rivés sur le bout de la cigarette que je ne fumais qu'à peine.

Je restais comme ça sans bouger, grignotant mes vieilles peaux toutes les deux secondes, en me dépêchant de ramener la main sous la cigarette, le cœur battant si fort que j'avais l'impression de sentir l'afflux de sang jusqu'au bout de mes doigts – et c'est ça, sans doute, qui ferait tomber la cendre dans le creux de ma main –, tout en me disant que le prénom de Tonino avait été comme un coup de tonnerre au-dessus de ma tête, moi qui ne me souvenais pas plus de lui que de Jeff, pas de leurs visages ni de leurs voix. Je m'étais appliquée avec une telle obstination à les oublier et les renier pour ne pas savoir qui ils étaient, seulement des gens de passage que j'avais renvoyés à leur néant, celui de l'existence qu'ils avaient dans ma vie avant que je les rencontre. Et maintenant Tonino s'était mis en tête de me revoir, moi, alors que pendant trois ans il n'en avait pas eu l'idée, ou l'envie, ou la force, à moins seulement qu'il n'ait pas pu revenir une seule fois en trois ans passer quelques jours à Casella ? J'ai regardé la cendre

317

dans ma main, et, en soufflant dessus, je l'ai fait rouler dans ma paume et non,

non,

peut-être que Tonino non plus ne voudra pas parler du procès ni d'il y a trois ans, ni faire semblant de me demander ce que j'aurais fait de tout ce temps et peut-être préférera-t-il avoir l'intelligence de se dire qu'il est en vacances et que le seul passé qui l'intéresse en Italie, c'est celui de son vieux père et de toute sa famille, des souvenirs érotiques d'une cousine qui lui avait demandé l'heure en cuisine, un soir très tard, ou quoi, un oncle instituteur essayant de lui refourguer un bréviaire révolutionnaire des Brigades Rouges ? Et sinon, tant pis s'il faut faire semblant de parler du procès, avec lui j'aurai la force d'en parler comme de la pluie et du beau temps, je ne lui avouerai pas comment moi j'avais refusé de participer à ça, d'accepter l'idée même d'une compensation possible, je n'en voulais pas, pas pour moi, pour Gavino, pour les parents de Francesco et pour tous les autres, oui, mais pour moi, je voulais seulement l'oubli. L'oubli et ne plus parler de rien parce que je voulais juste trouver le sommeil dans des nuits sans cris ni fanions, sans drapeaux jaunes et or ou rouges ; je voulais des nuits sans grains de béton roulant sous mes mains, sans visages hébétés, couverts de poussière et de sang ; mais être une fille de vingt-trois ans qui vient de se marier et croit qu'elle a la vie devant elle et son mari pour lui faire des enfants, peut-être, même si au fond elle pense qu'elle n'est pas sûre de vouloir des enfants, mais quand même, qu'au moins ce soit possible, que le monde soit possible pour elle, et ouvert, qu'il s'étende et non qu'il se replie comme il s'est replié sur elle, avec les voix et les jugements, les cris et les colères, le pardon et l'amour à chercher si loin en soi que c'est soi-même qui revient en loques, amaigri, comme dans les westerns un troupeau de vaches efflanquées après la traversée d'un désert, revenues de tout pour finir de brouter du sable ; alors, oui, un procès pour retrouver la paix, c'est ce que voulaient certains et dont ils avaient besoin pour retrouver des nuits où l'on dort, où l'on arrête d'errer entre des portillons et l'entrée d'un stade vers lequel il n'aurait jamais fallu marcher.

Alors, parler d'un procès, non, je ne voulais pas. En renversant la cendre de ma paume dans le lavabo, après avoir ouvert un filet d'eau tiède, en regardant l'eau grise qui courait vers le siphon, je me suis dit, tiens, c'est seulement maintenant que Tonino téléphone. Alors que pendant quelques mois j'avais vaguement attendu, vaguement espéré qu'il appellerait, c'est maintenant que je n'attendais plus rien qu'il le faisait. Et je devais faire un effort considérable pour ne pas entendre ce murmure des voix à la radio et à la télévision qui parlaient du procès – comme j'avais refusé d'entendre les gens s'étonner de ce que je ne sois jamais au courant de rien, ou de si peu, lorsque je leur répondais que je n'en savais pas plus que ce qu'on disait dans les journaux et à la télévision. J'évitais les regards. Je redoutais les questions et les avis ; autour de moi, la colère avait repris. Un matin, l'Italie entière a retrouvé sa colère d'il y avait trois ans et demi, parce que tout le monde l'a dit, oui, les *animaux* vont être acquittés. Et moi je disais : peut-être, peut-être pas. Je m'étonnais seulement de n'avoir pas plus de haine contre ceux-là qu'on avait vu ruer dans les gradins et qu'on revoyait encore, cette fois les images servant à resituer le contexte, vous vous souvenez, il y a trois ans. Alors, parfois ma mère prenait son air le plus scandalisé face à moi, parce qu'elle voyait dans mes yeux un vide où elle et sa colère et son désir de justice venaient se perdre et se noyer si profondément qu'elle restait essoufflée sans rien dire, essuyant ses mains, saisissant les épluchures de carottes qui lui faisaient les doigts orange pour aller les jeter à la poubelle, haussant les épaules et soufflant fort pour que j'entende à quel point elle ne me comprenait pas et comment elle avait honte de moi, de ce qu'elle prenait pour de l'indifférence en s'interdisant de me le reprocher ouvertement, mais, toujours, laissant planer cette idée en haussant les épaules et en murmurant, tu aurais quand même pu appeler les parents de Francesco.

À ce moment-là, je me taisais et mon procès à moi et ma guerre à moi, tous les matins, c'était que je devais penser à me lever et m'habiller avant d'oser me regarder dans la glace, malgré le camouflage des cheveux noirs que je laissais retomber sur les épaules ou que je crêpais comme une Siouxie déjà ringardisée, un peu vieillotte. Mais j'aimais faire ça. Et j'aimais écouter de la musique toute la journée dans mon casque, pour ne rien entendre que ce bruit et les chansons des Stooges ou de Nick Cave – c'était ce qui me restait de Francesco et ce à quoi je n'aurais pas dérogé, et qui, au fur et à mesure, avait pris une place encore plus grande. Je n'écoutais qu'eux et les groupes de *cold wave* disparus dans les limbes du show-biz. Je faisais traîner cette époque avec quelques années de retard, oui, j'écoutais les disques et les cassettes de Francesco – c'est le seul carton que j'ai fini par ouvrir – sans savoir pourquoi, parce qu'un refrain m'était revenu en tête, comme ça ; et j'ai écouté les disques de plus en plus souvent, jusqu'à ce qu'ils deviennent les miens, qu'enfin je les écoute et les aime pour eux-mêmes.

Alors, le procès, non, jamais, à part cette fois, lorsqu'il a été terminé et qu'au mois d'avril j'ai reçu cette lettre de la mère de Francesco. Ma mère avait laissé l'enveloppe sur la table, contre le pichet d'eau. J'avais vu d'abord mon nom et notre adresse, le timbre poste. La lettre était lourde, l'enveloppe épaisse, une longue lettre que j'avais décachetée après m'être assise, sans même avoir retiré mon Perfecto. Les mots commençaient avec une majuscule improvisée, à peine bonne à dissimuler comment elle n'était que la partie visible de blocs compacts d'une pensée qui rabotait et façonnait des phrases, des mots, des flux, parce que, lorsque la mère de Francesco avait écrit cette lettre, c'était pour dire ce qu'était pour elle la fin du procès, me dire combien ça avait été éprouvant pour eux tous, et peut-être davantage encore pour Gavino, qui était allé à Bruxelles avec Adriana. L'une des premières choses qu'elle avait écrites, la première injustice dont elle a voulu parler, c'était qu'après la mort d'un de ses fils, il aura fallu qu'elle regarde l'autre revenir aussi usé et pâle que s'il était lui-même revenu de la mort, après un combat trop long. Elle disait que j'avais peut-être eu raison de ne pas vouloir affronter, comme lui l'avait fait, les visages des *meurtriers*, de ces vingt-quatre *meurtriers*. Elle disait les vingt-quatre *meurtriers* et dans sa lettre le mot *meurtriers* apparaissait sans nuance, sans aucun souci de dire que ceux-là devaient être jugés et condamnés pour des faits avérés. C'était le mot qu'elle avait trouvé, soucieuse de le jeter en vrac et de le répéter, ce mot qui claquait comme il avait dû claquer à l'esprit des familles présentes à Bruxelles, qui regardaient ceux qui n'étaient pas encore des meurtriers mais de simples prévenus, des gamins d'une vingtaine d'années ou des types d'à peine trente-cinq ans, endimanchés pour la circonstance, cachés derrière des moustaches ou une barbe. Elle a tout raconté au présent. Elle a écrit. Et moi en la lisant, j'ai senti de quoi était agitée sa main quand elle écrivait, ils attendent, ils chiquent, ils bougent beaucoup et s'agitent, le président doit leur dire de s'asseoir correctement ; sous ses doigts des mots décrivaient ce qu'elle n'avait pas vu, qu'elle ne verrait jamais qu'en imagination. Elle racontait comment Gavino et les autres étaient perdus dans la grande salle des audiences de la cour d'appel, au premier étage du palais de justice,

et moi,

moi j'étais seule dans la cuisine et j'avais regardé sous mes doigts l'encre noire et l'écriture serrée, les jambes trop courtes des lettres, les ratures, les reprises et les répétitions : et toujours le mot *meurtriers* qui revenait ponctuer la lettre, comme la seule certitude qu'elle avait, la pierre d'achoppement à toutes les descriptions qu'elle essayait de faire quand elle voulait me dire ces visages qu'elle n'avait pas vus, et qu'elle avait imaginés en essayant de transcrire ce que Gavino lui avait raconté. Je voyais les visages et l'appréhension de ceux qui attendaient que les vingt-six inculpés entrent dans la salle d'audience, sauf que lorsqu'ils sont entrés ils n'étaient que vingt-quatre. Tous ont tourné les visages vers eux, des larmes aux yeux pour certains, la rage au cœur pour tous. Gavino était parmi eux. Gavino, avec ce visage qui était presque celui de Francesco, sa voix qui était presque la sienne, oui, son cœur, presque son cœur, que j'imagine en charpie à ce moment-là, comme ses doigts que serrent fort les doigts d'Adriana. Elle lui tapote la main et sourit pour lui dire que ça va aller. Peut-être qu'il a pensé à moi en voyant les avocats et les parties civiles, les centaines de journalistes – il se sera dit, il y a tout ce monde et Tana n'est pas venue, elle a peur, nous avons tous peur. Et eux aussi ils ont peur, c'est pourquoi aujourd'hui nous sommes pareils, malgré leurs airs endimanchés et cet air arrogant qu'ils affichent, les sourires en coin qu'ils échangent entre eux.

Elle a décrit tout ça, mot à mot, minute après minute, ce que Gavino avait vu et subi, cette trouille qu'il avait fini par percevoir chez les *meurtriers* ; ils ont enfin eu peur et Gavino n'a pas eu de joie pour autant. Seulement ce dégoût de les voir face à lui, se concentrer pour éviter à tout prix ses yeux ou ceux des autres. Car ils ne veulent pas être vus. Ils se font des clins d'œil d'encouragement et de réconfort, se tiennent droits et se penchent vers leurs interprètes pour comprendre un débat qui a lieu en français ; ils profitent de ça pour ne pas regarder les parents des victimes, ils se dandinent, ils sont pâles comme la mort et on voudrait laver leurs visages de l'arrogance ou des sourires qui y restent figés, mais c'est impossible. Et bientôt ils laissent tomber les interprètes, rien à foutre, ici on ne parle pas l'anglais des *Scousers*, on parle la langue intraduisible des juristes. Et puis, au fond, comment dira-t-on qu'ils sont responsables d'une vague dont ils n'étaient chacun qu'une goutte ? comment dire qu'un coup de poing ou une pierre jetée aurait pu tuer presque quarante personnes ? On va hausser les épaules ; à Liverpool, un jet de pierre ne vaut pas même une heure au poste. Que s'est-il passé de plus ? Rien de plus. Et puis le temps a passé, certains se sont mariés, ils ont mûri, ils se sont assagis. Et aussi, on le voit bien sur les images, celui-ci ne frappe pas, il danse. Il y a ce spécialiste d'interprétation des images aériennes, on zoome sur les images, d'encore plus près, et l'on voit des gros plans et tout à coup il n'y a plus d'évidence, plus aucune, celui qu'on voyait attraper une barre pour frapper ne fait que s'y accrocher, celui qu'on accusait de frapper trois fois a trois visages différents ; la vérité s'effondre, la vérité n'existe pas, c'est un fait que les images racontent, indifférentes aux femmes en noir et aux visages de plomb qui écoutent et voient sortir les dix hommes acquittés qui regardent les autres, ceux qui sont condamnés, les quatorze *animaux* qui n'en reviennent pas parce qu'eux aussi sont libres, eux aussi, ils ont purgé leur préventive et on ne pourra pas les retenir plus longtemps. Ils sortent libres. Ils se congratulent. Ils rient avec les autres et parlent d'aller boire une bière, et les autres sont là, les mères et les femmes vêtues de ce noir des avocats qui essaient d'expliquer et d'atténuer la colère, qui essaient de faire taire les cris, la haine qui surgit et le visage de Gavino, sa main tenue serrée dans celle d'Adriana, et puis les journalistes et les photographes, le monde suspendu à cette vérité : les *animaux* sont libres et moi,

    moi,

lisant la lettre de la mère de Francesco, pour la première fois de ma vie je sais ce que c'est que l'envie de tuer.

Il y a aussi que ma vie entière était tendue par la crainte de rencontrer la mère de Francesco. J'aurais eu peur de n'importe qui de sa famille, mais surtout d'elle, puisqu'elle m'avait reçue comme elle l'avait fait et que je me sentais redevable, au moins des mots qu'elle avait eus. Tu es comme notre fille, avait-elle dit, et moi j'étais encore abasourdie qu'elle ait pu me dire des choses pareilles, à moi qui croyais si fort qu'elle me détestait de lui prendre son fils, elle qui avait si peu goûté l'idée d'un mariage dont elle avait été exclue, si certaine qu'on ne se marie pas comme nous l'avions fait, et qui croyait savoir mieux que son fils ce qui était bien pour lui, mieux que moi ce qui était bien et juste de faire ; elle qui m'avait regardée avec une telle méfiance qu'à la fin j'avais presque fini par en rire, tant je la trouvais ridicule d'être aussi convenue avec cette bonne vieille haine de belle-mère à laquelle j'aurais dû répondre par une bonne vieille haine de bru ! Mais non, tout a été différent. Tout a été balayé et même ces certitudes que j'avais sur elle, ou sur ma mère, et d'une certaine manière aussi sur moi, tout a été pulvérisé, et bientôt il n'est resté que sa gentillesse et sa présence, des phrases douces et sucrées dont l'arrière-goût amer ne me quitterait plus : maintenant tu es comme notre fille. C'est ce qu'elle disait aussi dans les lettres qu'elle m'avait envoyées, les trois, non, les quatre lettres, les cinq, je ne sais plus, de plus en plus espacées dans le temps. Les deux premières, je les ai reçues à quelques semaines d'intervalle. Puis une autre, presque un an plus tard. Et puis, d'autres. Je n'ai répondu à aucune. Je les ai jetées aussitôt après les avoir reçues et ouvertes. Elle me souhaitait d'aller bien, de refaire ma vie, de réussir mes études. Et puis, elle rajoutait qu'eux allaient très bien, Leandra était douée à l'école, ils auraient plaisir à me voir, elle surtout, me disait-elle, et lorsqu'ils venaient au cimetière, souvent elle avait pensé venir me voir. Elle regardait les nouvelles fleurs pour imaginer la dernière fois où j'étais venue sur la tombe. Elle aurait aimé venir me voir parce qu'au fond, me disait-elle, nous ne nous connaissions pas beaucoup, pas *entre femmes*, et qu'elle aurait bien aimé savoir qui j'étais comme femme, comme personne. Mais, sans nouvelles de ma part, elle avouait ne pas oser insister trop.

Je me souviens comment je jetais vite les lettres et comment, tout aussi rapidement, mue par la même urgence, je m'enfuyais de chez nous pour retrouver l'obscurité des bars et des boîtes de Gênes ou Milan, ne pas étouffer sur place, ne pas céder aux larmes mais, au contraire, aller s'enfermer dans ma chambre comme une adolescente attardée qui s'angoisse parce que son nez est trop long ou ses hanches trop larges, et reste des heures allongée sur son lit, le casque sur les oreilles, la musique à fond, à chanter en même temps qu'elle pleure l'image de qui elle aimerait être, et sans laquelle rien ne lui semble possible. Et il m'arrivait parfois de rester des heures et des heures allongée sur mon lit. J'écoutais la musique et je fumais, les yeux dans le vague, sans attendre rien que la dissipation et l'oubli des mots que j'avais lus. Et de ça, je sortais épuisée et furieuse. Je savais qu'alors je prétexterais l'absence de cigarettes pour sortir et ne pas revenir avant le lendemain, comme c'était arrivé quelques mois après mon retour, après que le téléphone sonne et que Gavino me dise qu'il viendrait le jour même déposer *nos* affaires.

Il avait dit nos affaires pour parler des cartons que d'abord ils avaient entassés chez eux. Mais les choses étaient à moi seule et lui n'avait pas voulu en démordre lorsque j'avais refusé de les reprendre, en prétextant que chez ma mère nous n'aurions jamais assez de place pour entasser des cartons et des souvenirs. J'avais dit que je n'ouvrirais jamais ces cartons. Il était venu quand même, comme il l'avait dit. Seulement je n'étais pas là, l'air m'avait paru irrespirable tout de suite, et je m'étais précipitée vers la salle de bains où maman m'avait suivie lorsqu'elle avait vu que je m'apprêtais à sortir ; derrière moi j'entendais sa voix qui disait, tu ne vas quand même pas t'en aller alors que Gavino va arriver, tu ne vas pas ; et je ne répondais rien, je cherchais mes bagues et mes bracelets en maudissant déjà Grazia d'avoir pris, ou fouillé, ou cherché dans mon foutoir des crayons ou un bracelet qui m'appartenaient, et je remuais dans le tas de breloques, les mains tremblantes, sans faire attention à la voix de ma mère ; j'ai pris tout mon attirail pour sortir et ne pas revenir avant le lendemain. Ma mère le savait, elle le voyait, elle me regardait mettre du rouge à lèvres et, comme à chaque fois, elle a répété, avant, tu ne mettais pas autant de rouge à lèvres. J'ai dû hausser les épaules en pensant, oui, avant c'était avant, rien ne sera comme avant. Je n'ai rien répondu et j'allais de plus en plus vite, je m'appliquais à ne pas la regarder derrière moi, dans l'encadrement de la porte que reflétait le miroir, avec elle qui me regardait les yeux hors de la tête, marmonnant puis répétant encore en levant les mains au ciel, mais qu'est-ce que je vais dire à Gavino si tu n'es pas là ? Qu'est-ce que je vais bien pouvoir inventer pour justifier ton absence ? C'est ton beau-frère, ça reste ton beau-frère, quand même, et où je vais mettre toutes tes affaires ? hurlait-elle encore, quand moi, ces affaires, j'aurais voulu les brûler tout de suite ou les jeter tout de suite, et mon passé avec, que je ne les voie jamais plus, parce que j'avais tellement peur de revoir Gavino et de me trouver si nue, si idiote en face de simples cartons.

Et j'étais en colère contre ma mère, parce qu'elle ne voulait pas comprendre combien j'avais peur et qu'au lieu de ça elle a dit, tu as voulu te marier, eh bien c'est fait et maintenant c'est toi qui détale comme un lapin quand ta belle-famille débarque, et ça va encore être à ta mère de régler tes affaires ! Se taire, ne rien répondre ; j'aurais voulu ne rien répondre et je me vois saisissant mon Perfecto sur le dossier d'une des chaises dans la cuisine, en disant, fous-moi la paix, t'as qu'à tout balancer et me foutre la paix,

Et je me revois dévalant l'escalier et me précipitant sans entendre la voix de ma mère sur mes talons, qui me criait d'attendre encore et, plus elle criait, moins j'entendais sa voix qui se perdait dans les gueulantes des chiens et des oiseaux pendant que mon cœur battait pour me rappeler comment j'avais peur de croiser Gavino dans la rue, de le voir arriver, peut-être avec sa femme, ses sœurs, sa mère, et moi alors qui resterais clouée pour combien de temps si je tombais face à eux ; je n'avais pas encore accompli la plus grande foulée pour m'éloigner d'eux. Oui, l'idée de les revoir était insupportable. Comme avait été celle, en rentrant le lendemain matin, de voir ma mère accroupie au milieu des cartons, y fouillant pour sortir un à un des objets neufs afin de les ranger sur des étagères ou dans le buffet du salon, dans le placard à chaussures. Elle avait tout prévu et tenait un plumeau à la main. Elle époussetait les cartons et puis chaque objet, un à un – alors il a fallu reconnaître, malgré cette gueule de bois et la sueur mêlée à l'odeur de tabac et du café amer du matin, les lettres noires écrites par moi et par Francesco, *vaisselle, fragile, livres, disques, vêtements, papiers, bibelots, merdiers divers.* C'était il y a combien de temps ? Dix ans ? Vingt ans déjà ? Et même peut-être mille ans qui avaient tenu comme ça dans une poignée de mois, de semaines, et pourtant, en regardant ma mère s'affairant dessus, avant même de voir les objets, les simples cartons ouverts et l'écriture au gros feutre noir, j'ai vu le mot *fragile* en majuscule, souligné deux fois d'un trait vif, et le carton des bibelots et des merdiers divers, ceux dans lesquels traîneraient tous ces objets minuscules auxquels je croyais tenir depuis des années, quand c'est eux qui me tenaient prisonnière depuis déjà des mois. Qu'est-ce que je ferai de ces objets ridicules ? Un jeu de cartes. Un dé pipé. Une boîte à priser. Des vieux bracelets et des cailloux rapportés des plages, depuis l'enfance ; des choses aussi idiotes et minuscules qu'était profonde et violente la terreur qu'elles m'inspiraient.

Mais je ne voulais rien dire, rien tenter qui puisse montrer cette peur, alors j'ai regardé ma mère et je lui ai dit de ne rien défaire, de se contenter de ranger les cartons comme ça, sans les ouvrir, parce qu'il ne fallait pas utiliser les objets. Mais elle, accroupie près du placard à chaussures, elle avait entrepris de ranger et d'organiser un tri ; les petits souvenirs ne quitteraient pas leur carton, oui, très bien, mais les draps neufs et cette belle nappe blanche, brodée, on pourrait au moins, et elle avait décidé de laver le linge et de le repasser, de le plier ; elle avait décidé de ranger avec les siens le service de verres en cristal, ces verres aux linéaments blancs qui formaient des feuilles de vigne et des arabesques, dans le buffet vitré du salon ; les couverts en argent avec ce poinçon figurant un trèfle à quatre feuilles – qu'est-ce que j'aurais pu foutre de couverts en argent ? –, bon, tant mieux, ils seront très bien dans le bas du buffet, dans ce tiroir où elle-même avait rangé ses couverts en argent dont nous ne nous servions jamais, à peine quelques fois pour les repas du dimanche, quand des invités venaient de loin (mais pas pour l'oncle, qui faisait trop partie des intimes pour qu'on le distingue de notre traitement habituel). Je me souviens comment ce jour-là une fois encore j'avais eu cette sensation que c'était moi qu'elle déshabillait, surtout lorsqu'elle a dit qu'il y avait des choses qu'on pourrait vendre. On avait besoin d'argent, j'en coûtais mais je n'en rapportais pas beaucoup, avait-elle dit. Et moi, je me revois au milieu de ce couloir, les yeux sur elle. J'aurais voulu arriver plus tard, quand tout aurait été fini, qu'elle aurait tout rangé ou vendu, et j'ai bredouillé, oui, tu vendras ce que tu veux vendre, peu importe, on pourrait donner les affaires de Francesco à la Croix-Rouge, c'est ça, fais-le, ne me dis rien, je ne veux rien savoir et maintenant,

maintenant :

trois ans après que Gavino a rapporté les cartons, après que ma mère a tout rangé, consigné, qu'elle s'est elle-même organisée pour tirer un peu d'argent de quelques babioles qui ne serviraient à rien, en tout cas pas tout de suite, pas encore, comme si pour ma mère et pour nous tous il était évident que toute ma vie je resterais à Montoggio, chez elle, que je ne partirais jamais plus vivre ailleurs, seule ou avec quelqu'un, peut-être avec un Angelo consolateur à défaut d'être attentionné et aimé, le calme semblait presque revenu ; un semblant de calme dans lequel je pouvais trouver un espace où me mouvoir et m'entendre respirer sans crainte de revenir en arrière, oubliant presque, parfois, de me réveiller hantée par des odeurs de poussière et de sang. Oui, tout était enfin presque calmé, et le quotidien s'était lentement renouvelé, doucement, tranquillement, comme le font les convalescents et les vieillards, avec la parcimonie qu'il faut aux gestes quand ils s'étonnent de se redécouvrir possibles. Et c'était maintenant que je ne voyais plus du tout Gina ni Giovanna, que j'avais déserté définitivement les cours de la fac et que je glanais quelques billets en donnant des cours de français ou en faisant du secrétariat chez un bonnetier du centre-ville de Gênes, maintenant que je me laissais parfois entretenir par Angelo, que j'apprenais à sourire, que je retrouvais le plaisir de sourire, de marcher, eh bien, voilà, c'était précisément à ce moment-là qu'il avait fallu que je croise Gavino un matin de septembre à Milan, et puis qu'ait lieu un procès dont j'aurais voulu ne rien savoir et dont pourtant il avait fallu tout savoir, de la première à la dernière minute ; et c'était maintenant, en juin donc, alors que le procès était terminé depuis deux mois, que Tonino avait décidé d'appeler chez ma mère.

16

C'est ce jour où j'étais allé le chercher à la gare du Nord et où, rue de Dunkerque, il m'avait raconté ses retrouvailles avec Gabriel, ses quelques jours passés à tourner dans Bruxelles autour d'un procès auquel finalement il avait renoncé, que Tonino m'avait dit : Jeff, je pense que cet été j'irai en Italie, ça fait longtemps que je ne suis pas allé à Casella... Je crois que cette fois, j'appellerai Tana et que j'irai la voir.

Tu viendras avec moi ?

J'étais resté un moment à hésiter, me retenant de répondre sans trop savoir pourquoi, puisqu'au fond de moi j'avais déjà répondu oui. J'ai dû sourire pour répondre, en pensant ou même en disant que c'était une très bonne idée et que nous aurions dû l'avoir bien avant, depuis longtemps, qu'il était bien qu'enfin nous puissions nous décider pour ça – comme si seulement maintenant, par la simple idée de revoir Tana, nous allions pouvoir reprendre un pouvoir que jusqu'à ce jour nous avions uniquement subi, cette force, cette persistance de la mémoire, ou plutôt d'images et de souvenirs qui agissaient sur nous, parce qu'avec eux il y avait eu cette sensation de répéter une histoire non achevée, un peu comme un membre coupé continue à s'agiter en attendant de mourir complète-ment ; cet acharnement que nous avions eu, Tonino et moi, à faire comme si de rien n'était, comme s'il avait fallu retenir son souffle et ne respirer qu'avec parcimonie, en attendant que revienne un sommeil enfin réparateur. Il avait fallu le froid de cette brasserie de la rue de Dunkerque, cet après-midi et ce retour de Tonino, sa rencontre avec Gabriel, la vue des Anglais sur la Grand-place, pour que nous puissions parler tous les deux et dire ce que nous voulions : avouer ce désir de revoir Tana, de parler avec elle et de savoir qui elle était aujourd'hui, pour en finir avec le souvenir de cette image où notre mémoire la tenait prisonnière (je m'étais même raconté – sans oser partager cette idée-là avec Tonino – que nous avions déjà trop tardé et que, peut-être par notre faute, parce que nous avions attendu trois années et demie pour rompre le charme par lequel je me l'imaginais enchaînée, Tana était restée comme nous l'avions laissée depuis ce temps ; j'allais jusqu'à me raconter qu'en reprenant contact avec elle, nous nous libérerions de son image d'alors, et la libérerions elle aussi de cette époque, de la terreur sur son visage et de cet air hébété et livide qu'elle avait lorsque nous l'avions quittée).

Mais, aussi bien, ce serait peut-être l'inverse. Peut-être que nous ne ferions que verrouiller un circuit, le renverser encore pour le ramener à son point de départ ? Et, au lieu de nous libérer ce serait peut-être nous enfermer encore plus ? Nous aurions voulu nous dire, oui, Tana est ici, en Italie, et le passé est loin derrière nous, maintenant il n'y a plus rien à craindre, le passé, c'est une perception, rien de plus, une ombre figée sur les murs comme on m'a raconté qu'étaient restées fixées les ombres à Hiroshima, à cause de la lumière trop forte et de la radioactivité, et même si je n'ai jamais pu imaginer que ce soit possible, l'ombre fixée survivant à des corps irradiés après leur disparition, je pouvais me dire qu'en nous revoyant tous les trois, ce serait, même loin de Bruxelles, dans le temps et dans l'espace, comme le reflux, le retour d'un cauchemar si intime qu'il avait fini par devenir une histoire, un mythe à usage aussi personnel que nos premières histoires d'amour et nos petits secrets d'adolescents. Je me demandais ce qui se passerait, si Tana réveillerait ou au contraire dissoudrait les souvenirs. Je me disais, il ne faudra parler de rien, et alors le passé disparaîtra.

Lorsque l'été est arrivé et que nous sommes partis pour Casella, Tonino et moi n'avons rien dit, à peine si nous avons reparlé de Tana. L'été était là, étendu devant nous comme l'illusion qu'apportent tous les étés, d'une vie nouvelle, possible, de rencontres amoureuses et de discussions le soir autour de verres de rosé. On était partis en voiture, avec cette guimbarde de Golf blanche qui appartenait à la mère de Tonino (voiture sur laquelle on aurait pu écrire *sale* avec le doigt sur le pare-brise arrière, ou sur les ailes, ou sur le coffre, ou sur le capot), et je me souviens du vacarme infernal du moteur et des vitres tremblantes dans les portières, de cet autoradio qui ne captait pas la radio, et où la seule cassette disponible qu'on avait pu écouter pendant notre trajet avait été celle des Bee Gees, qui nous faisaient rire lorsqu'ils répétaient *Staying Alive, Staying Alive, ho, ho, ho, ho, Staying Alive*, en étirant sans fin le dernier *Alive* ; nous chantions avec eux et les imitions en enfumant la voiture (les vitres s'ouvraient mais se refermaient trop mal pour que l'on puisse commettre l'imprudence d'y toucher), en regardant celles qui nous doublaient, et les automobilistes jetaient un œil sur nous en nous dépassant (soit qu'ils étaient outrés de notre lenteur, qu'ils s'inquiétaient de ce rideau de fumée blanche qu'on voyait à l'intérieur de la voiture, soit qu'ils s'étonnaient de nos gestes de chanteurs improvisés ?).

Nous sommes partis en début d'été, et c'était la première fois de ma vie où j'allais voir et mettre les pieds dans l'eau bleue de la Méditerranée ; cette eau bleue et si calme qu'elle me semblait avoir été inventée pour les gens très riches et pour les peintres, à ce point que j'avais l'impression d'enfreindre un interdit en me risquant sur ses côtes, moi qui ne connaissais de la mer que l'océan et la plage de Noirmoutier, pour les vacances en famille, les mêmes tous les étés, dans la même toile de tente bleue et orange, sur le même terrain de location, à deux cents mètres de la mer, oui, quand même, ce n'était pas si mal, les pins, la plage de sable, les vagues et l'eau grise de la Vendée, puis rien ; rien à voir ni à faire qu'à attendre de grandir pour enfin pouvoir vérifier, un jour, que la Méditerranée est vraiment bleue, de cette eau de télévision et de carte postale qui ferait verdir de jalousie l'eau des piscines municipales.

Alors, quand nous sommes arrivés à Marseille, je suis resté silencieux en regardant par la vitre, et soudain j'ai vu la mer en contrebas, avec les reflets de lumière. Et c'est là que j'ai ressenti, venue de loin, cette étrange mélancolie, presque de la tristesse, à voir l'étendue de la mer et cette présence, là, me renvoyant dans l'eau où nageaient les algues de Noirmoutier, cherchant déjà à imaginer ce que pourraient être les fonds marins en Méditerranée, quand ceux de l'océan s'ouvraient pour laisser béant devant moi le passage du Gois et la figure de mon père, son short et son dos maigre et bronzé, le sourire aux lèvres, les seaux et les filets pour les coques, la boue grasse et les bulles qui s'échappent de la vase en bouillonnant. Qu'y a-t-il sous l'eau de la Méditerranée ? C'est ce que je me suis demandé à ce moment-là, quand je regardais ce bel aplat fascinant dont j'avais rêvé dans l'enfance, en me promettant un émerveillement sans pareil le jour où moi aussi j'aurais le droit d'y mettre les pieds, les eaux bleues que j'imaginais tièdes et voluptueuses comme des caresses, sans les à-coups des paquets de vagues qui me retournaient et m'envoyaient rouler sur le sable de Noirmoutier en crachant l'eau salée – macache ! a dit Tonino, l'eau est aussi traître ici qu'ailleurs !

Nous sommes restés dormir à Marseille. Le lendemain, nous sommes partis assez tôt. Je n'ai pas osé dire combien j'aurais voulu m'arrêter sur une plage, mettre tout de suite les pieds dans l'eau et envoyer un message au gamin que j'étais une dizaine d'années plus tôt, pour répondre à ceux que lui m'avait envoyés à cette époque, des messages où il me suppliait de ne pas oublier tout ce qui lui tenait à cœur et que je devrais accomplir, comme de briser le cercle infernal qui nous conduisait tous les étés à Noirmoutier, et, de ce fait, nous avait interdit cette route du Sud. Et là, je lui aurais bien dit, bon, voilà, c'est fait. Mais putain ce qu'elle est froide ! Et je ne te parle même pas des galets ! Mais non, je n'ai rien dit à ce vieux gamin qui dort dans ma tête, et nous sommes repartis.

Je sentais que Tonino était pressé de franchir la frontière, et d'arriver enfin à Casella. Dans la voiture, on ne parlait presque plus, on n'écoutait plus les Bee Gees depuis déjà un bout de chemin ; j'ai vu les verrières immenses sur les coteaux de San Remo et les reflets d'un ciel nuageux sur les plaques de verre avant qu'il pleuve – une pluie d'été dont seule est restée l'odeur de poussière soulevée, et cette route sur laquelle il n'y avait presque personne, que nous et notre silence, Tonino impatient d'arriver dans la maison familiale, de retrouver son oncle, sa tante, et peut-être déjà inquiet de ce coup de téléphone qu'il devrait passer à Tana, quand, pour moi, ça avait été depuis le départ ma seule vraie inquiétude. Soudain, devant moi, il y avait les lumières orange sous les tunnels, les oliviers et la mer noyée dans la brume, les lauriers entre les deux sens des voies, lauriers roses ou blancs, touffus et ronds, les citernes en béton et les immeubles vert pistache, puis des vignes sur les flancs, et ce vertige, cette gravité tout à coup de me dire que nous arrivions près de Tana, que nous nous rapprochions d'elle et de ce jour où, face à elle, nous resterions sans doute aussi désireux de repartir qu'heureux d'être arrivés, oui, heureux sans aucun doute et inquiets devant ce visage-là, celui qui était tant de fois revenu nous hanter, avec son hébétude et cette violence qui le déformait. Alors, que verrions nous ? Qui serait-elle ? Voilà ce que je me demandais quand déjà mes lèvres devenaient sèches et que j'essayais de me rassurer en me répétant que c'était de rouler au-dessus de ce vide qui me faisait peur, et non pas de revoir Tana. Au-dessous de moi le bleu de la mer émergeait parfois de la brume ; je regardais les verrières sur les collines, des maisons, un fleuve asséché très au-dessous de nous, et parfois, à la sortie d'un tunnel, le soleil apparaissait aussi aveuglant qu'un flash en pleine nuit ; je regardais en contrebas les maisons agglutinées autour de la mer, comme si elles venaient en troupeau pour y boire ; j'avais ce besoin de fumer et de détendre mon dos ; je sentais mon cœur battre vite et le trouble de Tonino, à qui je demandais toutes les deux minutes s'il allait bien, quand lui me répondait, impatient, oui, oui, il reste combien de kilomètres ? Alors je regardais le plan sur mes genoux, il me fallait un temps fou pour retrouver une route que mon doigt n'avait pourtant pas perdue, puis je relevais les yeux et je répondais en voyant courir très vite, sur les collines, et disparaître dans notre sillon, les branches noires et tordues d'oliviers décharnés. Puis, en regardant des villes au-dessous de nous, je me demandais, tiens, est-ce que Casella est comme ça ? Est-ce que dans le village de Tonino les maisons sont comme celles-ci, et le village de Tana, comment est-il ? C'est drôle, je n'ai aucune idée de ce que peut être l'endroit où elle vit, ni même comment elle vit. Pourquoi chercher, le réel viendra bien assez tôt, toujours plus imaginatif que moi, bien plus définitif et résolu à ne pas se laisser changer : une fois que je l'aurai sous les yeux, plus question d'attendre qu'il soit autrement.

J'ai vu les volets verts et ces barres d'immeubles surgissant derrière les toits des maisons, entourés par une végétation aussi multiple que la floraison de maisons et d'autoponts, et le genévrier et les collines avec les cadavres d'arbres aux troncs calcinés dans un sol déjà aride, presque roux, de la couleur des tuiles qui se détachaient sur le gris bleu de la mer. J'ai pensé, nous serons arrivés dans moins d'une heure. Les usines de Savona exhibaient d'énormes citernes vertes, des cheminées rouges et blanches imitant les cyprès dans les collines, puis des immeubles sales et des grues, un cimetière flanqué d'autoponts qui se découpaient dans le vide, seulement portés par des colonnes de béton maigres comme des pattes de flamants roses, des saignées de béton, des champs d'une herbe brûlée sous des pylônes métalliques, pendant que des échafaudages servaient de carcasses ou d'armures à des immeubles en rénovation ; j'ai vu, en allumant une cigarette, l'autopont juste au-dessous de celui sur lequel nous roulions, et j'avais le vertige, un début de vertige, des images, les chaussures de Tana près du lit de la chambre d'un hôtel prétendument Art nouveau dans le cœur de Bruxelles, j'entendais sa voix, nous roulions entourés par des usines, par le bleu du ciel et par celui d'une station *Tamoil,* cernés par des antennes de télé pointées vers le ciel comme les pins parasols, des rails rouillés et une terrasse encombrée d'arbustes autant que ma tête encombrée de projections sur ce qui se passerait quand nous serions face à elle, Tana, m'imaginant déjà planqué derrière Tonino pour ne pas avoir à affronter son regard ni ses quelques mots de français qu'elle ne manquerait pas de m'adresser, mais pour demander quoi ? pour que je lui parle de quoi ? quand moi, dans la voiture, plus très loin maintenant, je me demandais s'il n'était pas idiot de vouloir la revoir, si ce n'était pas nous ramener directement là d'où nous n'arrivions pas à nous détacher, à l'image de ce bourdon énorme que j'avais vu englué dans une toile d'araignée et se débattre si fort, s'épuiser si longtemps qu'il avait saccagé complètement la toile alors qu'elle, comme un paquet compact, gris, l'avait enseveli sous sa ruine, l'empêchant de repartir et le vouant à une mort certaine si je n'étais pas intervenu.

Je me rappelais ça et, devant moi, l'Italie ouvrait ses portes sous un déluge d'objets, de barres d'immeubles avec leurs stores orange ou verts, un téléphérique avec des wagonnets rouillés, suspendus très au-dessus de nous, l'entrée des tunnels ressemblant aux trous de souris de *Tom et Jerry,* des ruines d'immeubles et des trains de banlieue, le lierre qui mangeait les autoponts et la rouille pour l'imiter ; les bruits en passant sur les viaducs ressemblaient à ceux des trains sur les rails ; la queue-de-cheval de Tana dans le métro, cette queue-de-cheval qui danse, son rythme de pendule, de métronome, et le mélange de béton et de roche, béton et minéral, son sourire et ses larmes, la pâleur de son visage dans la nuit, sous l'éclairage des néons de Bruxelles, et parfois, aussi, de loin en loin, des pins à la tête décimée, des balcons et des persiennes. Tout ce réel nous accueillait, que Tonino connaissait et dont il retrouvait chaque morceau comme une partie de lui et de son histoire, ces taches bleu piscine ; et ce mot *bleu* dont j'avais appris qu'en Belgique on l'emploie pour dire *être épris* et non pas pour dire bleu de peur, à moins qu'on soit épris de sa peur, que les deux s'entremêlent comme dans le souvenir que j'avais du visage de Tana, et que je redoutais de revoir bientôt, dans quelques jours, très vite, selon le moment que Tonino choisirait pour appeler.

Et puis nous sommes arrivés à Casella. Une maison en bord de route, sur deux étages, dont le dernier était celui qui appartenait au père de Tonino. L'oncle, la tante et leurs trois enfants vivaient au premier et au rez-de-chaussée. Enfin, les enfants n'y vivaient plus, le dernier était parti depuis déjà plus d'un an et demi. L'oncle et la tante ne se plaignaient pas d'être seuls, mais ils ne cachèrent pas leur joie de nous voir arriver, nous invitant tous les jours à partager leurs repas. La tante avait fait les lits au second étage, qu'elle avait ouvert en grand pour que l'air frais chasse cette humidité tenace qui s'était incrustée même entre les plis des draps et des couvertures, pourtant bien à l'abri dans les placards et les armoires. Nous sommes allés à Gênes et à Milan. Tonino me faisait visiter les villes et la campagne, les paysages et les endroits où il connaissait des gens, avec un sérieux et une application tout personnels, très fier et très ému, sans doute, de revivre comme dans un musée les lieux où une partie de sa vie s'était non seulement vécue mais aussi construite et inventée. Et puis, à Milan, nous regardions la cathédrale quand Tonino a sorti un papier de sa poche, un morceau petit et blanc, plié en quatre. Il m'a juste dit, bon, j'y vais, je vais appeler.

C'est tout, pas plus. Pas même qui il désirait appeler. Pas même pourquoi maintenant, parce qu'entre nous le silence n'avait pas été le silence, qu'il avait été une parole suffisante, comme un mot les contenant tous. Nous nous sommes dirigés vers une cabine téléphonique. Tonino a sorti de la monnaie, puis il a tiré la porte vitrée. J'ai entendu sa voix. Il a parlé lentement, en souriant très largement – peut-être trop largement –, comme si c'était évident qu'il rappelle, comme si, parce qu'il avait parlé quelques semaines plus tôt à la sœur de Tana, il était tout à fait normal et banal qu'il rappelle maintenant et non pas aussi étrange et incongru que la première fois, quelques semaines plus tôt. Cette fois, personne ne dirait qu'il était bizarre de téléphoner à quelqu'un de presque inconnu, d'à peine connu qu'aussitôt perdu de vue. Ça s'est passé aussi simplement que Tonino ressortant de la cabine en souriant, repliant enfin le papier sur lequel était inscrit le numéro. À travers la vitre, je l'avais vu fixer son regard sur le morceau de papier, le plier et le déplier, la tête penchée mais ne me regardant jamais, souriant dans le vide, et puis parlant seulement quelques minutes. Il était convenu avec Tana que nous irions déjeuner chez elle le dimanche prochain, c'est-à-dire dans deux jours.

Et deux jours après nous sommes partis à Montoggio ; c'était en fin de matinée et il faisait déjà chaud. Montoggio est situé à flanc de collines, les rues y sont étroites et pentues. Des jardins, beaucoup de rosiers. Tonino m'a dit qu'il était venu quelques fois dans son enfance, mais il ne se souvenait plus pourquoi, si c'était seulement pour se promener ou pour s'y rendre chez quelqu'un. Peu importe. Il parlait uniquement pour parler. Oui, c'est ça, il faut savoir parler pour parler, pour ne rien dire et ne pas écouter ce qui tonne en soi et dont on a peur que la terre entière finisse par l'entendre tellement ça claque dans notre tête. Alors, il faut parler pour ne plus rien entendre, parler pour se taire. Tonino parlait comme je crois ne l'avoir jamais entendu, de tout et de rien, de souvenirs d'enfance, ah oui, je me souviens bien de l'église et qu'on allait faire des balades qui duraient des plombes et moi je détestais ça, disait-il, un jour dans un chemin on avait été arrêtés par une horde de chiens et je me souviens que nous avions fait demi-tour en hurlant, les chiens avaient surgi, comme ça, et s'étaient mis en rang devant nous, nous menaçant, on n'avait pas demandé notre reste et on avait détalé, mes frères et moi, a-t-il dit.

Pendant qu'il parlait nous marchions dans Montoggio, on regardait les rosiers et les petits potagers, les terrasses protégées par des treilles ; on suivait les indications que Tana avait données à Tonino, sans rien dire ni commenter ce que nous voyions, les cerisiers et les pêchers dans les jardins. On a pourtant souri quelques fois, devant des objets étranges et kitsch, des chiens en bronze sur les montants d'un portail, les fausses moulures et la tour crénelée d'une villa couleur brique. Il y avait une odeur d'herbes ou de broussailles qu'on faisait brûler quelque part. Nous avons pris un escalier en ciment. Plus nous approchions, plus le silence reprenait sa place, une place destinée à s'ouvrir et s'élargir encore, à devenir de plus en plus ample et menaçante, de quoi nous recouvrir l'un et l'autre ou s'ouvrir sous nos pas. On avançait et nos pas devenaient lents ; on avait beau regarder loin sur les collines, y voir quelques moutons des deux côtés, la rivière qui séparait le village, des noyers, des citrouilles, des chiens qui aboyaient et se répondaient ou menaçaient les moineaux, peu importe, ce qui nous importait était de plus en plus proche de nous. Voilà, nous sommes arrivés et avons vu, comme Tana avait dit que nous les verrions, les volets rouges, la grosse applique au-dessus de la porte du garage, en forme de lyre pour éclairer la cour dallée, et quelqu'un par la fenêtre, un visage de femme qui nous regardait. Qui nous attendait.

J'ai jeté ma cigarette seulement à moitié fumée, et j'ai suivi Tonino lorsque la porte s'est ouverte. Tana était là, nous surplombant des quelques mètres qui séparaient l'étage de la cour. Elle nous a regardés venir vers elle, monter les quelques marches de ciment.

Tana.

Cette fille qui était Tana et n'était pas elle, du moins pas comme je croyais me souvenir qu'elle était. Elle avait les cheveux d'un noir corbeau, mais, très vite, j'ai vu comment la racine des cheveux était plus claire, d'un blond presque fauve ; les cheveux n'étaient pas attachés et tombaient sur des épaules osseuses. On devinait les clavicules à travers le tee-shirt gris. Je ne me souvenais pas qu'elle ait été aussi maigre. Il me semblait bien me souvenir d'une fille mince, presque maigre oui, mais pas aussi maigre, en tout cas pas comme elle m'est apparue à ce moment-là, lorsque nous sommes arrivés chez elle et que nous nous sommes revus en nous faisant le détail, chacun pour soi, de ce qui avait changé chez les autres ou qui, au contraire, n'avait pas bougé, avait survécu malgré le temps et les risques d'erreur liés à la mémoire, à l'imagination et à cette façon qu'elle a de tout redessiner pour le faire correspondre à des modèles qu'elle suit ou dont elle invente les patrons sans se soucier de leur fidélité au réel, à ce qu'avait pu être le réel. Parce que pour Tana aussi, sans doute, il s'agissait de retrouver chez Tonino et moi des expressions, des traits, quelque chose dont nous ne pouvions pas savoir si nous y ressemblions encore ou si, comme elle, nous avions été modifiés, renouvelés, comme je savais que Tonino avait changé, et en quoi il avait changé, non pas seulement à cause de ce que Tana avait pu remarquer tout de suite, comme par exemple le fait qu'il ne portait plus les cheveux longs mais au contraire très courts, qu'il n'avait plus les mêmes types de vêtements. Je ne pouvais pas dire comment elle pensait que je me ressemblais ou non, ou du moins, que je ressemblais ou non à l'image qu'elle avait gardée de moi, ou reconstruite de moi, comme moi, lorsque je l'ai embrassée, j'avais reconnu ses yeux et ses traits. Mais pas elle. Il m'a semblé que c'était bien le visage de Tana, mais que ce n'était pas elle. Elle, dont je me souvenais si bien que j'aurais pu dire, non, ce n'est pas toi, tu n'es pas celle que tu dis être, je le sais, on ne me trompera pas là-dessus. Et pourtant, elle était là. J'ai reconnu sa voix mais sa voix aussi me paraissait différente, pas exactement la même que celle dont je croyais me souvenir par le simple fait de l'entendre de nouveau, alors qu'en réalité je l'avais oubliée très vite, parce que les voix et les sons ne se retiennent pas si facilement que les images et les mots. Et pourtant, maintenant je me souvenais. Si bien même, si précisément que j'aurais pu dire, oui, sans doute cette voix est bien celle de Tana, mais quelque chose en elle a changé, s'est fêlé, fissuré, ou est devenu plus grave ; une voix plus basse, un souffle plus lourd.

Et quelques semaines plus tard, j'aurai encore du grain à moudre pour comprendre, pour entendre et retrouver la voix de Tana sans commencer déjà à la réinventer, en plus conforme à mes désirs. J'aurai tout le reste de l'été à La Bassée, dans la chambre aménagée dans le sous-sol – la seule pièce encore fraîche de la saison –, pour me raconter des histoires déjà fausses, déjà travesties. Et rien n'y fera, certainement pas la lecture de *Don Quichotte* et de *Lord Jim*, rien, pas même mon obsession à noter dans des carnets tous les détails insignifiants que j'avais juré de garder en mémoire comme des secrets dont dépendrait ma vie ; j'aurai encore un mois d'été, et, pendant ce temps, je m'acharnerai à comprendre ce que j'avais vécu pendant le premier mois, dès ce jour, ce dimanche où l'on s'était retrouvés à table, Tonino et moi, avec Tana, sa mère et sa petite sœur Grazia, dont je m'étais dit qu'elle avait les cheveux d'un blond vénitien exactement comme celui dont je me souvenais pour Tana. Mais sa chevelure était plus épaisse. Les cheveux ondulaient et tombaient sur les épaules de Grazia, maintenus par des barrettes en forme de papillon, et son visage ne ressemblait pas du tout à celui de sa sœur. Elle avait un visage rond et des sourcils assez épais, une petite bouche qui riait toujours et s'ouvrait sur des dents blanches qu'elle cachait avec ses doigts, sans doute pour montrer ses ongles vernis et ses bracelets, identiques à ceux que portait Tana. Et elle qui ne ressemblait pas à la fille que j'avais rencontrée dans le métro de Bruxelles, ni, non plus, à celle avec laquelle nous étions arrivés devant le stade et avec qui nous avions ri, Tonino et moi, en mangeant des barquettes de frites trop salées et en laissant couler du ketchup ou de la moutarde sur nos doigts, mais à l'autre, l'autre Tana, celle qui était apparue après.

Et il me faudra combien de temps, en bas, dans ma chambre, accoudé à mon bureau et concentré à ne rien faire, ou me lever pour regarder par la petite fenêtre qui s'ouvrait à hauteur du sol, la pelouse et le cerisier du jardin, le linge étendu sur le fil, la maison de monsieur Arnand et, plus loin, en arrière plan, la ligne de chemin de fer et l'ancienne maison du garde-barrière où vivaient Nimbus et sa sœur, pour comprendre comment Tana n'était pas revenue de cette nuit-là (je me suis demandé : combien de millions d'hommes et de femmes restent et vivent toute leur vie hébétés sur les bords de la route où l'actualité les a recrachés, indifférente à eux et trop soucieuse de poursuivre sur sa lancée ?).

C'est ce que j'avais vu, c'est ça qui m'avait choqué et non, comme je l'avais cru tout de suite, sa maigreur et ses cheveux mal teints et fatigués, cassés, comme ce n'était pas non plus son maquillage, même s'il alourdissait ses yeux et faisait saillir encore davantage les pommettes ; ces yeux brillaient, et je me souviens, plusieurs fois pendant le repas j'avais dû détourner le regard pour ne pas croiser le sien. Sa mère se relevait toutes les deux minutes pour aller chercher des choses dont nous n'avions ni le besoin ni l'envie. Pendant qu'elle était partie,

Tana avait pu nous confier que c'était sa mère qui avait tenu à nous rencontrer et à ce que nous venions déjeuner chez elles. Tana avait dit que pour sa part, elle aurait préféré un autre endroit, peut-être Gênes ? On avait parlé de Gênes et de Montoggio, de l'hiver ici, et puis aussi de Casella et de la maison de l'oncle et de la tante de Tonino.

Et c'est lui et la mère de Tana qui ont le plus parlé, du moins au début. Il faut reconnaître que Tonino a fait preuve d'un talent redoutable, inattendu même, glissant impeccablement sur tous les lieux communs qui s'offraient et qu'il saisissait avec un sans-gêne et une facilité déconcertante, du moins pour moi qui connaissais sa répulsion et sa difficulté à jouer un jeu social à peine mondain. Mais là, franchement ! Et il faisait comme si lui non plus n'avait pas été frappé de trouver tant de chapelets entortillés aux branches des petits crucifix de bois sur les murs, et il parlait pour remplir le vide, ah oui, le nombre d'heures qu'il faut pour venir de France à ici ! Et il parlait sans répit, il racontait des anecdotes, et nos verres aussi étaient toujours remplis, d'abord d'un mousseux très frais qu'on avait bu en mangeant des bretzels et de minuscules toasts de tapenade, ensuite d'un vin rouge léger et frais. Nous buvions, moi, silencieux car toujours camouflé dans mon ignorance de l'italien, et Tonino au contraire, trouvant dans le vin la force de parler pour ne rien dire et se protéger derrière des mots inoffensifs, sans s'émouvoir du portrait de Jean-Paul II dans son cadre en aluminium au-dessus du buffet, sans se dire que la mère de Tana avait l'air d'une tristesse infinie, presque grotesque à force de ressembler à l'image qu'on attendait de la *mamma*, un front de roc, l'Italie ombrageuse et fière des romans de gare, religieuse et obscurantiste, entêtée, une mère comme je savais qu'on en trouvait pourtant des copies partout où l'on avait réussi à

345

faire croire aux gens que le malheur assure une plus-value aux sentiments et à la vie.

Mais non. Il n'y a pas de plus-value. Rien à gagner, ce n'est pas qui perd gagne, ce n'est pas qui souffre gagne, et pour gagner quoi ? hein ? Et qu'aurions nous gagné, les uns et les autres, à rappeler comment Tana et nous, nous nous étions rencontrés ? Sur le buffet, on apercevait des photographies dont je redoutais d'y deviner une image de Francesco, et de revoir ainsi son visage, même mal, même flou, à lui qui n'était pas ici mais était à l'interstice de chaque bouchée de pain grignotée ou de chaque mot, chaque geste – Oui, Grazia, va donc chercher ton encyclopédie ! dans ton encyclopédie on doit trouver votre ville, comment ça s'appelle, là d'où vous venez ? Grazia avait obéi à sa mère et s'était levée pour aller vers sa chambre ; elle était revenue avec un énorme livre bleu, et avait cherché puis trouvé, fait la lecture, avait pris une assurance qu'elle ne perdrait plus. Elle s'était mise à rire de tout, en disant qu'elle aimerait aller à *Parigi* et avoir du parfum, qu'elle aimerait faire une promenade en bateau-mouche, mais pour ça il faudrait être un peu plus âgée que ces maudits quinze ans qui la clouaient ici, chez elle, sous le regard de sa mère. Et sa mère écoutait Grazia sans rire, les yeux grands ouverts, comme si elle était surprise d'entendre sa fille parler aussi ouvertement devant elle, et plus encore devant deux garçons, deux jeunes hommes qui, de plus en plus visiblement, ne l'effrayaient pas du tout.

Grazia était restée debout entre Tonino et sa mère, l'encyclopédie ouverte sur la table. Je ne disais rien et les regardais, comme Tana les regardait quelquefois, ramenant son regard sur la table ou, plus précisément, sur la nappe. Je la revois écartant sa main, la paume bien à plat et les doigts bien écartés ; elle ouvre ainsi sa main droite et frotte doucement la nappe, peut-être même que sa main flotte au-dessus et qu'elle ne la touche pas ? Je ne sais pas. Tana accomplit ce geste sans se douter que je l'observe, que je vois comment son regard est dur ; son attention s'assombrit encore lorsqu'elle allume une cigarette et plonge dans son verre de vin. Elle semble sortir de pensées étranges, un peu effrayantes, et soudain je redoute la catastrophe, voir s'inviter à notre table les fantômes du stade de Bruxelles – mais non, les choses basculent, on entend un rire, je ris aussi sans comprendre ce qui a été dit. Tana me sourit, elle traduit lorsque je hausse les épaules pour dire, je n'ai rien pigé ! Faites quelque chose ! Et elle se met à rire et à revenir parmi nous, ne s'absentant ainsi jamais très long-temps. Grazia se met à parler de l'été et des vacances, oui, dit-elle, avec Tana nous allons tous les étés chez notre oncle, il habite en Sardaigne, vous connaissez la Sardaigne ?

Tana regarde les couverts et semble de plus en plus étonnée – non, ce n'est pas exact, ce n'est pas un mot qui traduirait son visage, mais plusieurs, pour dire une succession de varia-tions, puisque son visage est passé d'un état à un autre par un mouvement d'abord imperceptible, d'étonnement peut-être, puis de plus en plus marqué, jusqu'à cet air de dégoût et d'incompréhension, presque de panique. Elle pâlit et se ressert à boire, pour se reprendre, elle, pour ne pas se laisser aller à son écœurement, mais elle ne touche plus son assiette.

Vous ne connaissez pas la Sardaigne ? C'est là que notre oncle a acheté sa maison ! Il est à la retraite et maintenant il vit là-bas, il s'occupe plus du tout des voitures ou alors seu-lement quand ça le prend pour s'amuser avec des amis à lui, mais nous, on y va pour la mer et le farniente, hein, Tana ?

Tana de plus en plus sourde à ce qui se passe autour d'elle ; je suis certain qu'elle n'entend pas sa sœur ni Tonino tradui-sant ce que Grazia dit en riant, tout énervée, futile et heureuse, et fière aussi de ce qu'on la laisse parler, même si sa mère essaie de lui dire, ma chérie, non, laisse donc ton oncle où il est... Je ne sais pas si vous irez cette année, tu sais bien que Tana n'aime plus aller là-bas ? Et Grazia répondant aussitôt, oh si, si, maman, bien sûr que si nous irons, dis, demande à Tana ?

Tana, Tana ? Tu m'entends ?

Et Tana revenant vers sa sœur en sursautant. Je vois comment elle boit et comment, d'un seul geste, elle a ce recul avant que Grazia ne l'interpelle, ce geste de défiance – je n'en suis pas sûr mais pourtant, au fur et à mesure, ça devient évident, en regardant son verre –, de la défiance à l'égard de son verre. Elle reste hébétée devant ce verre comme si c'était en elle que cela venait de se fracasser, seulement en tenant ce verre dans sa main et en regardant non pas la rougeur du vin à travers le cristal, mais peut-être les figures, ces linéaments blancs qui forment des feuilles de vigne et des arabesques ? Alors, elle repose le verre d'un seul coup. D'un mouvement si brusque que c'est comme si elle venait d'être empoisonnée, mais non par le vin, non par ce qu'elle aurait entendu, mais plutôt par le verre lui-même. Un simple verre à vin. Un de ces verres de cristal qu'on fait chanter avec un doigt humide glissant sur le rebord, pour étonner les enfants dans les fêtes de famille ou comme le font parfois les musiciens ou les clowns dans les cirques. Elle pose son verre si rapidement qu'à la fin, au moment où il va toucher la table, elle doit ralentir son mouvement pour ne pas risquer de briser le pied. Elle essaie quelque chose comme ça, mais maintenant son visage trahit un désarroi que je ne comprends pas, et que personne ne semble voir.

À Santa-Catarina Pitturini il n'y a presque pas de mouettes mais la mer est tranquille et bleue et calme, il y a des flamants roses dans le Sud et dans le Sud l'eau est tellement transparente qu'on voit ses pieds et qu'on peut même pas faire pipi sans avoir honte d'être vue ! Grazia rougit en disant ça, pendant que Tonino me traduit. Il rit en traduisant et la mère de Tana rit aussi, un peu par gêne et par honte de ce qu'a dit sa fille, un peu parce qu'au fond elle doit trouver ça assez drôle et joyeusement inconvenant, une plaisanterie d'enfant, alors que sa fille voulait nous séduire avec une liberté de ton qu'elle pensait sans doute n'être pas du tout celui d'une fillette, mais plutôt celui d'une jeune fille. Elle essaie de nous faire rire et nous rions, mais Tana ne rit pas. Elle se contente de sourire en fumant – son corps remue comme si elle se balançait d'avant en arrière, que ses pieds bougeaient sous la table ; elle paraît complètement absente et je crains que nous finissions par apercevoir ce trouble dans lequel elle est entièrement seule – est-ce que la voix de Grazia et celle de Tonino ne finissent pas de l'isoler encore davantage ? Est-ce qu'elle peut se protéger tant qu'elle a la certitude de ne pas attirer l'attention sur elle, ou bien, au contraire, est-ce qu'elle n'est pas isolée parce qu'elle ne peut pas raccrocher des mots derrière ceux qu'elle entend, des mots, des mots pour s'accrocher aux autres et sortir de son isolement ? Mais non. Pas ça du tout.

Quelque chose vient d'avoir lieu, ici, tout de suite.

Quelque chose qui a commencé par ce frôlement de la main sur la nappe. Comme un aveugle reconnaît le territoire qu'il doit arpenter chaque jour ; c'est ça, elle marchait en aveugle mais elle marchait quand même, et ce de plus en plus vite. Après la nappe, ça a été les couteaux et les fourchettes, dont elle a regardé avec une attention forcenée le poinçon en forme de trèfle à quatre feuilles, si appliquée qu'on aurait pu se demander si elle avait déjà vu ou non des fourchettes et des couteaux dans sa vie. Et puis, après, il y avait eu ce verre qu'elle avait reposé avec ce geste de refus, d'une violence si forte qu'elle avait dû respirer profondément et peut-être se dire, putain ne pas crier, ne pas crier, comme si on entendait supplier derrière son front et ses yeux de ne pas crier encore, et d'attendre, de répondre d'abord à Grazia par une sorte de sourire qu'elle était allée prendre en elle, après avoir fouillé longtemps dans les détritus et les pensées de rage qu'elle avait dû se forcer d'ignorer.

Elle ne répond pas à Grazia. Ou plutôt, elle répond indirectement, en s'adressant à sa mère. Tana se redresse sur elle-même, elle tend son dos, soulève la tête pour détendre un instant sa nuque, et puis les mots viennent presque aussi facilement que ceux de Grazia, mais si, maman... Pourquoi pas ? Nous irons en Sardaigne, ça fera plaisir à l'oncle et nous aussi ça nous fera plaisir, pas vrai, Grazia ? Et toutes les deux se mettent à rire en se complimentant, s'adressant des sourires et des gestes compris d'elles seules, que leur mère se croit capable de phagocyter en riant plus fort qu'elles et en nous interpellant, Tonino et moi, sur le mode du, ah ! Mes pauvres amis ! Vous voyez bien comment elles sont ! Elles sont folles ! Je les aime et je fais tout pour elles et elles ricanent toutes les deux, comme elles sont drôles et belles, bien vivantes, si drôles, mes chéries, comme elles me tracassent et me font du souci, comme elles m'exaspèrent et me tyrannisent, mes deux vipères, mes petites chiennes qui n'attendent que des chiens pour les renifler et les prendre, elles se gaussent parce que vous êtes là, sinon elles ne rient pas si souvent entre elles, croyez-moi ! Elles n'osent pas ! Je sais leur faire passer l'envie de se moquer de moi, de me ridiculiser ! Et moi je vais vous cajoler encore plus qu'elles ne le feraient toutes les deux, surtout le petit Français, il ne parle pas un mot d'italien et il est si maigre, il est si laid, quelle pâleur ! Sa maigreur, il ferait peur à la mort elle-même, tenez, c'est simple, il est pire que Tana ! Je vais vous cajoler bien mieux que ne le feront Tana et Grazia réunies et ensuite, ensuite mes agneaux vous partirez pour ne jamais plus revenir, jamais plus, parce que mes filles ne vous intéresseront jamais plus.

Ce n'est pas ce qu'elle dit, je ne sais pas ce qu'elle dit *réellement* pour faire taire ses filles, enfin, pas pour les faire taire vraiment, mais plutôt pour dissimuler et atténuer ce qu'elle devine entre elles, et dont elle se sent si exclue qu'elle doit parler à son tour et nous parler à nous, Tonino et moi, comme si nous étions l'unique objet de son attention, alors que c'est faux, qu'on voit tous que c'est faux. Même moi, sans comprendre ce qu'elle dit, je comprends ce qu'elle pense, ce qu'elle vit et pourquoi elle lutte, là, en nous souriant, en roucoulant à nos oreilles des mots dont l'expression qu'elle prend pour les dire trahit son besoin de nous transformer en objets, qu'alors elle pourrait jeter entre ses deux filles pour les faire taire, pour qu'enfin elles cessent de s'unir puisque si elles le font, c'est forcément contre elle. Voilà ce qu'elle pense et qu'elle veut tant cacher qu'au contraire elle l'exhibe davantage à nos yeux et à ceux de Tana et Grazia.

Eh bien, si. Si. On va aller en Sardaigne. Il sera content de nous voir, l'oncle. Tana insiste en parlant fort, en regardant fixement sa mère. D'une voix forte et presque en colère elle dit qu'elle ira cette année en Sardaigne, puisqu'elle n'y est pas allée depuis si longtemps maintenant, privant Grazia de ces vacances dont tous les ans elle avait envie. Alors cette année, elles iront. Et puis elle parle à Tonino. Celui-ci ne traduit pas ce qu'elle lui a dit. Pour réponse, il se contente de me regarder en haussant les épaules, en souriant et en montrant d'un mouvement des sourcils qu'il est un peu surpris, comme pour me dire, pourquoi pas ? ou bien, qu'est-ce que t'en penses ? J'ai à peine le temps de réfléchir et de dire, ben, quand je saurai de quoi on me parle, je pourrai dire ce que j'en pense, mais je vois les yeux écarquillés de Grazia, elle attend une réponse en retenant son souffle, elle rougit. Tana s'est remise à boire ; elle regarde Tonino fixement – ou plutôt, ce n'est pas fixement que je voudrais dire, parce que si le regard est aussi (comment dire ?) *aigu* ? si intense, si *brûlant* ? il n'en est pas fixe pour autant, il tourne vite, il bouge vite, ce regard, et bientôt je vois comment il alterne de Tonino à la mère de Tana.

Sa mère reste sans rien dire, juste au moment où elle décide de se relever et de faire comme si, peut-être, en dédramatisant, en ne risquant pas d'être prise en otage par une réponse que nous pourrions donner sans mesurer ce qu'elle implique pour elle, et dont elle ne veut pas. Pour rien au monde elle ne voudrait entendre de la bouche de Tonino que c'est d'accord, nous irons avec elles quelques jours en Sardaigne. Pourquoi pas ? me demande Tonino en français. Pourquoi pas ? Pourquoi pas *quoi* ? Ah ! Aller en Sardaigne ? Euh, oui, chez l'oncle, si l'oncle n'y voit pas de problèmes, *why not* ? Et même, j'ajoute : ta guimbarde est tellement pourrie qu'elle pourrait même nous emmener jusqu'à là-bas ! Faut juste voir pour le bateau. Oui, pourquoi pas. Tana dit que c'est une bonne idée. Elle regarde sa mère avec fermeté, sans l'ombre d'un sourire, et je pense qu'elle nous a proposé de les accompagner – elle et sa sœur –, uniquement parce que sa mère ne pourrait pas refuser devant nous. Je me dis que pour Tana c'est une sorte de piège et, de fait, sa mère ne bataille pas longtemps. À peine veut-elle opposer que l'oncle n'aimerait peut-être pas être dérangé, qu'il faudra d'abord demander, et puis, Angelo, tu crois que ton Angelo va accepter que tu partes comme ça, avec des amis à toi qu'il ne connaît pas ? Elle dit ça sur un mode presque insouciant, allant et revenant de la cuisine, débarrassant les assiettes et préparant un café, aidée par Grazia qui ne cache plus sa joie et a embrassé Tana (celle-ci n'a pas bougé lorsque sa sœur l'a enlacée, elle a haussé les épaules et souri d'un sourire d'où aucune vraie joie n'a jailli, mais au contraire une sorte de lassitude, ou peut-être de soulagement).

Et il faudra attendre de se retrouver sur le bateau qui nous mènera vers la Sardaigne, quelques jours plus tard, pour comprendre ce qui s'était réellement passé ce dimanche-là. Le soir finissait de tomber et tous les quatre nous avions déjà visité le bateau. Nous étions sur le pont supérieur. Grazia et Tonino étaient partis du côté de cet immense cercle noir marqué par un grand H majuscule, en blanc. Les balustrades étaient jaunes de ce côté, et blanches là où Tana et moi étions. Je me souviens de la suie et de la fumée noire. On voyait les gens qui venaient sortir leurs chiens sur le pont, là où il y avait un chenil. Tana et moi nous regardions la mer, déjà on ne voyait plus la ville. On avait laissé pour dernière image des remorqueurs rouges et noirs et un cargo avec ses containers, d'énormes grues bleues et puis Gênes disparaissant, s'enfonçant dans la brume. C'est le long travelling où la digue semble ne jamais s'arrêter pour finalement disparaître en se diluant dans l'eau vineuse du début de la nuit. Lorsque la lune apparaît, elle est presque rouge et elle donne sa couleur à la mer.

C'est là, à ce moment précis, que Tana choisira de me demander si j'avais une idée de la raison pour laquelle elle avait voulu que nous l'accompagnions dans cette Sardaigne que, pour elle-même, elle n'avait pas tant envie de revoir. Oui, elle n'avait plus tellement l'envie d'y venir. Mais là, c'est vrai, elle avait réagi très vite. Elle avait voulu provoquer sa mère et lui faire mal, elle avait voulu la blesser aussi fort qu'elle pourrait, tant qu'elle le pourrait, en faisant exactement ce que sa mère aurait voulu qu'elle ne fasse pas. Et même, tu te rends compte, a dit Tana, me dire que ce pauvre Angelo pourrait me faire une scène parce que je pars avec deux amis ! Qu'est-ce que j'en ai à foutre d'Angelo, si tu savais, pfft ! Angelo ! Et ma mère sait très bien que je me fous d'Angelo – elle s'en fout aussi ! –, ce qu'elle voulait surtout c'était que nous ne partions pas, et encore moins avec vous ; mais moi je ne voulais pas la laisser tranquille, tu comprends, ce qu'elle a fait, elle a prétendu que c'était parce que vous étiez mes invités et que c'est pour ça qu'elle l'a fait, uniquement parce que vous étiez mes invités, que vous veniez pour moi. Elle a dit, c'est à toi de les recevoir, ce sont tes amis, c'est pour ça, alors que moi j'aurais préféré que nous nous voyions ailleurs, à Gênes par exemple. Mais c'est elle qui avait insisté pour que vous veniez déjeuner à la maison, elle y tenait, c'était particulier, alors j'ai accepté parce que souvent je me dis que je suis trop dure avec elle, je ne lui passe rien, je ne parle jamais avec elle, nous ne nous disons rien, je ne veux rien qui vienne d'elle, j'attends de foutre le camp, c'est pour bientôt, j'aurai bientôt suffisamment d'économies pour foutre le camp, mais là, tu vois, j'ai accepté, j'ai dit d'accord et vous êtes venus à la maison comme elle le voulait. Alors pourquoi elle a fait ça si ce n'est pas par méchanceté, c'est de la méchanceté, c'est tout, ce n'est que ça, elle veut me faire mal et c'est pour ça que moi j'ai sauté sur l'occasion de lui rendre ses coups, uniquement parce que Grazia a parlé de la Sardaigne. C'était le meilleur moyen de rendre les coups qu'elle m'a donnés en vous recevant. Je n'ai pas fait attention, je n'ai pas vu quand elle a mis la table dans le salon, c'est de ma faute, j'aurais dû me méfier et le faire moi-même. J'aurais dû mettre les couverts et la nappe, ne pas la laisser faire comme elle a tenu à tout faire, comme toujours, elle veut tout faire et reprocher de n'être jamais aidée, voilà comment elle est, et ce qu'elle a fait, je ne lui pardonnerai jamais, ces couverts n'auraient jamais dû servir, ces verres non plus, j'aurais dû les jeter et ne pas accepter qu'elle les range avec les siens, j'aurais dû refuser lorsque Gavino avait voulu que je les prenne,

j'aurais dû,

Et sa voix s'est s'immobilisée ainsi au-dessus de l'eau dont la couleur glissait vers le noir, à peine si l'on voyait encore des éclats d'écume. On entendait les turbines et le vent maintenant était froid, les cigarettes se consumaient toutes seules au-dessus du vide.

Pas comme celles que je fumerai jusqu'à la fin de l'été, dans la chambre du sous-sol de La Bassée, en regardant les volutes s'écraser contre le plafond blanc. J'aurai tout le temps alors de penser encore à cette nuit dans le bateau, et le temps aussi d'essayer de comprendre pourquoi j'avais accepté, à notre retour de Sardaigne, qu'elle m'offre cette nappe blanche dont je ne voulais pas et qu'elle n'avait pas voulu garder. C'est un cadeau pour toi, c'est très important, moi, je ne peux pas garder ces objets-là, et toi seul tu sais pourquoi.

J'avais fini par accepter la nappe, qu'elle avait mise dans un sac plastique, et j'étais reparti avec. Alors j'aurai tout le temps de me demander pourquoi elle avait tant voulu que je reparte avec, et pourquoi j'avais tenu cette nappe entre mes mains comme avec regret, comme si Tana m'avait offert quelque chose qui m'humiliait et me blessait d'autant plus que c'était sans le vouloir. Je ne sais pas pourquoi, j'aurais voulu qu'elle ne me donne pas ce morceau de tissu, je n'aime pas les reliques, c'était trop blanc, trop brodé, trop beau et simple en même temps ; c'était un cadeau trop amer, un signe d'échec – un échec ? Mais j'avais espéré quoi, attendu quoi de cette petite virée en Sardaigne avec Tonino, Tana et sa sœur, quand on avait été reçus par l'oncle ? Ah, oui, le fameux oncle. Sa casquette Ferrari vissée sur la tête. Les calendriers Pirelli sur les murs. Et partout, dans chaque pièce, près de chaque chaise, des cendriers avec des marques automobiles et des filles très déshabillées pour les valoriser (à moins que ce soit l'inverse ?).

C'est l'oncle qui nous faisait à manger, tous les jours. Depuis qu'il avait divorcé, il ne voyait plus grand monde. Quelques amis, et surtout ses cockers, qu'il avait appelé Zeus et Apollon comme dans *Magnum*, parce que Magnum conduit une Ferrari et qu'il porte des moustaches, comme l'oncle en portait. Il était ravi de notre présence, de parler avec ses nièces et avec nous, enchanté de cuisiner. Le soir, on dînait dehors et on restait ainsi à parler pendant des heures, on buvait du vin rouge. L'oncle avait un radiocassette et, d'un soir à l'autre, il fallait entendre les mêmes chansons italiennes, la même variété en boucle, comme tournaient en rond au-dessus de nous les moustiques et les moucherons, les papillons de nuit se fracassant dans des bruits de casserole contre le verre de la baladeuse qui pendait au-dessus de la table.

Nous sommes restés trois semaines là-bas. C'est à la fois long et court, le temps de commencer à prendre des habitudes et de les perdre aussitôt acquises. Tana et Grazia reprenaient celles qu'elles avaient déjà eues dans la maison de leur oncle, et nous, nous fabriquions les nôtres sans nous soucier de les inventer. Tonino et moi dormions dans la même chambre, sur un matelas posé à même le sol. Les deux filles avaient chacune leur chambre, et l'oncle vivait au rez-de-chaussée, où il nous attendait tous les matins, sur sa terrasse, ayant préparé du café et du pain grillé, le tout accompagné de la radio et des chansons italiennes (mais en sourdine, parce qu'il avait cru comprendre que Tana n'était pas complètement *fan* des chansons nationales).

À chaque fois que, pendant ces trois semaines, nous aurons pris la voiture, nous aurons vu sur le bord des routes la même végétation sèche, le sol aride et des figuiers de barbarie hauts comme des murs et dont les oreilles couraient dans tous les sens, jusqu'à s'effondrer sur elles-mêmes. Les figuiers et les hautes herbes, frêles comme des allumettes dont elles avaient aussi la couleur ; une odeur anisée traverserait notre séjour, et l'odeur de vase avant Cabras, oui, c'est ça, toutes ces odeurs et les kilomètres en voiture, avec Grazia qui n'en finissait pas de vouloir entendre les Bee Gees, allez ! Encore ! Mets l'autre face ! Et Tonino qui regardait dans le rétroviseur intérieur et trouvait les yeux de Grazia, à qui il devait dire qu'il allait s'arrêter en pleine route pour la balancer dehors, elle et cette putain de cassette avec laquelle on avait bien rigolé depuis au moins l'Auvergne, alors maintenant non, plus possible, tant pis pour Grazia si elle n'avait pas profité de la fête, mais là, nous ne riions plus tellement en entendant *Staying Alive, Staying Alive*, et si nous voulions nous aussi rester en vie, il faudrait que ça s'arrête, on n'en pouvait plus, plus du tout ; elle riait d'entendre Tonino lui jurer qu'il allait l'étrangler avec la bande de la cassette ou la pendre par les pieds avec, la transformer en momie, lui faire manger en bolognaise la totalité de la bande. Pendant ce temps, la voiture roulait, Grazia s'accoudait aux deux sièges avant et finissait par parler avec Tonino ou avec Tana. Moi, assis sur la banquette arrière à côté de Grazia, je restais en retrait et regardais les paysages, sans rien dire. Je somnolais, m'étonnant d'apercevoir le visage de Tana dans le rétroviseur extérieur quand, parfois, je regardais par sa fenêtre ouverte et non par la mienne – là où le travelling venait me repaître de ces images qui viendraient avec moi jusqu'à La Bassée et auxquelles je repenserai longtemps, assis sur le petit muret dans le jardin, en regardant le linge sécher et surtout, parce que ce jour-là il y aura du vent et que le vent frappera suffisamment fort le tissu brodé, cette nappe étendue sur le fil, qui dansera – pas très longtemps – dans l'après-midi, le temps de sécher au soleil et qu'éclatent à mes yeux sa blancheur et sa présence incongrue.

À nouveau, je me demanderai pourquoi j'avais accepté un cadeau aussi étrange, de ces cadeaux qui ne se font pas mais se refusent peut-être encore moins, parce que Tana avait haussé les épaules pour me l'offrir, qu'elle était arrivée décidée à m'offrir cette nappe. J'avais pris ça comme une sorte de compliment presque ironique, comme si j'avais été digne d'elle, enfin non, pas d'elle, peut-être pas d'elle, mais au moins de partager avec elle les cadeaux de son mariage, comme j'avais partagé un lit avec elle un soir de son voyage de noces, à peu près de la même façon, de cette façon partagée sans un mot et qui m'avait fait saisir l'anse du sac en plastique (je me souviens, sur le sac, il y avait le dessin d'une pelote de laine et d'une paire de ciseaux, le nom d'un magasin et une adresse à Gênes), en me répétant et en me racontant encore la même histoire sur moi, pauvre de toi, pauvre Jeff, et puis m'écœurant de mon apitoiement sur ma vie et sur tout ce que je n'aurai donc jamais compris. J'avais pris ce sac et l'avais gardé dans la main, pas même essayé de le ranger dans mon sac à dos, au moment de mon départ de Gênes.

Puisqu'il y a ça aussi que je suis revenu à La Bassée en train, parce que Tonino était resté là-bas quelques semaines de plus. Et cette image de la nappe d'Italie flottant dans le bleu du ciel, avec tout au fond le bruit des camions qui franchissent les rails, ça s'ébroue dans les remorques des camions, il y a ce bruit métallique qui réveille en sursaut tous ceux qui font la sieste à La Bassée, Lecossard et Sanchez, le père Lucas et Rouard, et moi aussi, à ma manière, écrasant d'un pied rageur la énième cigarette. Pourquoi ai-je accepté cette nappe ? Oui, pourquoi fallait-il qu'à moi il revienne de partager une nuit d'un voyage de noces que la mort venait juste d'embrasser, et de recevoir, comme avec évidence, comme si j'étais le seul à pouvoir en être dépositaire, cette nappe brodée et blanche, si belle peut-être, mais si étrange que je n'arrivais pas à comprendre pourquoi c'est à moi que Tana l'avait offerte, moi qui, comme elle m'avait dit, étais le seul à pouvoir comprendre. Mais comprendre quoi ? Oh oui, je me disais, pourquoi faut-il qu'à moi Tana ait voulu faire ce cadeau, quand, en le faisant, elle m'interdisait de croire que j'étais plus proche que cette limite qu'elle fixait alors, en me désignant comme gardien du temple, et de ce temps, aussi, que nous avions en commun.

En regardant la nappe étendue, je regardais sa blancheur mais aussi le dessin de la broderie, et c'était comme si, en surimpression, je revoyais défiler toutes les images que j'avais vues en Sardaigne, de la fenêtre de la voiture : cette voiture en feu que nous avions aperçue en direction de Cagliari, les fresques sur les murs des villages, leur absence de trottoirs, les triporteurs Piaggio et les raffineries de Cagliari ou ce cochon en pleine voie, une vache blanche aux yeux cernés de brun ; toutes ces images dont je me souviendrai aussi le soir en m'arrêtant en pleine lecture, parce que me reviendraient en tête d'autres souvenirs, comme ceux de la plage sur laquelle nous allions tous les jours.

Oui, le matin, nous y allions tous les quatre, ou bien nous nous retrouvions là-bas. Grazia était la première, immanquablement, et Tana la dernière, tout aussi immanquablement. Le matin, il y avait peu de monde sur la plage. On entendait le clapotis de l'eau contre les rochers, et puis c'était à peu près le seul bruit. Parce que le matin nous parlions très peu entre nous. Grazia allait nager, bientôt rejointe par Tonino. Tana et moi restions sur la plage, et il fallait longtemps avant que je me décide à aller rejoindre les deux autres dans l'eau, d'ailleurs jamais jusqu'à eux, parce qu'il me fallait un temps impossible pour supporter la fraîcheur de l'eau, pour me tremper jusqu'à la nuque, le corps tremblant, cherchant des appuis pour ne pas glisser, me demandant toujours par quel miracle certains trouvaient du plaisir à se mouvoir dans l'eau, quand moi je devais déployer toute une stratégie pour conjuguer respiration et maintien, en essayant de sourire et de ne pas glisser, hop, oui, non, le premier qui m'éclabousse aura droit à ma main dans la gueule, si, si, et je voyais s'approcher dangereusement Grazia et Tonino ; et alors je sortais plus vite que prévu, puisque décidément les gens ne veulent pas vous prendre au sérieux quand vous les menacez en souriant. Mais bon. Pas grave. Tana nous regardait de la plage.

La première semaine, elle sera restée comme ça, à fumer des cigarettes ou à lire, vêtue de son blouson en jean malgré la chaleur, de son tee-shirt gris et d'un jean, de baskets qu'elle ne retirera qu'au bout de plusieurs jours, un matin, lorsque, enfin, elle lèvera les yeux sur nous et commencera à sourire, d'abord à Grazia et à Tonino, et enfin à moi, ou plutôt à mon pauvre pantin émergeant de l'eau les cheveux plaqués contre le visage, suivi des deux autres, morts de rire tous les deux de me voir furieux, éclaboussant, frappant de la paume des mains la surface de l'eau, et recrachant celle que je venais d'avaler en hurlant contre Grazia que je maudissais de m'avoir pris en traître, lorsqu'elle s'était jetée sur moi pour me faire boire la tasse. Ah, pourriture, charogne, grognasse, pouffiasse et tout le dictionnaire des injures disponibles, passé en revue, accompagné de grands gestes, les bras au ciel pour faire l'imbécile, tourner ma peur à mon avantage et faire rire un bon coup, pour que nous riions tous. Et, de fait, c'est l'une des premières fois où nous avons tous ri – enfin, moi, pas vraiment, il m'avait fallu un certain temps, le temps de faire l'intéressant pour donner le change, et peut-être aussi le temps d'entendre et d'apercevoir entre mes yeux brouillés par l'eau et les oreilles bouchées, que Tana s'était redressée vers nous, qu'elle était debout et que cette fois elle riait avec nous.

Et ce rire m'avait laissé interdit. Pendant quelques secondes, j'étais resté dans l'eau, à hauteur des cuisses, sans rien dire et sans bouger, simplement en regardant comment Tana avait retiré son blouson et comment elle s'était relevée. Elle avait saisi une serviette et s'était approchée de l'eau pour me la tendre, en souriant, mi-moqueuse mi-solidaire, mais surtout présente, vraiment avec nous, comme si cette fois elle avait décidé de venir avec nous, de nous faire don de sa présence et de son rire, non pas comme elle savait rire le soir en dînant, parce qu'avec l'oncle le rire était une chose facile qui glissait entre les verres de vin et les pâtes ou les salades de tomates, mais simplement, sans la résistance qu'elle mettait encore entre elle et nous, de manière aussi imperceptible et ténue que je ne saurai pas, jamais, comment je me trompais peut-être en croyant voir chez elle cette retenue, cette résistance qui n'était pas dans son sourire, pas dans sa démarche, ni même dans sa façon de proposer ou pas d'aller à tel ou tel endroit (car au contraire, elle proposait facilement de nous faire découvrir la Sardaigne, et le soir, elle aimait rire avec l'oncle et nous impliquer totalement dans ce qui la faisait rire et exister). Alors, pourquoi j'avais cette sensation ? Pourquoi, jusqu'à ce jour-là, je ressentais en elle comme une méfiance envers nous. Comme si, jusqu'à ce moment-là, elle avait redouté que l'un de nous se laisse aller à parler de notre rencontre, ou de Francesco, ou du procès, ou de ce sentiment d'injustice qui planait encore et planerait simplement en ouvrant le journal et en plongeant les yeux dans le regard du premier malheureux donné en pâture aux photographies des journaux, le corps recouvert d'une couverture de survie, les yeux hagards et le front en sang, à peine heureux d'avoir survécu à quoi ? Un attentat ? Un accident ? Une catastrophe ? Mais prolongeant la chaîne d'une histoire sans fin où il n'est rien qu'une illustration, qu'une autre illustration chassera, le laissant plus isolé et vide que si on lui avait seulement foutu la paix.

Alors peut-être que Tana se retenait à cause de cette crainte qu'elle avait de nous entendre, un soir, au détour d'une conversation sur rien, le sport, l'amour, le mariage, le foot, la télé, les journaux, les voyages, la Belgique, laisser opérer un glissement qui nous aurait tous emportés et ruinés sur-place, nous rendant impossible de rester plus longtemps ensemble, nous obligeant tout à coup à baisser les yeux, à se taire, à partir dès le lendemain matin en prétextant l'urgence de rentrer. Mais nous n'avons parlé de rien. Pas même entre Tonino et moi. Lorsque nous nous retrouvions tous les deux, dans la chambre où nous dormions, ni Tonino ni moi n'avons évoqué l'envie de parler de Tana, ni du procès, ni même de ce qu'elle avait pu vivre pendant ces trois années et demie. Pour moi, je n'en avais plus l'envie, je n'éprouvais rien, aucun désir de parler de ça. La seule envie que j'avais, c'était de voir se briser cette résistance que Tana opposait, peut-être même sans s'en rendre compte, mais qu'elle avait montrée chaque jour, dès le matin sur la plage, dans sa façon de rester assise à nous regarder aller vers la mer, et restant habillée, les lunettes noires sur les yeux perdus loin au fond sur la ligne d'horizon, vers quelques voiliers hésitant à se perdre dans le bleu de l'eau ou dans celui du ciel, ou alors tout près de nous, là où des choucas avaient remplacé les mouettes, quand elle restait assise à les regarder crailler dans le vide et se donner des coups de bec au-dessus de la falaise.

Tous les matins, deux femmes se rejoignaient au-dessus de la falaise. Elles venaient chacune avec son chien, et Tana les regardait pendant longtemps ; des deux chiens, l'un était un setter et l'autre un petit roquet blanc et noir, qui s'étonnait de voir l'autre, plus grand, plus nerveux – celui que Tana regardait aussi –, descendre le long de la falaise, renifler la terre et les cailloux en plongeant le museau dans des fentes, là où il y avait des trous, des boules touffues d'herbes ; il courait comme un fou, comme ça, tous les matins. Tana le regardait faire, s'ébattre en descendant le long de cette falaise de calcaire, si blanche, si raide qu'on se disait qu'il allait tomber ; les femmes en haut discutaient et ne s'inquiétaient pas ; il était presque à pic, presque à la verticale de l'eau, il cherchait les nids des choucas qui tournaient autour de lui et ne le laissaient pas entrer son museau très profond dans les sillons lézardant la falaise.

Très longtemps je reverrai Tana sur la plage : c'est de là qu'elle regarde le chien. Tous les matins. Elle se redresse et se cambre pour bien le voir. Il pourrait glisser sur des gravillons mais ne se soucie pas du danger, ni les femmes non plus. Il pourrait tomber et alors il ne tomberait peut-être pas dans la mer mais s'écraserait sur les rochers. Tana s'inquiète de ça tous les matins, mais elle ne dit rien de comment elle regarde ça en s'inquiétant, sans rien dire à personne, sans rien vouloir manifester. Du haut de la falaise, l'autre chien regarde en contrebas. Il ne bouge pas et reste près des deux femmes qui discutent tranquillement, indifférentes à tout ce manège, seulement distraites, de temps en temps, par la beauté de la mer qu'elles sont venues contempler.

Parfois Tana reste sans bouger, à regarder de l'autre côté de la crique, une falaise complètement abrupte, de la roche qui s'est effondrée et s'est brisée dans l'eau. Ce sont des morceaux de pierre énormes, d'une couleur de croûte de pain, presque rouge ; elle regarde aussi le piton calcaire qui avance dans la mer : il est blanc et poreux, on dirait la tête d'un oiseau, son bec est très long, peut-être un masque vénitien, non, une baleine blanche, on n'y a jamais vu personne alors qu'on dirait qu'il y a un accès. Le soir, c'est au-dessus de lui que la lune apparaît. Tana aime cet endroit, on le sent sans le lui faire remarquer, jamais, par peur de déranger son calme et son besoin de retrait. Et puis il y a ce matin où tout à coup elle est là, devant moi, une serviette entre les mains. Je vais sortir de l'eau furieux, parce que Grazia et Tonino se sont encore amusés à m'éclabousser, et je remarque que Tana n'a pas ses baskets aux pieds. Elle est pieds nus, elle a retiré son blouson de jean, qu'elle a laissé en boule près de nos affaires. J'entends encore la voix de Grazia et de Tonino. J'entends leurs mouvements de jambes dans l'eau. Ils marchent vers nous et rient tous les deux de ma mauvaise humeur, mais je ne suis plus de mauvaise humeur, je suis là, je sors de l'eau et j'ai saisi la serviette que m'a tendue Tana – et puis c'est là, à ce moment précis, que je remarque cette chose que je n'avais pas encore vue, ou que j'avais voulu ne pas apercevoir, alors que sans doute j'aurais pu, à moins que non, peut-être pas, peut-être que c'était impossible d'en deviner la présence à cause du blouson de jean ou des bracelets, avec tous ces bracelets qui couvrent le poignet dans ce cliquetis auquel très vite on s'habitue et auquel on ne fait plus attention. Mais, je sais : j'essuie mon visage. J'entends derrière moi les mouvements de l'eau et je respire si fort, mes oreilles sont bouchées, alors les bruits me parviennent étouffés, de loin, mais son visage à elle est

364

tout près, et pour la première fois je remarque une confiance totale. Elle a gardé ses lunettes de soleil, mais je sais qu'elle est pleinement avec nous, et sa peau est déjà moins blanche, les taches de rousseur ont commencé à réveiller son visage, très doucement encore, quelques taches sous les yeux et sur le nez, c'est tout. J'ai le temps de voir qu'elle a attaché ses cheveux, qu'elle a fait une queue-de-cheval. C'est peut-être pour ça qu'il me semble qu'elle revient vers nous ? Je n'ose pas penser *vers moi*, je ne crois pas que ce soit vers moi qu'elle revient. Alors je me sers de la serviette pour cacher mes clavicules trop maigres, trop blanches. Je souris d'un sourire forcé et long, gêné, que je camoufle mieux encore en m'essuyant les cheveux parce que, en la voyant, j'ai peur que Tana surprenne mon regard, qu'elle devine que j'ai vu. Alors il faut cacher ce que j'ai vu. C'est aussi pour ça que je ris et me retourne vers Grazia et Tonino, pour cacher que cette fois je l'ai vue – même si elle est fine et blanche et assez large cependant pour ne pas tromper –, cette boursouflure en forme de L à la base du poignet ; la cicatrice qui remonte sur l'avant-bras.

Et aussitôt ce n'est plus rien, ça ne compte plus, je me mets à courir dans l'eau comme un fou, j'éclabousse les deux autres en hurlant, et ils courent tous les deux vers la plage. Tana a le temps de revenir en arrière mais elle est éclaboussée à son tour, nous rions tous les quatre. Bientôt il sera temps d'aller déjeuner, de retourner chez l'oncle, à pied, comme tous les jours, en profitant de marcher pieds nus sur les dalles de ciment, en laissant l'après-midi à la chaleur et au soleil, puis aux enfants, aux familles entières et aux jeunes qui débarquent en bandes. Toutes les fins d'après-midi, on regarde les mêmes femmes qui viennent avec leurs enfants et passent leur temps à parler entre elles. On retrouve ce couple de jeunes, qu'on reconnaît la première fois parce que lui a le bras dans le plâtre et qu'elle en profite pour l'arroser dès qu'il pose son siège de camping trop près de l'eau. Ici, tout le monde semble se connaître. Je suis un peu étonné que ni Tana ni Grazia ne connaissent personne, elles qui venaient souvent ici, mais je n'ose pas poser de questions. Je pourrais, je sens que je pourrais, mais je préfère me retenir. Pourtant, maintenant Tana ne porte plus son blouson en jean, elle est en tee-shirt, parfois elle se met en maillot de bain. Elle porte une queue-de-cheval et les taches de rousseur ont gagné sur le visage. Elle garde ses lunettes de soleil et souvent je la surprends à regarder les enfants sur le sable, qui jouent entre eux en se jetant des pâtés de sable mouillé ; ils transforment une pierre en plongeoir d'occasion, s'interpellent et crient beaucoup. Les mères sont là, et peut-être que Tana les regarde aussi, elles qui ont presque le même âge que le sien mais paraissent déjà beaucoup plus vieilles. Elles ont quelque chose d'alourdi dans leurs membres, leurs cuisses blafardes, les ventres un peu mous.

Pourtant elle aussi est trop blanche, la peau presque rosée, pas de ce blanc comme ma peau à moi, mais une blancheur où les taches de rousseur apparaissent vite, quelques-unes, qui ne cacheront jamais cette maigreur qu'elle a et à laquelle je repenserai encore dans le train, à mon retour vers La Bassée, quand il faudra accepter de rentrer alors que Tonino aura prolongé son séjour à Casella, et qu'il sera temps pour moi de laisser refluer toutes les pensées tenues en muselière jusque-là, avant même de me débarrasser de cette nappe – c'est le sac en plastique que je garderai le plus longtemps, des années, prétextant je ne sais plus quel objet à préserver pour garder en réalité non l'objet, oublié depuis, mais ce sac plastique censé le préserver de l'extérieur –, avant donc de me dire que je ne pourrai pas garder cette nappe et d'aller la retirer du fil à linge où elle aura fini de sécher, avant de la repasser, de la replier, avant même de me décider à l'offrir à la première personne qui viendra chez nous – et cette personne viendra le lendemain matin, que ma mère aura vue au marché, Marthe, qui habite de l'autre côté de la rue.

Voilà ce qui se passera au retour, parce que je ne pourrai pas garder la nappe, ce sera impossible, il y aura déjà trop de questions, trop d'idées, de mots retenus et mal dits pour ne pas être obligé de me débarrasser de cette nappe – oui, la donner à une voisine, quelqu'un à qui ça ferait plaisir, parce que pour moi il y aurait toujours ce poids, cette amertume liée à cette présence derrière l'histoire de ce pauvre bout de tissu. Et quand même, il faudra aussi se demander comment Tana avait pu imaginer que je puisse accepter *par plaisir*. Est-ce qu'elle ne devinait pas, qu'elle ne comprenait pas ce que ça voulait dire, d'accepter un cadeau pareil alors qu'au retour à Montoggio, la première chose qu'elle ait faite, ça a été de jeter tous ces vieux cartons qui croupissaient dans les meubles, et les couverts avec lesquels nous avions déjeuné, après avoir jeté les verres devant le regard outré de sa mère, mais sans rien demander, sans rien dire, hésitant seulement pour la nappe et me l'offrant quelques jours plus tard, pour mon départ, à la gare de Gênes. Et quand elle nous racontera avoir jeté tout un tas de vieilleries, en disant seulement qu'elle n'arrivait pas à jeter cette nappe et qu'elle aimerait que je la garde en souvenir d'elle, oui, j'ai compris quelles choses elle avait jetées, et Tonino aussi l'a compris.

Mais moi, dans le train, et plus après encore, à La Bassée, que ce soit dans ma chambre du sous-sol ou dehors, assis devant la maison, entre le prunier et l'acacia, j'aurai beau m'arrêter de lire pour réfléchir, retourner à la cuisine me servir une menthe à l'eau et boire sur le balcon, fumer sur les marches en ciment, j'aurai beau avoir réussi à donner cette nappe à une voisine, eh bien, quand même, je resterai le cœur tremblant à l'idée de cette cicatrice, du regard que j'avais eu sur cette cicatrice et de la peur que Tana voie mon regard, ma surprise, que d'elle-même elle me dise, vaguement gênée, ah... ça ? Et je me demanderai d'abord, bien sûr, pourquoi elle avait fait ça, ce geste, pourquoi elle l'avait fait, pourquoi il avait fallu qu'elle pense à le faire ? Mais surtout, la vraie question qui remontera, ce sera de savoir de quand ça datait, parce qu'il faudra du temps pour me convaincre que cette cicatrice avait eu lieu après la mort de Francesco, et non pas avant. Parce qu'après tout, tout ça avait pu avoir lieu avant, il y avait une vie avant, et cette vie, de quoi avait-elle été faite ? Et alors, si ça avait eu lieu avant, pour moi tout serait différent, et y compris ce pour quoi elle m'avait offert la nappe, ce que j'étais censé comprendre, ce qu'elle me disait être le seul à pouvoir comprendre ; je devrai me dire que ce n'était pas ce qui avait eu lieu à Bruxelles, c'était une chose qui nous unissait tous les deux, en secret, mais de plus loin, de plus profond et de plus ancien, d'aussi vieux qu'un père qui part acheter des cigarettes et ne revient jamais,

mais non, la pensée butera sur cette idée. Pas une idée. Cette faille. Impossible. Je refuserai ça. Tout le reste. Comme il faudra refuser pendant des mois de revivre son sourire s'épanouissant chaque jour davantage, se métamorphosant et laissant Tana chaque jour plus ressemblante à elle-même qu'elle ne l'avait jamais été. Refuser, j'ai tout refusé. Comme le lendemain de la mort de mon père où j'avais décidé de tout écrire sur lui, de faire un livre sur lui, sa vie, sa mort, et le sentiment de honte le cahier à peine ouvert, l'impossibilité et la honte, la honte et l'obligation de devoir faire ce qui nous est interdit, et se résoudre à ne pas le faire et à se laisser ronger par l'impératif d'avoir à s'y résigner, mais un autre jour, pour une autre fois, et je penserai à ça en regardant la nappe dans son sac en plastique, puis j'essaierai de ne plus y penser et, chaque nuit, je repenserai à Tana et à pourquoi elle avait cette tendresse si particulière avec moi, ce regard au moment de me tendre le sac plastique puis de m'embrasser – et ma honte aussi, à moi, d'avoir vu autre chose là-dedans, ou de l'avoir attendu alors que tout ça j'aurai dû le savoir tout de suite, ou du moins dès la deuxième semaine de vacances : oui, elles sont là toutes les deux, les deux sœurs. Et maintenant il y a entre elles une sorte de jeu, elles rient souvent. L'eau ne m'amuse plus tellement, je reste sur la plage.

Et maintenant, doucement, c'est Tana qui avance vers l'eau, sa silhouette est si fine, si blanche, on la dirait fragile mais elle ne l'est pas. Au contraire, son corps est musclé et souple ; elle aime l'eau, on devine qu'elle aime nager. Le plaisir ne lui revient pas tout de suite. D'abord, elle marche dans l'eau assez longtemps, puis elle reste comme ça, elle a de l'eau jusqu'aux hanches, elle me regarde et rit, elle dit qu'il fait un peu froid. Ses bras s'écartent du corps, les mains posées à plat sur l'eau. Elle avance, et marche vers Grazia et Tonino, qui sont déjà assez loin. Moi, je lis *Don Quichotte*, mais mes yeux glissent et remontent vers elle, vers Tana, que je regarde s'enfoncer dans l'eau et disparaître complètement. Elle a glissé sans un bruit, à peine un déplacement d'eau. Elle a glissé et elle réapparaît plus loin, à quelques mètres. Les cheveux collent à son visage, elle n'est bientôt plus pour moi qu'une silhouette. À son retour, elle dira qu'elle n'avait pas nagé depuis des années. Oui. Peut-être depuis trois ans. Peut-être plus ? Je me demande. Les journées s'enchaînent comme ça, avec la sensation qu'un nœud se dénoue enfin, qu'à la méfiance du départ succèdent la confiance, la détente profonde et souple comme la respiration non réfléchie, sans retenue, de celui qui dort.

J'ai appris quelques mots d'italien et le soir, dès que nous avons un peu bu, je me mets à parler avec tout le monde, que ce soit l'oncle ou Grazia, Tana et Tonino, en italien, qu'alors je comprends comme si c'était ma langue, une langue déliée qui me fait dire que tous les gens un peu souls se comprennent. On rit facilement, de rien, je ne sais même pas de quoi l'on parle. Ce soir l'oncle a monté le son de la radio, et il a invité Tana à danser. Elle a dansé avec lui, avec son oncle. Ils sont sur la terrasse. Il fait nuit et cette nuit est d'une douceur étonnante ; la lune est blanche, la nuit pâle, lumineuse. Grazia veut que je danse avec elle, elle insiste. Une valse ou un slow sur un air de variété, un *ti amo* que Grazia fredonne en me prenant par les bras, bon, d'accord. Nous dansons tous les deux, Grazia et moi, pendant que Tonino nous regarde et se ressert de ce vin rouge dont nous avons déjà trop bu, à part Grazia que l'oncle surveille pour qu'elle ne boive pas trop. Mais lui-même a bien bu, même si c'est moins que Tonino et moi, moins surtout que Tana, elle boit beaucoup, et vite. Elle aime se laisser boire jusqu'à l'épuisement. Le vin ne lui fait pas dire des choses qu'elle regretterait. Au contraire. Elle parle moins, elle regarde en souriant puis ses yeux se ferment, ses forces l'abandonnent. Mais pas ce soir-là.

Ce soir-là, je me retrouve à danser avec Grazia. Le vin lui tourne la tête, même si elle a très peu bu, et, malgré les rires de Grazia et sa façon gamine de se rendre insupportable, touchante, oui, parfois insupportable mais touchante, toujours, je me demande si elle ne sait pas que se coller contre un garçon est un jeu qui peut dégénérer assez gravement, ou bien à quel point elle sait que les formes de son corps ont déjà très largement dépassé l'enfance dans laquelle son âge la retient engoncée ? Mais bon. Ne nous énervons pas. Bien sûr qu'elle le sait. Elle rit de tout son cœur, elle veut pencher sa

tête sur mon épaule et me murmure un *ti amo* avec une sin-
cérité et une gravité qui me font froid dans le dos – eh merde,
je n'en suis pas là, il ne me manquait plus que ça.

Et puis la nuit avance, l'oncle part se coucher.

Pour la première fois, c'est Tana qui décide d'aller sur la
plage. La nuit avance, quelle heure peut-il être ? Prendre un
bain de minuit, tout de suite ? pourquoi pas ? nous n'avons
pas encore fait ça ; alors, oui. Grazia est la première à dire
oui, elle me regarde et me dit qu'on peut aller sur la plage, ce
serait drôle de nager la nuit. Tu ne veux pas ? Non, je ne veux
pas, mais je prends la bouteille de grappa sur la table, eh bon,
allons-y. La plage est déserte. Au fond, la forme de bec, ou
de baleine, surplombe l'eau et semble plonger dedans – elle
est presque noire et au-dessus d'elle le ciel est d'un bleu laiteux, un bleu de nuit américaine, trop pâle sous une lune
minuscule et blanche, qui tombe dans l'eau très loin, là où
vont se perdre les voiliers dans le matin, quand je les regarde
d'ici, sur le sable. Et cette fois le sable est tassé, humide et un
peu froid. Je suis seul à ne pas me baigner ; je les regarde tous
les trois, ils sont seulement à quelques mètres de moi et ils
rient si fort que l'écho de leurs voix semble résonner dans
toute la crique. Je regarde leurs vêtements devant moi, comme
des vieilles peaux dont ils n'auraient plus besoin. Ils s'enfoncent dans l'eau en riant, Grazia cherche à se faire remarquer
et à asperger les deux autres ; mais ce sont eux qui se retournent contre elle, et tous les deux, Tana et Tonino, courent
vers elle et l'éclaboussent sans s'interrompre. De la plage, je
vois leurs silhouettes, les éclats, les gerbes d'eau comme des
pépites de lumière sur la surface de la mer ; et puis Grazia
finit de crier et de rire, elle sort de l'eau et me rejoint. Elle a
froid. Elle s'enroule dans une serviette, et, en s'asseyant à côté
de moi, elle veut me prendre le bras. Je lui souris et lui dit

371

qu'il ne faut pas – je parle en français mais elle comprend mes mots – nous n'avons pas le même âge, il faut qu'elle comprenne ça ; j'ai vaguement l'envie de la toucher, de caresser ses seins, mais non, je sais quelles complications il en naîtrait. Je la repousse et elle geint gentiment, pour se plaindre, pour me dire que je ne suis pas gentil, pour rire aussi, peut-être. Et puis elle se relève et me dit au revoir en haussant les épaules. Je la regarde s'éloigner et je pense que peut-être, pour elle, ce moment-là veut dire quelque chose que je ne comprends pas très bien, mais je m'en moque. Je la regarde dans son maillot une pièce, elle remonte vers chez l'oncle, enroulée dans sa serviette, ses vêtements entre ses bras ; elle ne se retourne pas.

Maintenant je voudrais boire encore un peu. La grappa brûle le fond de ma gorge, mais tant pis, il faut que je boive encore parce que je sais, sans l'avoir vu, que Tana et Tonino ont nagé jusqu'à la bande de pierre, au loin, et que peut-être même ils sont déjà revenus près de moi. Je sais que ce n'est pas l'alcool ni d'avoir trop fumé qui brouille mes idées et donne au bruit de l'eau qui vient frapper les rochers, cette douceur, cette tranquillité dans la nuit – peut-être parce que la nuit est blanche et qu'elle enveloppe le monde pour le protéger ; il n'y a rien à comprendre, rien à attendre, juste écouter cette longue nuit qui marche et s'étonne de nous trouver là, tous les trois, déjà si vieux, si fatigués. Et moi alors, quand j'entends Tana et Tonino rire, je comprends mieux encore que je le vois que Tana est allongée, elle est sur le dos et essaie de faire la planche. Tonino est à ses côtés, il veut l'aider, mais elle se débat et dit qu'elle n'y arrive pas, que c'est une chose qu'elle ne sait pas faire. Je ne me suis pas levé, le monde s'est retourné en moi et tout à coup il me semble que je connais cette sensation, cette ivresse d'assister au monde en me tenant sur la marge, pieds droits, souffle retenu, près de tomber dans un précipice que je ne connais pas. Comme si j'étais là parmi les ombres et qu'avec moi elles les regardent, Tonino et Tana, eux-mêmes des silhouettes dans la nuit ; mais la nuit est blanche, elle les enlace comme maintenant Tonino enlace Tana. Elle se penche sur eux et les embrasse comme Tonino embrasse Tana, dissolvant le monde autour d'eux, le massacrant avec indifférence et bonheur, comme si les ombres sur le bord se tenaient entre elles sans y croire, le souffle retenu, en attendant que cesse l'étourdissement.

CET OUVRAGE A ÉTÉ ACHEVÉ D'IMPRIMER LE
PREMIER JUIN DEUX MILLE SIX DANS LES
ATELIERS DE NORMANDIE ROTO IMPRESSION S.A.S.
À LONRAI (61250) (FRANCE)
N° D'ÉDITEUR : 4747
N° D'IMPRIMEUR : 062235

Dépôt légal : septembre 2006